José Alencar

Amor à vida

Eliane Cantanhêde

José Alencar
Amor à vida
A saga de um brasileiro

PRIMEIRA PESSOA

Título original: *José Alencar – Amor à vida*

Esta edição foi produzida com o apoio da CNI

PREPARO DE ORIGINAIS: Débora Thomé
PESQUISA: Irene Nogueira de Rezende e Tainá Maia Barbosa Falcão de Alencar
REVISÃO: Luis Américo Costa
PROJETO GRÁFICO E DIAGRAMAÇÃO: Marcia Raed
CAPA: Miriam Lerner
IMPRESSÃO E ACABAMENTO: Lis Gráfica e Editora Ltda.

CIP-BRASIL. CATALOGAÇÃO-NA-FONTE
SINDICATO NACIONAL DOS EDITORES DE LIVROS, RJ

C23j

Cantanhêde, Eliane
José Alencar – Amor à vida / Eliane Cantanhêde. Rio de Janeiro: Sextante, 2010.

ISBN 978-85-7542-624-1

1. Alencar, José, 1931–. 2. Empresários – Brasil – Biografia. 3. Políticos – Brasil – Biografia. I. Título.

10-5368 CDD: 926.58
CDU: 929:658

Rua Voluntários da Pátria, 45 – Gr. 1.404
Botafogo – 22270-000 – Rio de Janeiro – RJ
Tel.: (21) 2538-4100 – Fax: (21) 2286-9244
E-mail: atendimento@esextante.com.br
www.sextante.com.br

Ao meu pai, José Araújo Cantanhêde,
que morreu aos 63 anos de um câncer
tardiamente diagnosticado.

AGRADECIMENTOS

Este livro, ou esta viagem, começou quando meus editores, Marcos Pereira e Hélio Sussekind, me encarregaram de sobrevoar a trajetória de José Alencar Gomes da Silva, incrível e instigante sob variados aspectos. Sou imensamente grata ao Marcos, pela sensibilidade e pelo entusiasmo, e ao Hélio, por ser um parceiro presente e estimulante e por providenciar prontamente todos os meios.

Obrigada também às minhas colegas jornalistas Isabela Abdala, que participou da decolagem, e Virginie Leite, responsável pela edição e pelo pouso seguro.

Nada teria sido possível, porém, sem a ajuda da pós-doutoranda da UFMG Irene Nogueira de Rezende, Mestre e Doutora em História pela USP, e da jovem jornalista Tainá Falcão, alagoana radicada em Brasília, curiosa, atenta, perspicaz. Conheci as duas quando embarcamos juntas na viagem. Considero-as hoje queridas amigas.

Agradeço ainda ao meu marido, jornalista Gilnei Rampazzo, que leu criticamente os originais, e ao braço direito de José Alencar, Adriano Silva, ao time de craques do Hospital Sírio-Libanês, à equipe do Serviço Médico da Presidência da República, aos funcionários da Vice-Presidência, à antiga cúpula do PT, aos velhos amigos do biografado e aos irmãos, sobrinhos, filhos e netos da família Gomes da Silva. Foram contribuições inestimáveis.

À dona Mariza e a José Alencar, meu carinho, meu respeito e minha enorme admiração. Sobretudo pela alma tão brasileira e tão acolhedora e pelo admirável apreço à verdade.

Eliane Cantanhêde

SUMÁRIO

Prefácio

Recebi com satisfação a tarefa de escrever o prefácio deste livro cujo personagem principal é nada menos que o nosso querido vice-presidente da República, José Alencar Gomes da Silva, alguém que aprendi a respeitar como político e a admirar como ser humano. Além das qualidades bem conhecidas por todos, Alencar se destaca por ser um patriota e um profundo conhecedor da história brasileira. Eu diria que é impossível conhecê-lo e não gostar dele.

Meu primeiro contato com o vice-presidente foi em julho de 2006, quando foi feito o diagnóstico de um sarcoma no retroperitônio. Fui chamado pelos doutores Roberto Kalil, Raul Cutait e Miguel Srougi, estrelas da medicina brasileira, para opinar sobre o caso. Não foi uma tarefa fácil, pois tratava-se do vice-presidente da nação – e justamente em época de eleição! Além disso, eu tinha acabado de chegar ao país e estava me familiarizando com o caso, enquanto os outros colegas já o conheciam havia muitos anos. Não é surpresa, portanto, que nosso relacionamento inicial tenha sido bastante formal.

Tive a oportunidade de conhecê-lo de forma mais profunda quando viajamos juntos para Nova York em novembro do mesmo ano, para a primeira operação feita pelo Dr. Murray Brennan, do Memorial Sloan Kettering, e pudemos conversar longamente. O próprio Alencar gosta de dizer que mineiro é desconfiado, "porque atrás de morro tem morro", e faz questão de saber todos os detalhes de sua doença e de seus tratamentos.

Também foi nessa viagem que conheci outra faceta do vice-presidente, a de não esconder seu real estado de saúde. Seu pedido para que não ocultássemos nada da imprensa – e, portanto, do público – acabou por transformá-lo em exemplo e estímulo para milhares de brasileiros que enfrentam essa terrível doença.

Obviamente tivemos altos e baixos durante o tratamento, e dou meu testemunho de que ele nunca esmoreceu, se revoltou ou deixou de fazer o que lhe era recomendado.

Em setembro de 2009, o vice-presidente compareceu a uma sessão solene da Câmara Distrital, na qual recebi o título de Cidadão Honorário de Brasília, emocionando a todos com seu discurso e com sua garra, ainda mais impressionante porque o tratamento experimental a que se submetia nos Estados Unidos havia falhado e ele estava visivelmente doente.

No dia seguinte, fui chamado ao Palácio do Jaburu e pela primeira vez o encontrei desanimado. Caminhamos juntos próximo ao lago, e ele parecia decidido a não se submeter mais à quimioterapia, aceitando o seu destino. Após conversarmos longamente, animou-se e resolveu continuar o tratamento. Para nossa alegria, teve uma resposta espetacular, que durou um ano inteiro.

Em outubro de 2010, infelizmente, o quadro voltou a se agravar e ele está fazendo quimioterapia e lutando pela vida, uma constante nos últimos quatro anos. Como sempre, continua a despertar grande admiração por sua perseverança no combate ao câncer e a liderar pelo exemplo. Quando nota alguém desanimado em relação à doença, repete sempre o brado do Almirante Barroso na batalha do Riachuelo: "Sustentar o fogo que a vitória é nossa!"

Paulo Hoff

Oncologista do Hospital Sírio-Libanês

e professor titular de Oncologia Clínica da USP

A Festa

O senador José Alencar Gomes da Silva pretendia comemorar seus 50 anos de vida empresarial em março de 2000, mas preferiu deixar passar as eleições municipais e realizar uma cerimônia suprapartidária no dia 11 de dezembro daquele ano, no Palácio das Artes, na avenida Afonso Pena, centro de Belo Horizonte. Tudo se passou em grande estilo e mudou o destino de Alencar – se não o da própria história brasileira.

Numa festa impecável para mais de 4 mil pessoas, entre governadores, prefeitos, ministros, familiares e os principais líderes empresariais do país, Alencar narrou a história da sua vida de autodidata e *self-made man*. Apresentou em filme suas fabulosas empresas e abriu alas para Josué Christiano Gomes da Silva, o filho que assumiu o comando do império a partir do seu desvio de rota para a política.

Auditório lotado, Alencar ao lado da mulher, Mariza Campos Gomes da Silva, e a apresentadora oficial anuncia: "Com o fim da Segunda Guerra, o mundo começou a vislumbrar um futuro de progresso e desenvolvimento. Respira-se otimismo e o clima é de crescimento econômico. É nesse ambiente de confiança que um jovem de 18 anos de idade, do interior de Minas Gerais, começa a construir seu futuro. É essa história que nós vamos contar."

A Orquestra Sinfônica de Minas Gerais, regida pelo maestro Emílio de César e acompanhada pela solista Tereza Cançado e pelo

Coral Lírico do Estado, confere clima elegante, solene, quase erudito à cerimônia.

Com narração do próprio Alencar, um filme em cores mostra as 11 unidades do grupo Coteminas, desde a matriz, no norte de Minas, até as fábricas de fios, tecidos, toalhas de banho, toalhas de mesa, colchas, lençóis, meias e camisetas na Paraíba, no Rio Grande do Norte e em Santa Catarina, com nomes como Cotenor, Cotene, Cebratex e Wentex.

"Um colosso!", orgulha-se o narrador, repetindo uma das suas expressões mais frequentes em qualquer ocasião. Na tela, desfilam fábricas moderníssimas, automatizadas, com ambientes climatizados. A Cotenor, em Montes Claros, tem "o maior salão de tecelagem do mundo". A fábrica de lençóis, na mesma cidade, "tem quase um milhão de metros quadrados de área coberta, totalmente climatizada, com umidade e temperatura controladas".

Ainda segundo o ilustre locutor e homenageado do dia, a Wentex, de São Gonçalo do Amarante, no Rio Grande do Norte, produz 5 milhões de camisetas por mês, todas para o mercado americano: "Estamos colaborando com o esforço nacional para fazer crescer as exportações brasileiras!" E mais: "Não há nada mais moderno e nada nessa dimensão no mundo. Os próprios suíços, que forneceram a maquinaria, dizem isso."

Mas o filme não para aí. O grupo construía àquela altura a usina hidrelétrica Porto Estrela, no Vale do Aço, em parceria com a Companhia Energética de Minas Gerais (Cemig) e a Companhia Vale do Rio Doce, na base de 1/3 para cada um.

E, *last but not least*, a Fazenda Cantagalo, que cria gado nelore e produz as cachaças Sagarana, Porto Estrela e, especialmente, a Maria da Cruz – "a melhor aguardente artesanal fabricada no mundo", informa o locutor, na dupla condição de fabricante e consumidor.

O filme termina com cenas de meninos e meninas robustos e sorridentes em escolas, consultórios médicos, consultórios dentários, quadras de esporte e piscinas que o grupo oferece às famílias de seus funcionários. "Isso vale a pena, isso realiza muito a gente", ecoa o vozeirão de Alencar.

Fim da projeção, início de um show de ginastas olímpicas da seleção brasileira. O auditório vibra, e o homenageado ri, feliz da vida. Chega a vez do discurso de Josué, caçula e único homem de três filhos, que assumiu o comando da Coteminas aos 26 anos, depois de um desempenho acadêmico brilhante e diplomas de Direito e Engenharia, mais um mestrado em Administração na prestigiada Vanderbilt, nos Estados Unidos.

Seguro, sóbrio, Josué conta aos convidados o principal ensinamento do pai e chefe: "Nada resiste à força do trabalho e à grande confiança no Brasil que ele sempre incutiu em nós." O filho e herdeiro discursa, enaltecendo a postura da Coteminas no ano anterior, 1999, diante da abrupta desvalorização cambial do governo Fernando Henrique Cardoso, que deixara os empresários de cabelo em pé e um rastro de pessimismo, aumentos de preços e demissões.

"A Coteminas foi a primeira empresa que decidiu não aumentar seus preços", afirmava Josué, lendo, palavra por palavra, o texto do anúncio que o grupo publicara em jornais, revistas, rádios e televisões. A fala é quase uma síntese do discurso que Alencar manteve a vida inteira: simples, otimista e profundamente nacionalista.

"*O único aumento de que se fala na Coteminas é o aumento da confiança no país. O Brasil é um país de imensas potencialidades, com um povo maravilhoso, dono de uma força interior inabalável. É nisso que a Coteminas acredita, e essa crença está presente em cada trama do tecido de uma toalha, de um lençol ou de uma camiseta que produzimos. Tanto que continuamos investindo em tecnologia e no crescimento de nossas unidades de Minas Gerais, Paraíba e Rio Grande do Norte. E mais: não estamos aumentando o preço de nenhum dos nossos produtos. Este é o investimento mais importante que a nossa empresa está fazendo: o investimento no futuro do Brasil.*"

Rindo, Josué pede desculpas ao governador Esperidião Amin, ali presente, por não ter citado Santa Catarina: "Só agora estamos chegando lá, mas não precisa ficar triste."

Tudo o que Amin não estava era triste. Ao assumir a Artex, de Blumenau, o grupo havia não apenas mantido, mas ampliado os empregos e a escola técnica para o setor. "Eles, Alencar e Josué, são parceiros fiéis e confiáveis, por quem tenho respeito e admiração", comenta Amin, uma década depois daquela festa.

Na sua fala, Josué resume a potência em números: investimentos de R$ 100 milhões ao ano, produção multiplicada por quatro de 1994 a 2000, crescimento anual do faturamento na faixa de 41,6%, aumento de 25 vezes nas exportações, com um valor de US$ 120 milhões por ano. E, com solavancos ou não na economia, já estavam contratados U$ 150 milhões de vendas para o exterior no ano seguinte, 2001.

A indústria em geral desempregava, mas Josué informa aos convidados que o grupo Coteminas havia quase dobrado suas vagas. "A única forma de gerar empregos é crescendo", pontifica.

Também arranca aplausos e risos ao falar sobre empréstimos e investimentos a uma plateia de produtores sempre ressabiados com os financiadores. Depois de lembrar o falecido tio Geraldo, o mais velho dos 14 irmãos de Alencar, diz que "o capital também tem de ser remunerado", mas defende que os financiamentos devem ser "conservadores e com taxas competitivas" e repete um ditado muito apreciado no mundo corporativo: "Não se pode entrar em banco nem para se proteger da chuva!"

O herdeiro conta que o pai começou a vida pedindo 15 mil cruzeiros (moeda da época) ao irmão Geraldo e, meio século depois, a Coteminas tinha R$ 1,3 bilhão em ativos, com taxa anual de crescimento de 25,5%.

Alencar fala em seguida, deixando evidente o contraste entre o filho e ele. Ambos são grandes empresários, mas um é elegante e técnico, e o outro, popular, desenvolto, jeitoso, como manda a boa tradição política mineira. Cheio de manha, Alencar é o ponto alto da própria festa, que invade teatro, *foyer* e saguão de entrada, até chegar aos jardins durante o coquetel.

Enquanto agradece a presença de seis governadores e 12 senadores, um garçom chega de mansinho, deixando um copo d'água no púlpito. Seu nome: Augusto Gerônimo Pedrosa, *maître* do restaurante da sede da Coteminas em Belo Horizonte desde 1993. Baixinho e meio careca, é uma figura discretíssima, mas conhecida de boa parte dos ilustres e ricos convidados – muitos deles *habitués* de gabinetes ou casas de Alencar em Minas, Brasília, São Paulo e Rio.

Depois de citar governadores como Dante de Oliveira, de Mato Grosso, e Albano Franco, de Sergipe; senadores como Jader Barbalho (PA) e Pedro Simon (RS), do PMDB, seu partido na época, e prefeitos, como Célio de Castro, de Belo Horizonte, Alencar surpreende a plateia com uma deferência especial.

Para "motivo de muita honra mesmo", anuncia: "Aqui está, entre nós, nada mais, nada menos do que o grande brasileiro Luiz Inácio Lula da Silva." E os aplausos para Lula são, inequivocamente, os mais contundentes de toda a cerimônia. Exceto, é claro, quando o aplaudido é o próprio Alencar.

A gravação da solenidade registra, nesse momento, um *zoom* em Lula, num terno cinza claro muito bem cortado, acima do peso e coçando a barba – ambos, peso e barba, bem maiores do que nos anos seguintes de Presidência da República.

E como o metalúrgico e sindicalista Lula foi parar ali, no covil dos leões – ou dos patrões? Simples. Ao emitir mais de mil convites, Alencar incluíra todos os presidentes de partido. O PT enviou os seus dois: Lula, o presidente de honra, e José Dirceu, o de fato e de direito, mineiro e que já andava de olho nesse empresário e político tão peculiar.

Apesar da presença maciça de políticos, Alencar – que tinha adiado a festa de março para dezembro para fugir do cronograma eleitoral – inicia seu discurso final, todo de improviso, dizendo o oposto do que se constatava ali: "É uma beleza essa festa para o nosso coração. Não é uma festa política, mas uma reunião de amigos, representados em quase todos os partidos."

E cita o líder comunista chinês Deng Xiaoping (1904-1997): "Não importa a cor do gato, o que importa é que ele cace o rato." Ele mesmo decifrou a metáfora: "Não importa a coloração ideológica, o que importa é o bem comum." Aplausos, muitos aplausos naquele auditório, que, ao contrário, tinha coloração ideológica bastante clara. E não exatamente pró-regime comunista chinês.

Apesar disso e do tom eclético, suprapartidário, Alencar faz uma concessão ao PMDB, saudando o senador gaúcho Pedro Simon como "o candidato do nosso partido à Presidência da República". Conforme a história registra, Simon nunca chegaria a ser realmente candidato. E Alencar, muito provavelmente, sabia bem disso. Quis apenas fazer um gesto de cortesia.

Se alguém tivesse de apostar naquele momento, o mais provável era que o astuto empresário e estreante senador, em segundo ano de mandato, preferisse um candidato tucano. Mas não há registro da cúpula nacional do PSDB na festa decisiva. As principais estrelas do partido foram o ex-governador de Minas Eduardo Azeredo, o ex-prefeito de Belo Horizonte Pimenta da Veiga e o então governador de Mato Grosso Dante de Oliveira (1952-2006) – que entrou para a história como o jovem deputado da emenda das "Diretas Já", de 1984, e a quem Alencar se referiu com especial carinho.

Como governador, Dante concedera incentivos fiscais para a produção de algodão, que era obviamente fundamental para as empresas de fiação e tecelagem dos Gomes da Silva. O gesto quebrou um tabu. Os produtores nacionais enfrentavam então uma avalanche de impostos, não eram competitivos e o mercado brasileiro estava inundado pela oferta barata da Ásia, da Europa e da África. Dante, sempre visionário, rompeu essa barreira.

"É um milagre o que o Dante está fazendo em Mato Grosso, que produziu no ano passado 320 mil toneladas de algodão, mais do que toda a produção nacional", discursa o homenageado.

Alencar não se esquece de elogiar também o povo brasileiro: "Honesto, pacífico, inteligente, versátil. Talvez a miscigenação nos confira essa versatilidade toda, invejada no mundo inteiro."

E, claro, aproveita para falar num dos seus orgulhos: a capacidade de gerar empregos. A Coteminas somava, então, 12 mil funcionários. Considerando-se as coligadas, eram 16.200, o que resultava em "50 mil brasileiros que vivem dessas empresas". Ao homenagear "os companheiros" que trabalharam durante anos ou décadas na Coteminas, afirma: "Nunca dispensamos ninguém. E temos sobrevivido."

Critica, ora, ora, a carga tributária, um dos seus temas prediletos nos primeiros anos do governo Lula. E, apesar de se identificar mais com o centro, é duro com o então governo de Fernando Henrique – uma das ausências mais notadas na ocasião –, ao reclamar da venda de empresas estatais "a preço de banana" para pagar os juros da dívida externa. "Estamos negociando mal!", acusa.

O resultado, na opinião de Alencar, era que as indústrias nacionais se viam prejudicadas num rápido e irreversível processo de globalização, sem competitividade ou pelo menos igualdade de condições: "A competição é desigual e predatória", brada sob aplausos.

E, nesse ponto, inicia o relato de sua própria história, desde que saiu de casa na pequena Miraí aos 14 anos rumo a Muriaé, ambas no interior de Minas Gerais. "Mas não foi para estudar, não, porque meu pai não tinha condições de pagar. Foi para trabalhar mesmo." Ao se despedir da família, disse:

– Bênção, pai, bênção, mãe.

Ouviu então do pai, Antônio Gomes da Silva, uma frase que passou o resto da vida repetindo e levando a sério:

– O importante na vida é poder voltar.

Aos 18 anos, pediu a seu Antônio para ser emancipado legalmente (a maioridade era aos 21) e pegou dinheiro emprestado com o irmão Geraldo, quase 18 anos mais velho, para abrir seu primeiro negócio: "A Queimadeira", uma loja de tecidos em Caratinga.

Eram 15 contos de réis, e ele pagava 1,5% de juros ao mês a Geraldo. Um belo dia, o gerente da agência do Banco Hipotecário e Agrícola do estado de Minas Gerais, também chamado Geraldo – Geraldo Santana –, questionou:

– Ô menino, seu irmão está cobrando juros muito caros! Eu ofereço 1%.

Encucado, Alencar procurou o outro Geraldo, seu irmão, e cobrou. Resposta:

– Eu nunca te cobrei juros. Aquilo é o aluguel do dinheiro!

A plateia quase vem abaixo, as risadas correndo soltas.

E qual a diferença entre juros e aluguel do dinheiro? Geraldo explicou, de irmão para irmão: no banco, a promissória vence e as pessoas têm de pagar de qualquer jeito, senão perdem tudo. Com ele, Alencar só precisaria pagar o aluguel do dinheiro, deixando para amortizar o principal quando tivesse condições para isso.

– Então, você me doou o dinheiro? – quis saber Alencar.

Resposta:

– Não doei nada. Quando você fizer capital, você vai me pagar. Mas aí não vai te fazer falta.

Moral da história, 50 anos depois, nas palavras de Alencar: "Aprendi que o dinheiro tem custo e precisa ser remunerado, e que o dinheiro de longo prazo é um estímulo para o jovem começar a vida."

Lembra também o pulo do gato da sua vida empresarial, quando ele e o sócio, Luiz de Paula Ferreira, criaram a Coteminas com apoio da Sudene (Superintendência do Desenvolvimento do Nordeste) e como isso foi decisivo para todo o resto da história.

Entre uma coisa e outra, ou entre aquele primeiro empréstimo de Geraldo e o apoio da Sudene, muita água rolou. E, claro, Alencar não deixa de contar ali, naquela solenidade, como começou a vida ganhando 300 cruzeiros por mês como vendedor, morando num cantinho de corredor num hotel barato, depois de uma longa negociação com a proprietária, dona Maria. Ela queria cobrar 280 contos de réis pelo cantinho e três refeições por dia. Ele teria pechinchado ao máximo:

"Foi o primeiro negócio que fiz na minha vida, aos 14 anos de idade", exulta como se tivesse acontecido dias antes. "Equilibrei meu orçamento quando chegamos a 220 contos de réis – e com roupa lavada!" Novos aplausos, novos risos. A plateia já estava totalmente cativada.

Dez anos depois, o petista José Dirceu seria capaz de lembrar "daquele discurso belíssimo, politizado, otimista, desenvolvimentista" e da impressão que aquele empresário causara nele e no próprio Lula:

"Alencar era contemporâneo, não era alguém do passado. Ficava evidente que era um homem que ia fazer muita coisa, não um homem que já tinha feito. Não era uma comemoração de alguém que estava se aposentando. Porque todo o discurso dele, todo o estilo dele, toda a oratória dele tinham a força de alguém que estava construindo. A sensação que eu tive era de alguém que queria governar o Brasil."

Alencar discursa e, em seguida, Adriano Silva, fiel escudeiro, vai discretamente até Lula, cumprimenta-o e pergunta se gostaria de "falar algumas palavras". Lula retribui o convite com um sorriso, agradece e declina. Depois, cochicha ao ouvido do presidente de fato do PT:

– Zé, vai você, que é de Minas e conhece melhor essa gente aqui.

Dirceu é recebido com pálidas palmas ao se aproximar do microfone, mas faz um discurso essencialmente político e capricha no sotaque mineiro. Em Roma, como os romanos.

"O Lula quis me dar o privilégio de falar em nome dele e do PT porque sou mineiro, e você, José Alencar, honra Minas Gerais e o Brasil como cidadão e homem que sonha com o Brasil", começa Dirceu. E prossegue:

"Este Brasil do qual o senador fala com tanta paixão nunca foi o país do possível, sempre foi o país da audácia e do sonho. Nós temos um sonho para o Brasil, e esse sonho depende muito do empresariado brasileiro. Precisamos de um projeto de desenvolvimento nacional, e esse projeto não existirá sem o empresariado. Hoje, o que assistimos é que grande setor do nosso empresariado vive de costas para o Brasil, não acredita mais no nosso Brasil. De costas para o Brasil, não vamos a lugar nenhum."

Ainda Dirceu:

"O senador José Alencar representa uma liderança daquelas que acreditam no Brasil. Essa é a nossa mensagem aqui, hoje, mensagem de fé no Brasil, uma fé que pode ser muito bem representada pela vida e pela obra do senador José Alencar."

Encerra lembrando uma máxima do próprio pai: "Desejo-lhe muita saúde, porque, como meu pai sempre dizia, do resto, nós cuidamos trabalhando." Foi um voto premonitório, como se veria ao longo da década seguinte.

O desfecho da festa, depois de muitos e muitos discursos de loas ao homem, ao empresário e ao político José Alencar, reserva a leitura, nome por nome, dos mais antigos e fiéis funcionários da Coteminas. Chamam-se ao palco os que ali compareceram para cumprimentar o chefe e patrão.

O primeiro nome citado, para "um preito de profunda saudade", é o de Maria Auxiliadora da Silva Teixeira, a Dorinha, que trabalhou durante anos como representante da Coteminas em Minas e morrera de câncer havia pouco, em 8 de setembro do ano anterior. Ela sempre foi das irmãs mais queridas de Alencar e da família.

Entre os nomes, incluíam-se Fábio Vieira Marques Júnior, primeiro diretor da empresa no Rio Grande do Norte e depois da unidade de Montes Claros, em Minas, e Pedro Garcia Bastos Neto, vice-presidente industrial. Fábio e o filho de Pedro, o engenheiro Rospierre Vilhena Garcia Bastos, também funcionário da empresa, morreriam sete anos depois no acidente do Airbus da TAM que fazia o voo 3054 e explodiu no aeroporto de Congonhas em 17 de julho de 2007, com 187 vítimas a bordo e 12 no solo.

Eles tinham participado de uma reunião na fábrica de Santa Catarina e decidiram antecipar a volta para Minas, embarcando à última hora no voo 3054, que faria escala em Congonhas. A tragédia causou comoção na Coteminas.

Os velhos funcionários cumprimentam Alencar no palco e um batalhão de 200 garçons começa a se mover entre os 15 bufês quando Lula e José Dirceu vão cumprimentar o anfitrião. O papo é ótimo. Lula elogia a cerimônia e o sucesso das empresas, enquanto Alencar agradece pela presença, todo sorrisos. É desse primeiro contato olho no olho que se materializa o convite de Alencar para que os dois fossem pessoalmente visitar as sedes das fábricas do grupo.

Ao deixar o Palácio das Artes, Lula reflete sobre aquele homem que veio do nada e não pôde estudar, construiu um império, conquistou tanto prestígio, tinha mandato, falava de uma forma tão cativante, era um nacionalista convicto, respeitava os empregados e era politicamente liberal – na prática, um suprapartidário. De quebra, Alencar era senador por Minas Gerais, estado-chave na eleição presidencial seguinte, a de 2002, e tinha um dom natural para a oratória. Discursava coloquialmente, com carisma e emoção.

Ao entrar no carro e bater a porta, Lula anuncia de chofre para José Dirceu:

– Encontrei o meu vice.

Raízes Ibéricas

O avô paterno de José Alencar, Innocêncio Gomes da Silva – Innocêncio com dois 'n', conforme o neto ilustre gosta de frisar –, nasceu em 1818, teve dois casamentos e cinco filhos. O pai de Alencar, Antônio Gomes da Silva, era o caçula do segundo casamento, com Maria Lina. Tinha 12 anos quando ele morreu, deixando uma fazendinha no município de Cantagalo, no Rio.

Morreu, aliás, de forma pouco usual: foi remexer um balaio em busca de uma muda de café e acabou picado por uma jararaca. Como não existia soro naquela época, não houve o que fazer.

Félix, filho mais velho e único do primeiro matrimônio de Innocêncio, assumiu a responsabilidade pela viúva e pelos irmãos menores, inclusive Antônio. Foi ele quem decidiu vender a fazenda do interior fluminense e mudar com a família para uma "propriedadezinha" perto da cidade de Muriaé, em Minas. O local tinha o curioso nome de Macuco.

O avô materno de Alencar, Romão Serrano Peres – "Peres com 's'", dita mais uma vez o vice-presidente –, era espanhol da Galícia e foi trabalhar como ajudante de cozinha de um navio para fugir do Exército. O navio aportou no Rio, ele caiu na farra. Gostou tanto que acabou ficando, criando raízes. Naquela época, era mais fácil. Não havia tanta exigência de documentos e de vistos como nesse tal mundo de hoje que se diz "globalizado".

Tempos depois, o galego Peres, aventureiro e desbravador, aceitou de pronto o convite para trabalhar na Zona da Mata. Foi ali que conheceu sua mulher, Maria Barros, avó de Alencar. Quando casaram, ela passou a assinar Maria Barros Serrano Peres, mas todos os netos a chamavam de "madrinha". Dolores Peres Gomes da Silva, mãe de Alencar, foi a primeira dos cinco filhos de Peres e Maria.

Antônio Gomes da Silva, descendente de portugueses, e Dolores Peres Gomes da Silva, de origem espanhola, conheceram-se no distrito de Vermelho, região de Muriaé, Zona da Mata Mineira, e ali casaram em 22 de junho de 1912, no dia em que ela completava 18 anos. Ele tinha quase 36 – ou seja, o dobro da idade dela.

A Zona da Mata fica no sudeste de Minas, divisa com Rio de Janeiro e Espírito Santo. Abrange uma área de cerca de 35 mil quilômetros quadrados, ou 5% do território do estado, mas abrigava 500 mil dos 3,5 milhões de habitantes de Minas em 1900.

Em 1920, mais de 80% dos 30 milhões de brasileiros viviam no campo, o que se alteraria apenas a partir dos anos 70, quando, pela primeira vez, a população urbana (52 milhões) ultrapassou a rural (41 milhões).

A despeito de focos pontuais de industrialização, em especial no Sudeste, a economia brasileira das primeiras décadas do século XX continuava basicamente agroexportadora: cafeicultura em São Paulo e Minas; borracha na Amazônia; açúcar no Nordeste; couro, charque e erva-mate no Sul. O Brasil era responsável por 60% da produção mundial de café.

Quando Antônio e Dolores tiveram os primeiros filhos, ainda em Vermelho, o café era o grande motor do progresso da Zona da Mata, fazendo prosperar o comércio varejista de secos e molhados, os famosos empórios do interior de Minas, que vendiam de um tudo, de máquinas agrícolas a tecidos.

O preço do café estava nas alturas, graças ao final da Primeira

Grande Guerra (1914-1918), à geada que arrasou as plantações paulistas e aos benefícios concedidos pelos governos federal e estadual para o setor. A eleição de Arthur Bernardes para a Presidência da República, em 1922, foi o empurrãozinho final. Ele era de Viçosa, filho da Zona da Mata mineira, e não deixou sua região à míngua.

A primeira loja de Antônio foi justamente um armazém de secos e molhados em Vermelho, quando o café era uma espécie de moeda, uma referência monetária. Ele vendia as mercadorias, os compradores penduravam a conta e depois quitavam em café.

Vem daí, de muito longe, a ligação dos Gomes da Silva com comércio e com tecidos, sempre um produto forte nos secos e molhados daquela época. Nos primórdios da entrada dos Gomes da Silva no comércio, ainda na pré-história da Coteminas, havia um bom motivo para o sucesso do comércio de tecidos – ou de "pano", como Alencar e os de sua geração falavam.

"Naquele tempo, não havia venda de roupa em lojas, o que havia era venda de pano. As famílias tinham máquina de costura em casa, compravam o pano e transformavam o pano em roupa, porque as donas de casa eram as costureiras. Faziam, com suas máquinas, até a maior parte do enxoval", relatou.

Inclusive dona Dolores, mãe dele?

"Minha mãe também. Ela teve 15 filhos, costurou para a família toda."

Pela ordem, eis os filhos de Antônio Gomes da Silva e Dolores Barros Serrano Peres, depois Dolores Peres Gomes da Silva: Udezira, 1913, Geraldo, 1914, Mário, 1915, Maria (Cotinha), 1917. Praticamente um por ano. Depois, vieram Álvaro (Tatão), 1919, Lucílio (Lulu), 1921, Wilson, 1923, Elza, 1925, Célia, 1927, Maria José, 1929, José Alencar (Zezé), 1931, Wallace, 1933, Antonio (Toninho), 1935, Maria Auxiliadora (Dorinha), 1937, e Dolores Maria, 1942.

Dos 15, alguns foram ficando pelo caminho, o que era bem comum naquela época, ainda mais no interior: a primogênita Udezira e mais três morreram ainda bebês, e Wilson só resistiu até os 12 anos.

Geraldo e Dorinha morreram já adultos, de câncer, como a mãe. Ele, aos 45 anos, em 1959; ela, aos 62, em 1999. Lucílio e Cotinha faleceram já idosos, ambos com 75 anos.

Dos seis filhos de Antônio e Dolores que sobreviveram até 2010, o mais velho era Álvaro, 11 anos a mais que Alencar, com uma curiosa história que ilustra o patriarcado da família Gomes da Silva. Mas as mulheres tentavam resistir...

Dona Dolores era católica praticante, devota de São Sebastião, e fez uma promessa quando ficou grávida: se fosse homem, e tudo corresse bem, o bebê iria se chamar Sebastião. Mas quem registrava as crianças era o pai, e Antônio não teve dúvida: foi ao cartório e registrou o filho como Álvaro.

Problema deles, pai e filho. A mãe não quis saber de conversa e nunca chamou o filho por outro nome que não fosse Sebastião. Toda a família, inclusive o próprio pai, reduziu para "Tatão".

Uma das características de José Alencar é a inacreditável, fantástica memória, mas, segundo ele, Tatão, que completou 90 anos em 2009, foi "quem sempre teve uma ótima memória, lembra tudo melhor do que ninguém".

A família numerosa, as dificuldades da infância, a vocação para o comércio e a ligação com tecidos – ou "panos" – iriam marcá-lo por toda a vida.

ITAMURI, 1931

A manchete do jornal *O Globo* de 22 de novembro de 1931, acompanhada de um texto rococó e tortuoso, bem ao gosto da época, era a seguinte: "Nevou no Rio". Dizia o texto: "*Ainda que não fosse espessa a camada acumulada no alto dos grandes prédios, a verdade é que, a despeito do intenso calor que desde pela manhã causticou o carioca, logo após o fragoroso vento que desenraizou as árvores e destelhou as casas, com a abundante chuva que inundou os bairros, caiu a neve, a neve que tão poucas vezes (quem se lembrará de a ter visto?) tem aparecido no Rio.*"

Se verdadeira a informação – o que parece improvável –, foi assim que terminou o ano em que José Alencar Gomes da Silva nasceu: com calor pela manhã e neve no final do dia, às vésperas do verão que começaria em 22 de dezembro e em pleno Rio de Janeiro!

Ele veio ao mundo no dia 17 de outubro de 1931, quando Antônio e Dolores já tinham se mudado de Vermelho para o distrito de Itamuri, a 23 km do centro de Muriaé, Zona da Mata mineira. Foi o 11º dos 15 filhos e se tornou o mais especial dos irmãos em vários sentidos, o eixo em torno do qual a família girou ao longo das décadas seguintes – antes, durante e depois da virada do século XX para o XXI.

O gaúcho Getúlio Vargas estava no segundo ano do seu primeiro governo, que duraria 15 anos (de 1930 a 1945), descambaria para a ditadura do Estado Novo a partir de novembro de 1937 e implementaria profundas reformas sociais e econômicas no país. (De volta ao governo em 1951, ele se mataria com um tiro no coração em 24 de agosto de 1954, mas isso é outra história.)

No ano do nascimento de Alencar, as artes estavam efervescentes. Na música, Carmen Miranda cantava a marcha "É findo o nosso amor", Sílvio Caldas animava o Brasil com o samba "É do balacobaco", o Conjunto Tupy batucava "Cadê viramundo?". Nos cinemas, exibiam-se *Honra de amante*, com Claudette Colbert e Fredric March; *O café do Felisberto*, com Maurice Chevalier; *Desonrada*, com Marlene Dietrich; *A mulher que perdeu a alma*, com Joan Crawford. Músicas, filmes e estrelas que entraram para a história.

Era a época da sapataria Clark, dos sabonetes Lever, das lâminas Gillette e da Panair, a companhia aérea nacional recém-inaugurada que, naquele ano, abria uma linha direta entre Rio de Janeiro e Buenos Aires. Era um luxo, tanto quanto usar as incríveis canetas Parker.

Mas nem o luxo, nem o *glamour*, nem os produtos da moda chegavam à casa do recém-nascido José Alencar, no interior de Minas, onde as coisas até que iam bem até o final dos anos 20, mas pioraram sensivelmente quando a quebra da Bolsa de Nova York, em 1929, atingiu em cheio o preço internacional do café, e a crise veio em ondas até chegar ao Brasil, à Zona da Mata mineira e aos negócios dos Gomes da Silva.

Hoje uma crise internacional chega em minutos pela internet e se irradia feito rastilho de pólvora. Naquela época, chegava devagar, como se viesse a cavalo. Mas chegava. A vida da família de Antônio era estável e farta, mas passou a ser errante e com limitações.

Em Itamuri, a situação tinha sido tranquila até a chegada de Alencar ao mundo. A família morava em casa própria, bem no centro da cidade, com boa sala no andar térreo e quartos no andar de cima. Em frente, ficava a casa comercial, respeitada, procurada, próspera.

José Alencar relembra os tempos da loja de Antônio em Itamuri, conforme relatos ouvidos dos pais, dos tios e dos irmãos mais velhos: "A casa, naquela época, era muito sortida. As prateleiras, abarrotadas de mercadorias. Os tecidos, rústicos, eram o principal produto de um modo geral, mas vendia também cereais, alimentos, ferragens, ferraduras e ferramentas, como enxada, picareta, cavadeira e chapa de fogão, quando todo mundo tinha fogão a lenha."

A casa também oferecia macarrão, o adubo Maná, o óleo de amêndoas e alguns remédios, como bicarbonato de sódio, óleo de rícino e Sal de Glauber, purgantes bastante populares. Era um típico armazém de secos e molhados.

Quando os efeitos da crise de 1929 começaram a chegar, o preço do café desabou no Brasil, e os negócios de Antônio Gomes da Silva começaram a desandar. De Itamuri, a família foi empurrada pela crise econômica, com malas, bagagens e filharada, para Rosário da Limeira, distrito de Muriaé só emancipado muitos anos depois. Era o início de 1932, e José Alencar – que todos os irmãos chamam de "Zezé" – tinha de três para quatro meses.

A crise alterou a vida dos Gomes da Silva. O patriarca perdeu tudo e decidiu que era hora de tentar a sorte em outras plagas, e o destino escolhido foi a pequena Rosário da Limeira.

Célia Peres da Silva Freitas, 9ª da família, quatro anos mais velha que Alencar, conta que o pai sempre fora um negociante próspero, mas tudo mudou:

"Ele fornecia mercadorias para aqueles coronéis, fazendeiros da região. Eles penduravam a conta e pagavam em café. Nessa época, o café valia 50 mil réis, mas passou a valer 5. Quando recebia o pagamento, o dinheiro não valia mais nada. As prateleiras, que tinham de tudo nos bons tempos, foram minguando a olhos vistos. Foi uma derrocada."

O efeito foi devastador não apenas nos negócios.

"O ambiente da casa mudou, papai passou por uma crise séria de estômago. Até a fisionomia dele mudou. Meu pai era uma pessoa realizada, mas daí em diante foi algo difícil de descrever com palavras. Éramos crianças e não sabíamos o que estava acontecendo. Apenas percebíamos", lembra Célia.

Antônio não chegou a ir à falência."Ele não foi à falência, porque não causou prejuízo a ninguém. Ele simplesmente perdeu tudo o que tinha quando houve uma retração internacional e o café caiu", explica um Alencar orgulhoso. E confirma a versão de Célia:

"Papai vendia a mercadoria e recebia depois em café. Mas, quando foi vender o café, vendeu por um décimo do preço que havia desembolsado pelas mercadorias. Foi um desastre, perdeu tudo. Por isso, meus irmãos falam que, quando nasci, papai não tinha nada. Mudou para Rosário da Limeira com o que lhe sobrou, que eram 4 contos de réis."

No novo pouso e na nova vida, já com 11 filhos, um deles com poucos meses de idade, seu Antônio alugou um imóvel até razoável, num local central da pequena Rosário da Limeira. Embaixo, funcionavam a loja, a sala de espera, uma copa, um banheiro e a cozinha, além do armazém para estoque. Em cima, a casa, com os quartos e as varandas.

O imóvel fora cenário de uma história triste: a filha única do proprietário se apaixonara por um rapaz e, como o pai não aprovou o casamento à época, ela jogou álcool no próprio corpo e ateou fogo. Depois disso, o dono ficou desgostoso e não quis mais saber da casa. Arrendou barato para Antônio.

Alencar viveu ali até os 6 anos. Das poucas lembranças que ficaram, relata a primeira vez que foi cortar cabelo no barbeiro. O pai foi pegá-lo e achou que ficou horrível. Deu uma bronca no dono do salão, que, além de passar a navalha em cabelos, barbas e bigodes, era goleiro do time de futebol do lugarejo:

– Ô Oliveira, você é um barbeiro mesmo!

O pequeno Alencar achou aquilo o máximo.

De Rosário da Limeira, a alma irrequieta e cigana de Antônio Gomes da Silva lançou a família em nova aventura, agora em Canteiro, ali perto. Se o pouso antigo era, pelo menos, um distrito de Muriaé, o novo nem isso era. Tratava-se de uma fazenda – a Fazenda Canteiro, cujo proprietário se chamava Mário Serenário. Seu Antônio montou uma vendinha ali.

"Papai fez uma coisa que hoje consideramos errada, porque foi para a roça com aquela filharada toda. Aquilo impediu que pudéssemos estudar", reclama Célia. Dois dos irmãos mais velhos ainda foram mandados para internatos – Ateneu e Santa Marcelina – em Muriaé. Mas eram caros, e o pai não tinha dinheiro para bancar.

Na opinião de Antônio Gomes da Silva Filho, Toninho, 13º filho, o pai tomou essa decisão "porque a condição dele (financeira) estava tão fraca que tinha de ir para um lugar que exigisse despesa mínima. Aquilo foi o auge da nossa pobreza, porque não tinha nada mesmo".

Toninho prossegue com a memória dos tempos de vacas magras: "Ele tinha uma casa comercial pequena. Era na beira da estrada, num lugar que nem existia, não era nem lugarejo, era uma estrada onde havia umas fazendinhas. A casa comercial supria aquele povo, e ele não tinha despesa nenhuma ali. Com aquilo, garantia a mesa."

Alencar e os irmãos fazem questão de dizer que nunca passaram fome, ainda que a situação não fosse nenhum paraíso: "Graças a Deus, a mesa sempre foi farta. A comida era feita pela mamãe, e você comia quiabo com angu e feijão e agradecia a Deus, porque era muito gostoso", insiste Toninho. Muitos anos depois, dona Dolores se tornaria cozinheira de pensão até ser "resgatada" por Alencar e parar definitivamente de trabalhar.

Apesar da crise, da pindaíba e dos traumas, o velho Antônio manteve os mesmos fornecedores e continuou comprando e vendendo as mesmas mercadorias, principalmente tecidos. Também continuava a receber parte do pagamento em "café em coco". Significa o café na forma como é colhido, maduro, com dois grãos. Antônio recebia, passava pela máquina e revendia.

Ele alugou uma máquina de beneficiar café, e as crianças, quando não estavam no jardim ou no pomar, divertiam-se de forma criativa: "Íamos para o armazém e fazíamos um trapézio para cair em cima do café", conta Célia.

Mas esse não era o ramo nem a vocação da família. "Meu pai me dizia que o café nunca ajudou, mesmo sem aquilo tudo que aconteceu em 1929. Quando a safra era pequena, o preço era bom, mas os fazendeiros não conseguiam pagar. Quando era grande, eles podiam pagar, mas o preço era ruim, valia muito pouco", relata Alencar.

Foi assim que seu Antônio deixou o café para lá e continuou no comércio a vida toda. Nunca fez outra coisa. "Ele acreditava no comércio. Tanto é que, não podendo educar os filhos, ele não deu nenhuma profissão, nem de barbeiro, nem de sapateiro, sei lá. Nada disso. Papai treinava os filhos no balcão. Eu saí de casa, com 14 anos, treinado no balcão", acrescenta ele.

Célia lembra de "Zezé" com seus 8 anos – "bem novinho, um toco de gente" –, quando o pai arrumou o cavalo, botou um dinheiro no bolsinho da calça dele e mandou que fosse pagar uma dívida para um fazendeiro que morava a horas dali.

"O Zezé foi sozinho, fez o pagamento, voltou, trouxe o recibo e entregou para o papai, tudo certinho. Ficava orgulhoso de ter essas responsabilidades", relata a irmã.

Ela diz que Alencar gostava muito de brincar, jogar bola. Certa feita, o pai voltou de uma viagem com... um par de chuteiras! Foi o maior sucesso. "Zezé sempre diz para todo mundo que o primeiro sapato dele foi uma chuteira. Mas deu confusão, porque ele era o único que tinha chuteiras e o resto da garotada dizia que ele tinha de jogar descalço, como os outros. Todo mundo brigava", lembra Célia.

"E eu acabava jogando descalço", concluiu ele, rindo.

Nem sempre o menino Alencar era um doce de coco, muito pelo contrário: "Em casa, ele era muito implicante, muito enjoado conosco", confidencia a irmã, recordando que chegou a sair do sério com ele num dia em que Alencar arrancou Toninho do banheiro à força para tomar banho em seu lugar. Toninho era quatro anos mais novo do que Alencar. Célia não teve dúvida: "Peguei uma borracha que tinha lá em casa, dobrei em duas e dei-lhe uma boa surra!"

Outra que não era flor que se cheire é a 15ª e caçula, Dolores Maria Silva de Assis Ribeiro, casada com Ronaldo Dornelas Assis Ribeiro: "Eu era muito levada, muito mal-educada, muito atrevida, tinha um temperamento ruim, igual ao do Zezé", confessa, entregando de quebra o irmão.

A mãe, com aquela filharada, de vez em quando resolvia as coisas com palmadas. O pai fazia uma distinção: batia nos meninos, mas poupava as meninas.

"A exceção fui eu. Papai nunca encostou a mão numa filha, mas, em mim, deu uma palmada. Fiz uma birra danada, mas fiquei orgulhosa de levar uma palmada do meu pai. Contei pra todo mundo no dia seguinte", ri Dolores.

Nenhum deles esquece o quanto Zezé cuidou dos pais, ajudou os irmãos, passou a vida enroscado com eles e com boa parte dos mais de 40 sobrinhos.

"Essa é uma grande faceta do Zé. Ele sempre valorizou muito a família, sempre, sempre...", resume Toninho. Todos os demais dizem amém.

Escola da Boa Vontade

José Alencar é um homem emotivo, capaz de chorar principalmente em duas situações: quando fala do pai e da mãe ou de seus estudos – ou melhor, da falta deles.

Achou divertido quando entrou aos 6 anos na escola da Maria José, ainda em Rosário da Limeira, e ganhou um caderno de caligrafia, daqueles antigos, com pautas mais estreitas e mais largas, em que as crianças deviam encaixar letras maiúsculas e minúsculas, desenhar direitinho um "j" ou um "g", e assim por diante.

"Naquele tempo, a caligrafia era importante. Você tinha de dominar sua caneta com precisão, respeitar a pauta, fazer o dever direitinho."

A escola durou pouco, um ano. Logo veio a mudança para a Fazenda Canteiro, onde não havia escola nem grupo escolar. O menino curioso, ativo, inteligente foi aprendendo a ler, escrever, somar e diminuir com o pai, a mãe e as irmãs Elza e Célia.

É um Alencar emocionado que lembra as condições da família naquela época do Canteiro:

"Nós éramos muito pobres. Morávamos numa casa que não tinha nem luz elétrica nem água encanada. Agora, pense bem como era morar com toda a família, aquele monte de crianças, num lugar assim. Mamãe fazia o próprio sabão. Sabe como se faz sabão em casa? Não tinha dinheiro para comprar a soda cáustica. Então, mamãe produzia lá mesmo: pegava as cinzas do fogão, botava numa peneira muito fechada, botava água e ia pingando. O que caía lá embaixo chamava-se decoada. A decoada era a soda cáustica para fazer sabão. Ali, juntava-se capado, ou coisa que o valha. Era o sebo, aquilo do boi que ia para o lixo. Mas não era banha, não, porque a banha era produto de consumo. Era o que ia perder mesmo. Botava no fogo baixo até ferver e aquela gordura que saía dali era misturada com a decoada. Mamãe espalhava tudo aquilo pela mesa, coberta com um pano, esperava secar e depois cortava. Era o nosso sabão."

Alencar prossegue, sempre tocado pelas lembranças:

"Não tinha água encanada nem pia. Fora da casa, havia uma bica contínua que captava água de um córrego que passava na parte mais alta. A tubulação era de umbaúba, aquela madeira ocada. Não tinha cano, não tinha nada. A água vinha do córrego até o quintal, a uns três metros da porta da cozinha. Era uma bica *full time*. Não tinha banheiro também, e, então, papai fez uma casinha numa parte um pouco mais baixa, botou uma lata de querosene furada. Parte da água vinha parar ali, e era onde nós tomávamos banho. Era o nosso chuveiro."

Às vésperas da Segunda Grande Guerra, lá por 1938, seu Antônio, apesar das dificuldades, se dava a um luxo: assinava o *Correio da Manhã*, matutino do Rio de Janeiro, cidade onde também eram impressos o *Diário Carioca*, o *Diário de Notícias*, o *Jornal do Brasil* e *O Globo*.

O *Correio da Manhã* começou a circular em 15 de junho de 1901, como veículo de opinião isenta, independente, corajosa. Seus editoriais políticos ficaram famosos.

Apesar de "matutino", o jornal de Antônio chegava com quatro dias de atraso. Não importava. Era melhor, bem melhor, do que nada. À noite, depois do dia de trabalho, os fazendeiros se reuniam na casa dos Gomes da Silva para se inteirar das notícias, que, se não eram tão frescas, eram as únicas disponíveis num raio de quilômetros.

Como não havia luz elétrica, seu Antônio recorria a um lampião, o "lampião Aladin", que, apesar do nome, não tinha nada em comum, nem mesmo o formato, com a lâmpada da famosa história da literatura infantojuvenil.

"Lá não tinha luz elétrica, não tinha rádio, não tinha nada, só aquele jornal velho de quatro dias atrás. Quando chegou a Segunda Grande Guerra em 1939, eles passaram a ir todos os dias. Papai sentava e lia as notícias em voz alta. Virou um hábito", conta Alencar.

No grupo que se reunia em torno do *Correio da Manhã*, havia um rapaz chamado Pedro Correia, que vinha de fora e tinha concluído o curso científico, equivalente hoje ao ensino médio. Depois de ouvir a leitura, ele pedia o jornal emprestado. Seu Antônio cedia, mas advertia:

– Não debulha o jornal, não. Cuida direito e traz de volta igualzinho levou.

Pedro era casado com uma moça chamada Célia Rezende, filha do capitão Justino Pedrosa, dono de uma fazenda que ficava a uns dois quilômetros de onde moravam os Gomes da Silva. Ela era professora primária, havia feito o curso normal do Colégio Santa Marcelina de Muriaé, a melhor escola da região.

Seu Antônio teve então o estalo: perguntou aos dois por que eles não abriam uma escola. Eram tantas as crianças crescendo sem estudar, sem ler, sem escrever... E assim foi feito. O capitão doou uma tulha da sua fazenda, uma construção muito rústica, com parede de pau a pique, piso de barro e cobertura de sapé, que servia para guardar espigas de milho secas. Pedro e Célia se tornaram os professores da nova escola.

Em depoimento ao professor Sérgio de Oliveira Birchal, para sua dissertação de mestrado em Administração na UFMG (Universidade Federal de Minas Gerais), em 15 de março de 1989, Alencar contou:

"Então, a meninada se reuniu e fizemos um mutirão, barreamos a tulha

e, com a ajuda de um serrador, fizemos os bancos e as carteiras. O piso era de chão. Fincava-se um pau, outro pau, uma tábua pregada por cima era o banco e uma mais alta era a carteira."

Na vendinha do pai, as mercadorias chegavam em caixotes. Um dia seu Antônio desfez aqueles caixotes para aproveitar as tábuas, emendou umas nas outras, passou três mãos de piche – com dona Dolores reclamando do mau cheiro – e produziu o... quadro-negro. Quando ficou pronto, ganhou uma parede na tulha.

Toda vez que viajava a Muriaé para suprir o estoque da venda, o pai de Alencar comprava caixas de giz. Ia a cavalo por uns 4 a 5 quilômetros, até o ponto do ônibus. Amarrava o cavalo o mais perto possível, na Fazenda da Umbaúba, de João Silveira, pegava o ônibus, voltava e galopava de volta para casa.

Alencar estudou nessa escola dos 7 aos 10 anos. "Esta foi, realmente, a maior dádiva, do ponto de vista dos estudos, que eu tive, porque eles não só tinham preocupação em ensinar como também em educar do ponto de vista comportamental", reconhece com gratidão, dando detalhes.

"Antes de entrarmos na aula, todos descalços – e eu, por exemplo, andava diariamente três quilômetros para frequentar a escola –, havia uma aula de religião, ali do lado de fora. Nós nos perfilávamos e a dona Célia dava uma aula de religião e de comportamento. Em seguida, o Sr. Pedro dava uma aula de educação moral e cívica", prossegue. "Ele fazia questão de nos ensinar a cantar o Hino Nacional, nos ensinar o que era a Bandeira Nacional e por que cada país tinha a sua bandeira. Ele procurava imprimir aquele espírito cívico, espírito de cidadania, naqueles meninos descalços, meninos da roça", emociona-se.

José Alencar era um dos 14 alunos da nova escolinha, que não tinha salas, nem divisão de turmas ou séries. Nem meninas. Com ar pensativo, ele mesmo se surpreende: "Engraçado. Nunca havia me ocorrido, mas não tinha menina, não, só meninos. Precisava, né?"

Na escolinha, que era extraoficial – "uma escola da boa vontade", segundo Alencar –, estudavam todos juntos, mas cada qual com um grau de conhecimento. Alguns "não sabiam nada, não distinguiam o a do b". E ele?

"Ah! Eu era um craque!" Sabia ler, escrever, somar, subtrair, dividir e multiplicar. Aliás, Alencar já trabalhava. A verdadeira escola era mesmo a venda do pai. Desde os 7 anos, ia para a lojinha com seu Antônio e a irmã Elza. O pai mandava que emendasse os barbantes e fizesse novos rolos, mas ele nunca se contentou com isso. Espreitava os clientes, percebia os trejeitos nas negociações e enfiava o nariz na contabilidade, responsabilidade de Elza.

"Ela era a gerente, o braço direito do papai, cuidava de tudo quando ele viajava, e ele viajava o tempo todo para fazer as compras. E eu era subalterno dela, com 7, 8, 9 anos."

O dono da fazenda, Mário Serenário, mandava buscar dois quilos de macarrão. João Dornelles, duas rapaduras. O menino Alencar registrava no "borrador", o livro de créditos e débitos, e depois Elza passava para a conta corrente da loja.

Entre Elza e Alencar, havia Célia, mas o pai sempre optou pelos outros dois para cuidar da loja. "Célia tinha um ciúme danado, tem até hoje", confidencia Alencar.

Vida Itinerante

Quando Alencar contava 10 anos, o itinerante Antônio fechou a vendinha da fazenda, lá na roça, e mudou para um lugarejo chamado Camargo, futuro distrito de Pirapanema. Ali havia uma escola municipal "de verdade", que ia até o terceiro ano primário. Em tese, Alencar já tinha feito os três primeiros anos, mas repetiu o terceiro porque a escola não tinha o quarto ano.

Por coincidência, a professora também se chamava Célia, como a primeira, lá da tulha. Era Célia Macedo, filha do farmacêutico Sila Macedo. Os irmãos de Alencar lembram como ficaram impressionados quando ele ficou doente e a professora foi em casa visitá-lo. "Era uma honra", resume Célia, a irmã, xará das duas professoras.

O pai abriu uma casa comercial para vender as mesmas coisas: tecido, calçado, chapéu, louça, ferragens. Até ia bem nos negócios: "A gente melhorou de vida, ele ganhou uns 'cobrinhos' lá. Não operava mais com café, não, só vendia", atesta Alencar.

Moraram ali apenas um ano – em duas casas diferentes, ambas alugadas. Como ele diria quase 70 anos depois, as casas "eram comuns". Ou seja, tinham luz elétrica e água encanada. A segunda era "melhor, até bonita".

A nova mudança foi para Muriaé, onde havia o Colégio Edmundo Germano, de um coronel com o mesmo nome e suas duas filhas. Dona Mocinha, mais velha, era a diretora; dona Edmem, a professora.

Nas férias do início de 1943, seu Antônio pegou pela mão Alencar, então com 11 para 12 anos, e levou à casa de dona Mocinha para a matrícula na quarta série.

– Onde o menino estudava? – perguntou a diretora.

– Na tulha do Justino Pedrosa na Fazenda Canteiro. Depois fez o terceiro ano de novo na escola da dona Célia – respondeu o pai, orgulhoso.

– Na Escola da dona Célia Macedo, tudo bem, que é uma escola oficial. Mas ele não fez o primeiro e o segundo anos e não pode entrar no quarto ano.

Diante do impasse, seu Antônio propôs que dona Mocinha aplicasse um teste para admitir o filho na escolinha. Assim foi feito. Ficaram esperando no varandão da casa, ela foi para dentro, demorou uma meia hora, trouxe uma prova para Alencar e falou para o pai:

– Daqui a umas três horas o senhor volta, é o tempo que ele vai precisar para fazer isso.

Seu Antônio saiu e ele ficou fazendo a prova numa mesinha na varanda. Com uns 15 minutos, jura que a prova estava pronta. Zezé chamou, ninguém ouviu. Bateu na porta, nem sinal de gente. Procurou a campainha, não havia. Era aquela casona, e ele foi entrando porta adentro, até achar a professora.

– Olha, dona Mocinha, eu queria mostrar logo, porque, se a senhora voltasse daqui a três horas, ia pensar que eu gastei três horas para responder tudo.

"Ela veio, olhou, leu. Então, me chamou para a cozinha, me deu uma broa com queijo e café com leite, fez uma festa para mim", conta Alencar.

Ele não apenas foi aprovado com louvor como deixou as duas, Mocinha e Edmem, boquiabertas com a rapidez com que respondeu às questões de Português, Matemática, Geografia e História. Entrou e se tornou primeiro aluno da turma no Colégio Edmundo Germano, de Muriaé.

Sessenta e sete anos depois, às 10h53 do dia 3 de fevereiro de 2010, um e-mail chega à Vice-Presidência da República, em Brasília. Era do filho de dona Edmem:

"Excelentíssimo Vice-Presidente da República, caro amigo e mais ilustre conterrâneo e prova de que minha mãe foi excelente professora.

Ouvindo o discurso que o senhor proferiu ontem, com vitalidade, fé e convicção, fui tomado por uma emoção muito forte, pois senti que mamãe estava, com suas suaves mãos sobre as minhas, com as lágrimas caindo e misturando com as minhas, um orgulho que, de tão grande, não pode ser medido.

O caro amigo é uma figura ímpar da República, não só dessa, como de toda a sua existência.

Em nome de nossa professora Edmem, de seus filhos, netos e bisnetos, quero reiterar o orgulho de ter uma pessoa como o senhor por perto!

Com carinho e afeto,

Luiz Edmundo, o primogênito"

Em resposta, o vice-presidente dita à sua assessora três parágrafos. Depois, acrescenta à mão "Caríssimo Luiz Edmundo" no início, e a assinatura no final:

"Você não pode imaginar a emoção que me tomou quando li sua preciosa carta do dia 3 de fevereiro último. Lembrei-me de nossa querida Dª Edmem, que se dedicou aos alunos não só como grande mestra que foi, mas como verdadeira mãe, preocupada sempre com o aproveitamento de cada um, sem se descurar das lições de comportamento que nos passava, observando, com muita responsabilidade, sobre a importância comportamental. Era uma pessoa admirável, sob todos os aspectos.

Conto para minha família e meus amigos que Dª Edmem e Dª Mocinha foram decisivas em minha vida, porque passaram-me muito ensinamento durante 1943 e 1944, quando tive o privilégio de ser aluno do Colégio Ed-

mundo Germano, fazendo ali o quarto ano primário e o quinto, chamado na época de Curso de Admissão ao Ginásio, para onde fui. Era o Ginásio São Paulo, situado em frente à matriz de São Paulo do Muriaé. Que saudade.

Vocês não podem imaginar, você e sua irmã, o bem que me fizeram com as belíssimas cartas que me dedicaram. Estou orgulhoso de vocês."

Naquela confraternização na cozinha, quando ele havia terminado rapidamente sua prova improvisada, dona Mocinha perguntou a Alencar:

– Seus irmãos também são assim, inteligentes, preparados?

Tantas décadas depois, Alencar responde àquela dúvida da diretora: "Meus irmãos são ou foram todos muito inteligentes, mas, por força das circunstâncias, só os mais novos estudaram."

As duas caçulas, Dorinha e Dolores Maria, fizeram o curso normal, de professoras. Elza e Célia estudaram já maduras, com os filhos criados. Elza fez Letras. Célia, depois de ficar viúva, concluiu três cursos superiores: História, Direito e Pedagogia. Ambas são escritoras com livros publicados.

E Alencar, o que estudaria, se tivesse tido a oportunidade?

"Eu teria estudado Engenharia. Sempre gostei muito de matemática, de números", responde, contando que ganhou da professora Edmem um livro do qual jamais se esqueceu, "Aritmética Elementar", do renomado professor Ary Quintella, que tem mais de 20 títulos publicados.

Alencar e o filho, Josué, têm, até hoje, o hábito de fazer contas de cabeça, quase competindo um com o outro.

Antônio, o pai de Alencar, tinha muita mágoa de não ter podido educar os filhos. Ele gostava de ler, de se informar, de se meter em política, tinha uma certa veleidade intelectual. O primeiro livro que disponibilizou para a criançada foi uma enciclopédia Lello Universal, bem ao gosto da época, com informações básicas sobre História, Geografia, biografias – enfim, de tudo um pouco. E Heitor, seu tio por parte de mãe, era viajante e, vez ou outra, aparecia na casa de Antônio e Dolores com livros, em geral romances para as meninas.

"Sempre gostei de ler notícias e reportagens a vida inteira. De livro pesado, o que mais prendeu minha atenção foi *Ascensão e queda do Terceiro Reich*", diz Alencar, referindo-se a um livro-reportagem do jornalista americano William Shirer sobre o início do fenômeno Adolf Hitler e o avanço das tropas nazistas na Europa na Segunda Guerra Mundial. Sua primeira edição, em 1960, contava 1.648 páginas. Depois, foi relançada em dois, três ou quatro volumes.

"Tem uma precisão jornalística de primeira categoria. Um colosso!", elogia Alencar.

Mas, naqueles anos de 1942, 1943, 1944, ele gostava mesmo era de ler jornal. Ou melhor, de ler notícias de futebol nos jornais. Como o pai assinava o *Correio da Manhã*, do Rio, virou flamenguista roxo. Sabia de cor, e soube pelo resto da vida, a escalação do Flamengo quando o time foi campeão, bicampeão e tricampeão: Jurandir, Domingos da Guia e Newton, Biguá, Bria, Jaime, Valido, Zizinho, Perilo, Perácio e Vevé. Já como vice-presidente, virava e mexia, lá estava ele repetindo a escalação em entrevistas.

Depois de completar o quinto ano primário no colégio das irmãs Mocinha e Edmem Germano, Alencar fez o exame de admissão e entrou sem problemas para o Ginásio São Paulo, em Muriaé. No depoimento a Birchal, da UFMG, foi capaz de lembrar o nome de todos os principais professores e as matérias que lecionavam.

O de Português, Oiliam José, era advogado, historiador, autor de inúmeros livros, como *Marlière, o civilizador* e *Historiografia mineira*. Muitos anos depois, veio a ser secretário da Academia Mineira de Letras e a ganhar uma função no Conselho Fiscal da Coteminas. Ficou lá para sempre, até muito velhinho. "Com uma grande honra para nós, porque é um homem de bem, muito preparado", diz Alencar.

O professor de Latim era o padre Ivo Sebastião da Cunha, recém-chegado de Leopoldina. O de Francês e Matemática, Mário de Ururahy Macedo, às vezes substituído por Clélia Ticon. A de Geografia, Desenho e Música chamava-se Noélia Macedo, e Alencar a classificou como "daquelas pessoas que nasceram para lecionar".

Os irmãos Gomes da Silva lembram com orgulho quando o professor de Matemática chamava Alencar, e os dois se divertiam fazendo contas de cabeça. Mais de uma vez, Mário Macedo levou aquele aluno especial do primeiro ano para participar de jogos com números em classes mais avançadas. Ele exibia Alencar.

Tudo muito bem, tudo muito bom, até que seu Antônio Gomes da Silva resolveu, em 1945, pela enésima vez, mudar de loja, de casa e de cidade. E lá se foi a família para Miraí.

Antônio alugou uma casa confortável, mas o filho enterrou suas chances de estudar. Miraí não tinha ginásio, apenas grupo escolar. E não havia dinheiro para um colégio interno, tão comum à época para crianças ricas ou de classe média. Por tudo isso, o último ano de escola de José Alencar foi o primeiro ginasial, em Muriaé.

Dos fugazes bancos escolares para o balcão da loja do pai. Isso até que, cinco meses depois, no início de 1946, aos 14 anos, pesaram a personalidade ousada e a ambição de Alencar. Ele cansou daquela vidinha, viu que não tinha futuro ali. Tinha de ir em frente, desbravar e guerrear para tentar ser alguém na vida.

Foi assim que Alencar desistiu de Miraí, passou a vaga na loja para o irmão Toninho, arrumou uma malinha de madeira e se mudou de novo para Muriaé. Pretendia trabalhar e voltar a estudar. Só conseguiria trabalhar.

"A Sedutora" de Muriaé

Ao chegar a Muriaé, ávido por trabalho, Alencar abordou, com a cara e a coragem, o proprietário da loja "A Sedutora", um dos bons estabelecimentos comerciais da cidade. Chamava-se Geraldo e ofereceu a Alencar um salário mensal de 300 cruzeiros (moeda que substituíra os mil réis em 1942). Alencar tomou um susto: "Nunca tinha visto tanto dinheiro na vida. Eu não tinha nada, minha fortuna eram uma maleta, três mudas de roupa e meu sapato furado."

– E onde você vai morar, meu filho? Você tem algum parente aqui? – indagou Geraldo.

Ele tinha uns primos por lá, mas respondeu que não, que não tinha pensado onde iria morar. Foi o patrão que indicou o Hotel da Estação, bem em frente à estação da Estrada de Ferro Leopoldina.

Cerca de 60% das ferrovias mineiras estavam na Zona da Mata, impulsionada pela indústria cafeeira. A primeira linha de trem ligando Minas ao Rio chegou a Juiz de Fora em 1876, e a Muriaé, 10 anos depois.

"O Hotel da Estação era um bom hotel, quer dizer, bom hotel assim, assim... Os banheiros eram coletivos, no fim do corredor, e não havia torneira no quarto. Para lavar o rosto e escovar os dentes, tinha de ir lá embaixo."

Foi ao hotel falar com a proprietária, dona Maria Canta Missa. Chegou, apresentou-se e ouviu de uma espantada interlocutora:

– Vai querer morar no meu hotel?!

Alencar lembra: "Logo eu, aquele menino derrubado. Aí, expliquei que ia trabalhar na firma do Sr. Geraldo e que ele é que havia me recomendado."

Ela perguntou:

– Quanto vai ganhar lá?

Aí Alencar falou grosso:

– Trezentos cruzeiros.

Ela de novo:

– Ah, meu filho, você não vai poder morar no meu hotel, não.

E quem disse que não? Alencar era realmente um garoto, e um garoto do interior, mas não se dava por vencido. Dona Maria fez uma longa explanação sobre o hotel. Explicou que não gostava de mensalistas, que o hotel era para os viajantes que chegavam ou passavam ali na estação e pagavam diárias. A exceção era o contador do Banco Mineiro da Produção, solteirão que pagava 420 cruzeiros pelo quarto, com café da manhã, almoço e jantar. Como é que ele poderia pagar com aqueles 300 cruzeiros de ordenado?

Alencar devolveu a pergunta com outra: quanto ela poderia cobrar apenas pelas três refeições diárias? E dona Maria:

– E onde o senhor vai dormir?

Pensando rápido, ele lembrou que nos fundos da "A Sedutora" havia um cômodo onde seu Geraldo guardava papel velho, restos de material, algum estoque, e que ali bem cabia uma caminha para quebrar o galho. Mas não entregou o jogo.

Eles conversavam perto da janela, num plano um pouco mais elevado de onde se via toda a estação, do outro lado da rua. Alencar apontou naquela direção:

– Eu durmo ali no banco da plataforma, e a senhora deixa a minha malinha ficar aqui e me deixa vir todo dia tomar banho e comer.

Resultado: "Quando eu falei aquilo, ela não disse mais nada. Pegou a minha mão, entrou pelo corredor do hotel e foi andando até uma esquina onde não havia porta para quarto nenhum. Era um cantão, digamos assim. E ela disse que mandava armar um catre velho que tinha ali para eu dormir."

Foi uma salvação, mas a negociação não parou aí.

– Concordo, mas quanto a senhora me cobra para dormir nesse canto?

Ela já sabia que ele ganhava 300, pensou um pouco e disse que fazia por 280, com café, almoço e jantar. E ele:

– Mas, dona Maria, eu vou morar no corredor, a senhora bem podia fazer um preço melhor.

– O melhor que faço é 220.

– Tá bem, mas com roupa lavada!

Dona Maria riu muito com aquele menino tão novinho e tão atrevido, que se gabaria a vida inteira: "Eu já era comerciante, não é?"

Aquela longa negociação viabilizou o orçamento do recém-chegado, que tomou duas precauções. Uma: todo dia fechava a mala com uma chavinha, amarrava com um cinto e escondia debaixo da cama – ou catre, como ele chamava. Outra precaução: comprou um par de tamancos. "Foi a mamãe que mandou, por causa do banheiro coletivo. Eu só tomava banho de tamancos. Era mais higiênico."

Apesar da dureza, Alencar pegava um pouco dos 80 cruzeiros que restavam (um sapato custava entre 30 e 40) e mandava, todo mês, "umas coisinhas" de presente para a mãe: um sabonete cheiroso, meias novas, um corte de tecido...

Passou um ano e meio ganhando 300 cruzeiros na "A Sedutora", por 15 horas de trabalho diário, dormindo no fundo do corredor do Hotel da Estação, de dona Maria Canta Missa, com tudo o que tinha metido na malinha debaixo da cama.

O sonho de voltar a estudar não se realizou. Primeiro, porque o governo não criou o esperado ginásio noturno. Segundo, porque o expediente de Alencar era longo, das 7h às 22h.

A prefeitura proibia que a loja funcionasse à noite, mas os donos deixavam uma portinha entreaberta. O último trem chegava às 22h e – nunca se sabe – um passageiro poderia precisar de uma coisinha ou outra. Era Alencar quem ficava ali de plantão.

A loja era na praça João Pinheiro, melhor ponto da cidade. Um armarinho que vendia tecidos, calçados, chapéus e artigos para presente. Já que não havia escolas, Alencar fez de tudo para aprender na escola da vida.

Nas horas vagas, jogava futebol com Tatão. Segundo Alencar, o irmão era bom de bola e o time, excelente. Tantos anos depois, ainda cantava de cor o hino do Nacional, explicando que não era para confundir com o "Hino Nacional":

"Nacional eu sou do coração, Nacional até debaixo d'água, quem fala mal do clube campeão, ou é de inveja, ou é de mágoa. Quem for Nacional de fato, joga, vence, nunca apanha, não se acovarda ao desacato. Nacional, Nacional..."

Foi assim, comendo o pão que o diabo amassou, mas mantendo o bom humor e o gosto pelas boas coisas da vida, que conquistou a simpatia de muita gente, a começar pela proprietária do Hotel da Estação e por seu outro mensalista, o Sr. Newton, o do Banco Mineiro da Produção.

Foram eles que contaram a história daquele menino valente e trabalhador para João Vicente Bonfim, próspero comerciante de Caratinga que fazia compras no Rio e, no caminho, costumava se hospedar no mesmo hotel em Muriaé. Conversa daqui, conversa dali, um dia esse viajante fez um convite irrecusável ao jovem Alencar:

– Não quero nem saber quanto você ganha aqui. Você vai trabalhar comigo, eu vou te pagar em dobro e você não vai mais dormir em corredor, não.

Foi assim que, aos 16 anos, em maio de 1948, Alencar foi parar em Caratinga, terra do cartunista Ziraldo e dos jornalistas Ruy Castro e Miriam Leitão, filha do reverendo presbiteriano Uriel Leitão, dono do Colégio Caratinga.

A cidade foi um dos lugares decisivos da vida de Alencar, não apenas a empresarial, mas principalmente a pessoal. Sua mulher, Mariza, é também de Caratinga.

"A Queimadeira" de Caratinga

A 340 km de Belo Horizonte, Caratinga era uma próspera cidade. Produzia café, fumo e gado e deslanchou a partir da chegada da linha de trem, em 1931. Quando José Alencar se mudou para lá, a cidade já era um polo de atração de profissionais liberais e comerciantes, inclusive sírios e libaneses, então conhecidos como "turcos".

A Casa Bonfim era a mais importante casa comercial, funcionava numa construção comum no interior até hoje, com quatro portões altos em forma de arco. Seu principal produto era tecido. Alencar, ganhando 600 cruzeiros aos 16 anos, pagava metade disso por um quarto com café da manhã, almoço e jantar na Pensão Simpatia, dos irmãos Pio e Ildo Abreu.

Foi assim que ele, católico, tomou conhecimento pela primeira vez de uma outra religião – eles eram evangélicos. Alencar relembra: "Certa ocasião, o Ildo me convidou num domingo para ir com ele a um culto da Igreja Batista. Lá, o pastor chamou meu nome e me convidou para ler um capítulo da Bíblia. Me mostrou e disse: 'Lê aqui.' Eu li e achei aquele texto uma coisa fantástica."

Era um trecho do "Sermão da Montanha":

"Entrai pela porta estreita. Larga é a porta, e espaçoso o caminho que conduz para a perdição, e são muitos os que entram por ela, porque estreita é

a porta e apertado o caminho que conduz à vida, e são poucos os que acertam com ela. Acautelai-vos dos falsos profetas, que se vos apresentam disfarçados em ovelhas, mas por dentro são lobos roubadores."

E como Alencar se define? "Sou cristão em homenagem ao papai, à mamãe, e até gosto de ler passagens da Bíblia, mas, se você me pergunta qual é a minha religião, eu respondo que não frequento nem igreja evangélica nem igreja católica." Ao contrário de sua mulher Mariza, católica fervorosa, que, se pudesse, ia à missa todos os dias.

Alencar progredia, e a Pensão Simpatia foi ficando para trás. Em dois, três meses, a Casa Bonfim aumentou seu salário para 800 cruzeiros, depois para 1.200, e ele se deu ao luxo de mudar da pensão para o Hotel Avenida, na avenida Olegário Maciel. Era o principal de Caratinga, e seu quarto tinha até... varanda!

O banheiro, ainda coletivo, como no hotel e na pensão anteriores, era bem mais cômodo: ficava em frente ao quarto. Alencar lembra que, se quisesse, seria possível pular nu para o banheiro caso não houvesse ninguém por perto. Jura que nunca fez isso. Acredite quem quiser...

Ainda com o orgulho intacto daqueles tempos, relata:

"Sabe por que eles aumentaram meu salário? Porque eu era bom demais. Havia vários vendedores, mas eu era o melhor, vendia mais do que todos eles, e meus patrões não compravam nada sem que eu estivesse perto, porque eu conhecia o estoque, sabia o que podia e o que não podia, ou o que devia e o que não devia comprar. Eu não era só vendedor, mexia também com a administração. Eu era um menino danado!"

Quando criança, era o "primeiro da turma, nunca o segundo". Quando adolescente, "o melhor vendedor da firma". Quando jovem, casou com "a moça mais bonita do Brasil". Quando passou dos 60, tinha "as melhores fábricas de fios, tecidos, toalhas e lençóis do mundo".

Quem ironiza, dando risadas, é o velho funcionário da Coteminas Honório Carneiro, do alto de seus 83 anos: "O Zé Alencar passou a vida dizendo o seguinte: 'Sou o melhor tocador de viola que existe, o melhor jogador de sinuca e o melhor jogador de futebol.' Quando eu dizia 'E o Gérson? Você joga melhor do que o Gérson?', sabe o que ele respondia? 'Gérson, o canhotinha, chuta em gol a 40 metros, mas só com a canhota. Eu chuto com a canhota e com a direita!'"

O fato é que, mesmo dispensando os superlativos, o jovem Alencar foi caindo no gosto não apenas do patrão, João Vicente Bonfim, que era apenas 10 anos mais velho que ele, mas de todos os Bonfim: "Eu era um dos 11 filhos do Sr. Elídio Bonfim e todos eram meus amigos, como se fôssemos uma família."

Alencar menciona duas moças daquela fase da juventude: Magdá, filha de José Bonfim, e Joana, filha de Sebastião Bonfim. Ambas integram essa sua "família", que deixou gerações de comerciantes espalhadas por Minas, Rio e Brasília, onde mantêm uma rede tradicional de produtos esportivos, a Centauro.

Magdá era bem menina. Sua mãe, Maria, simpática e maternal, arrastava de vez em quando o jovem Alencar para a cozinha. Servia a ele um pãozinho quente com café com leite. "Gostava de mim demais da conta. E eu dela."

A convivência com os Bonfim foi uma fase boa na vida, ali entre os 16 e os 18 anos. A veia de comerciante começava a falar alto, e Alencar então tomou duas atitudes: pediu ao pai para ser emancipado e decidiu abrir o próprio negócio. Já tinha as mesmas ousadia e teimosia que se revelariam vitais anos mais tarde na luta contra o câncer.

A emancipação tinha um motivo de ordem prática: a maioridade civil naquela época se dava apenas a partir dos 21 anos. Para abrir sua loja e registrar a empresa no cartório, Alencar precisava ser "de maior". O pai concedeu e ele passou a ser pessoa física e pessoa jurídica. A primeira empresa foi batizada José Alencar Gomes da Silva, com o nome fantasia de "A Queimadeira".

Vendia tecidos, calçados, guarda-chuvas, armarinho e ficava também na avenida Olegário Maciel, 520. O imóvel parecia com o da Casa Bonfim, apesar de menor, com apenas duas portas altas de batente de madeira. A locadora era uma senhora chamada Anita Sevidanis.

Na entrada, o proprietário, precoce e vaidoso, afixou uma placa (uma chapa de aço com moldura em madeira) onde estava escrito:

A QUEIMADEIRA
TECIDOS BARATÍSSIMOS
DE
JOSÉ ALENCAR GOMES DA SILVA

Em 15 de fevereiro de 1993, quando soube que a casa em que funcionara a primeira lojinha do irmão seria derrubada, Dorinha, a irmã querida, que morreria seis anos depois, tirou uma foto do imóvel e uma cópia do registro da empresa na Junta Comercial de Caratinga (com data de 8 de janeiro de 1951), mandou emoldurar e enviou de presente para o irmão. O quadro fica logo à entrada, na parede da esquerda do escritório da Coteminas em Belo Horizonte.

O documento é assinado pelo oficial de registro José de Almeida Soares e contém quatro selos, um de cada cor – azul, verde, vermelha e amarela. Eles se referem às taxas federais de educação e saúde, a uma taxa estadual de arquivamento e a uma quota de Previdência.

Junto com a foto e a cópia do registro, há uma carta manuscrita de Dorinha:

"Querido Zezé,

Conhecendo o seu início de vida e admirando as pessoas que como você fizeram uma história pautada na determinação, no trabalho e na luta, achei que deveria lhe presentear com o retrato de seu primeiro Estabelecimento Comercial em Caratinga: 'A Queimadeira' – Avenida Olegário Maciel, 520.

Quantas recordações nos vêm à memória quando nos lembramos desse endereço. Papai e mamãe e nós ainda jovens, o futuro tão distante e tão incerto...

Olhar para o passado nos faz valorizar ainda mais o presente e foi pensando assim que providenciei essa fotografia, assim como a fotocópia do registro de seu primeiro Estabelecimento Comercial, para que você junte às grandes lembranças de sua vida.

Acho que não preciso lhe dizer o quanto lhe admiro e, por que não dizer, o quanto torço por você.

Carinho de sua irmã e amiga,

Dorinha"

Para ter seu próprio negócio, Alencar pediu 15 mil cruzeiros, ou 15 contos, para Geraldo, o irmão 18 anos mais velho. Mas, apesar de muito jovem, não se aventurou de mãos totalmente vazias.

"Eu tinha muito crédito, porque fui praticamente o comprador da Casa Bonfim. Por isso conhecia todos os fornecedores e era conceituado. Podia comprar tudo a 120 dias, trabalhava com os recursos dos fornecedores", explica Alencar.

Na condição de "melhor vendedor da Casa Bonfim", como se gabava, abriu sua loja ali perto, na mesma avenida, com uma penca de clientes que chamava "minha clientela".

E os Bonfim, como reagiram?

Na verdade, logo no início, eles não aprovaram a aventura nem pareceram gostar da concorrência:

"Apesar de meu amigo, João Bonfim era um camarada muito austero com os empregados, a quem tratava com muita cerimônia, a distância. Bom, eu abri a loja. Primeiro, eles acharam aquilo um absurdo, diziam que meu pai nunca poderia ter me emancipado, que, afinal de contas, eu era um menino. Como é que um menino de 18 anos vai ter uma responsabilidade desse tamanho de montar uma casa comercial? Um menino de 18 anos não tem nem barba..."

Mas, segundo ele, "nunca houve ciúme, não. O que houve foi aplauso pelo meu sucesso". João Bonfim assimilou aos poucos a decisão e a concorrência do amigo e ex-funcionário, e a família acabou não só se acostumando como até ajudando na empreitada. Um belo dia, não muito tempo depois da inauguração, ele foi até a lojinha, olhou tudo, fez muitas perguntas e acabou apresentando uma proposta para Alencar: a de que sua loja revendesse as máquinas de costura Singer, que ele, Bonfim, importava:

– Olha, tem um espaçozinho aqui onde cabem umas três máquinas. Eu mando três, você vende uma e pega outra, vende mais uma e pega mais outra, e ganha 100 cruzeiros em cada uma que vender – propôs o ex-patrão.

A amizade se estreitou. Quando havia baile em Manhuaçu, Inhapim, Carangola e arredores, seguiam juntos no carro pequeno e apertado de João. Um outro irmão Bonfim, estudante de Medicina no Rio, também chegava a Caratinga e logo chamava Alencar para jogar sinuca ou pingue-pongue. Como estava de férias, tinha tempo livre e queria porque queria que o jovem Alencar fechasse a loja e largasse tudo para se divertir.

Isso Alencar não fazia. Tinha aprendido uma lição com Geraldo Magela de Souza, seu primeiro patrão na "A Sedutora", e impunha uma condição para acompanhar os amigos aos bailes ou aos salões de sinuca das cidades próximas:

– Eu não fecho minha loja enquanto tiver freguês.

Alencar não deixava de se divertir, mas só depois que o último dos últimos fregueses fosse embora.

O pai tinha despachado seu irmão Toninho para Caratinga, a seus cuidados. Chegou lá com uma cartinha para Alencar em que o velho Antônio pedia que "arranjasse uma colocação" (como se dizia à época) para o irmão mais novo, que havia estudado num colégio público de Pinheiral, no estado do Rio, porque a família não tinha recursos para mandá-lo para os colégios internos de Muriaé, Cataguases ou Leopoldina. Pois virou mais um a participar da farra.

As noitadas eram boas, imperdíveis, mas Alencar não brincava em serviço. E pensava grande. O Hotel Avenida, aquele que tinha o banheiro a um passo do quarto e varanda para a avenida Olegário Maciel, era um luxo para o rapazinho do interior que saíra de casa com uma malinha e três mudas de roupa. E tinha gente boa, café da manhã farto, bom almoço e jantar decente. Mas ele precisava pensar no futuro.

Era tentador continuar por lá, mas o jovem Alencar era um pragmático, ou melhor, um ambicioso incontrolável. Além disso, a vida e os trocados de dono de loja própria não eram tão bons como o salário da Casa Bonfim.

"Existe uma figura na empresa que se chama retirada pró-labore e, como eu era sozinho, quando comecei 'A Queimadeira', troquei os 1.200 cruzeiros que eu tirava como empregado da Casa Bonfim por um pró-labore de 600."

O orçamento ficou apertado, era preciso fazer ajustes. "Sabe o que eu fiz? Peguei uma tábua de caixote, montei uma cama atrás da prateleira da minha loja, 'A Queimadeira', e saí do Hotel Avenida. Dormia ali mesmo, tomava café na padaria do Domingos Schetino e comia marmita da Pensão Horácio, que ficava bem ao lado. Fiz uma economia danada." Ainda assim, metade do pró-labore ia embora com marmita e padaria.

Alencar explica por que não aumentava o próprio pró-labore:

"Eu tinha de ter certeza de que ninguém possuía o meu custo, que era muito mais baixo, senão eu não ia me aguentar. Eu comprava muito bem, comprava dos mesmos fornecedores das melhores casas, e eles gostavam de mim, me davam crédito. Então, na pior das hipóteses, eu comprava pelo mesmo preço das melhores casas e tinha um custo infinitamente inferior ao delas."

Isso exigia sacrifícios, como não ter nenhum empregado. De manhã bem cedo, ele próprio varria e limpava a entrada da loja. Depois pegava uma garrafa com rolha furada para molhar em volta e baixar a poeira. Só então arregaçava as mangas e recorria a seus melhores sorrisos e à boa lábia para conquistar e manter os clientes.

E não é que "A Queimadeira", de um jovem de apenas 18 anos, se tornava um sucesso? Em dois, três meses, Alencar contratava seu primeiro funcionário: Manoel. Também dispensaria a garrafinha de rolha furada para limpar a calçada. Um ano depois da inauguração, a loja se expandia. A original tinha duas portas em arco, e passou a ter quatro quando ele alugou a loja do lado, abriu a parede e dobrou o espaço.

Os negócios seguiam de vento em popa, o que não impediu que a herança nômade e irrequieta do pai se manifestasse. Alencar vendeu, então, sua primeira loja para um comerciante que conhecera em Rosário da Limeira, Manoel Honorato, que todos chamavam de Honoratinho.

Foi ali pelo fim de 1953. A ideia era subir na vida, mudar de patamar e de ramo. Sair do seu "varejinho" e entrar no atacado, migrar dos tecidos para o ramo de cereais. Foi assim que decidiu montar um atacado de cereais em Caratinga, mais viável e mais fácil do que um atacado de tecidos, apesar de tecidos já constituírem então seu ramo principal.

Decisão tomada, Alencar interrompeu as compras para se desfazer do estoque. Entregou a casa para o novo dono apenas com o saldo (mercadoria que já tem poucas opções de tamanho, de cor, de qualidade) e o orgulho de não dever nada a ninguém.

Alencar acertou com Honoratinho que o pagamento se daria mediante três promissórias, uma vencendo em 120 dias, outra em

240 e a última em 360, no mês de dezembro. Ele estava ansioso, tinha pressa, queria fazer coisas, avançar. Assim foi parar no Rio de Janeiro, que tinha grande influência e exercia enorme fascínio sobre aquela região mineira.

Para não ficar à toa, enquanto recebia o total das parcelas, Alencar foi representante comercial comissionado, autônomo, numa empresa chamada Tecidos Custódio Fernandes, no Rio. Seu irmão Geraldo já trabalhava como viajante ali, onde ficou 14 anos. Alencar permaneceu apenas oito meses. Geraldo cobria a zona de Minas Gerais e Alencar quase foi mandado para o Paraná. Acabou assumindo o Rio. Morava no Hotel do Meireles, no município de Itaperuna, a 344 quilômetros da cidade do Rio de Janeiro e a 56 de Muriaé.

Quando juntou todo o dinheiro das promissórias – no valor de 120 mil cruzeiros cada uma –, retornou a Caratinga e montou seu atacado de cereais, já no final de 1954, início de 1955. Mais uma vez seu nome batizava um empreendimento. Era o Atacado José Alencar Gomes da Silva, com uma placa bem chamativa:

ARMAZÉM DO JOSÉ ALENCAR

Chegou para o irmão Toninho e perguntou:

– Você topa entrar comigo?

E Toninho:

– Topar eu topo, mas não tenho um centavo.

Oferta irrecusável:

– Eu te dou interesse [que significava participação]. Depois a gente vê como fica.

Pronto, fecharam a sociedade, que desembocou num ótimo empreendimento. Em um ano, os 360 mil cruzeiros tinham virado 1,2 milhão.

"Foi o maior sucesso da minha vida empresarial. Do ponto de vista relativo, maior sucesso até do que a própria Coteminas. Nunca houve em Caratinga coisa igual, sucesso tamanho. Um colosso!", relembra no velho estilo superlativo.

O negócio de cereais no atacado fervilhava em Caratinga, cidade polo da Zona da Mata mineira que atendia região imensa. Todo mundo das cidades vizinhas ia comprar lá. Os comerciantes prosperavam a olhos vistos. Alencar é capaz de mencionar, mais de meio século depois, Mário Alves, Dário Grossi, Salomão Pedro Meggi e José Cipriano Martins, da Casa J. Ribeiro Martins, de uma família de portugueses.

Ao se instalar, Alencar imaginava que não concorreria de igual para igual com eles. Ao menos não no início. Mas o negócio foi crescendo e, pelo menos na sua memória, a equiparação chegou rapidamente: "Eu, de cara, de pronto, virei o maior atacadista de cereais de Caratinga."

Segundo Toninho, "ele injetou agilidade no giro da mercadoria". Toda sexta-feira, pegava o avião no campo de pouso de Caratinga, ia até os fornecedores e fazia as encomendas com ótimos preços.

"Ninguém conseguia comprar igual a ele. Sempre foi um craque para comprar, nunca vi nada igual", descreve o irmão, com evidente orgulho.

Como acontecera com "A Queimadeira", logo duplicava o armazém de Caratinga. Inicialmente, eram duas portas grandes, largas, de aço. Bem depressa já alugava a loja do lado e era o feliz proprietário de um armazém respeitável de quatro portas, instalado na rua Marechal Deodoro, não muito distante da avenida Olegário Maciel.

Alencar e Toninho davam um duro danado, mas não deixavam de se divertir como todo jovem daquela e de qualquer época. Toda noite, depois do trabalho, rumavam para o Clube de Caratinga, onde Alencar viria a conhecer sua mulher, Mariza, num ensaio de festa junina. Os dois irmãos jogavam pingue-pongue e dançavam samba-canção, bolero e tango com as meninas. À época os blues americanos já faziam sucesso. "Uma beleza!", conta, saudosista.

Na lembrança do velho Alencar, "Caratinga era uma cidade extraordinária; as moças eram maravilhosas". Mas esse assunto, o das moças, é meio tabu. Sempre muito falante, com respostas prontas para tudo, ele dá aquela paradinha, pensa um pouco e desvia para outro tema, torcendo para ninguém perceber.

Alencar concede tão somente que dançava muito com Iza Polastri, a Bilô, que foi sua namorada; com Marise Portilho, filha de um comerciante da cidade; e com Terezinha Franco, que se mudou depois para Belo Horizonte. Bilô, Marise e Terezinha eram frequentadoras do clube e companheiras dos bailes. Ficaram amigas e deixaram boas lembranças daquela época.

Já adulto, bem estabelecido, com os negócios vendendo saúde, Alencar decidiu trazer os pais para Caratinga. Seu Antônio e dona Dolores extraíam o sustento àquela altura de uma pensão em Miraí, onde ela servia de cozinheira. Estava ficando velha e cansada para um trabalho tão puxado. Alencar julgou que era hora de pararem. Alugou uma casinha simples, dessas que tinham uma bomba de puxar água para a caixa. Ali ficaram morando os pais e duas das irmãs, Dorinha e Dolores Maria.

"Há pessoas que são líderes, mesmo que não sejam as mais velhas da família. Com o Zezé foi assim. Ele pegou a liderança em todos os sentidos, principalmente o financeiro", revela Dolores Maria. Ela conta que ele assumiu o pai, a mãe e, de certa forma, Toninho e as duas irmãs, que estudavam à época e nunca trabalharam enquanto estiveram sob a responsabilidade dele.

Alencar acolhia, mas também cobrava. Dolores Maria lembra quando as freiras carmelitas do Colégio Nossa Senhora do Carmo pegaram Dorinha com um questionário, bem típico das adolescentes da época, sobre meninos. Uma bobagem sobre namoro, beijos, coisas assim. Fizeram queixa em casa, e quem foi lidar com o problema? Alencar, claro. Ele obrigou Dorinha a ler aquela besteirada toda do início ao fim e depois decretou um castigo rigoroso: um mês sem sair de casa.

A própria Dolores Maria foi vítima de uma história feia protagonizada pelo irmão Zezé. A família já morava em Caratinga, e Célia tinha arrumado uma roupa de bailarina toda branca para um baile de Carnaval. Alencar e outro irmão, Lucílio, não gostaram da ideia. Ficaram enciumados e prepararam uma armadilha. Quando ela passou pela sala, toda alegre, eles esguicharam uma caneta de tinta em cima da fantasia.

"Combinaram tudo. Um tropeçou, esbarrou no outro e lá se foi a tinta na minha fantasia. Não fui ao baile e chorei até não poder mais!", conta Dolores Maria, sem lembrar quantos anos tinha à época. Não recorda a idade, mas nunca esqueceu a maldade dos irmãos.

Com os negócios indo muito bem em Caratinga, Alencar deu mais um passo vitorioso. Em 1956, firmou sociedade com José Carlos Oliveira ao fundir o armazém com uma fábrica de macarrão, também ela um sucesso. O resultado da fusão foi a Alimentícia Santa Cruz Ltda. Pelo lado de Alencar, participavam seu irmão Toninho, ele próprio e um dos cunhados, Wantuil Teixeira de Paula, então casado com Dorinha. Pelo lado de Oliveira, ele e seu irmão, Genuíno Carlos de Oliveira.

No ano seguinte, Alencar se associou também a seus dois cunhados, irmãos de Mariza: Luís de Oliveira Campos, o Luizinho, e José de Oliveira Campos, o Zezé (mesmo apelido do próprio Alencar em família). Quase como os sobrinhos do Pato Donald, eram Zé, Zezé e Luizinho. Um dos irmãos tinha uma loja de móveis e eletrodomésticos. Outro, um armazém. Alencar era sócio de ambos.

Logo depois, José Carlos Oliveira decidiu desfazer a sociedade na fábrica de macarrão e se mudar para Governador Valadares, também em Minas. Foi o pretexto que Alencar arrumou para também deixar a empresa, dando mais de um ano para que os demais pagassem a sua parte.

"Aquela não foi uma sociedade feliz", admite.

Já casado, com Mariza grávida, voltou a morar no Rio. Agora se instalava na capital, onde abriu escritório de intermediação comercial. Ele recebia as encomendas dos comerciantes de Caratinga de vários setores (arroz, tecidos, banha de porco), comprava dos grandes atacadistas e ganhava comissão.

Logo achou aquilo entediante e sem futuro. Voltou então para Caratinga assim que recebeu o pagamento pela sua parte na Alimentícia Santa Cruz. Já de volta à cidade que tantas alegrias havia trazido, abriu um novo atacado.

A Morte do Irmão Geraldo

Foi nesse momento que aconteceu a grande guinada na vida de Alencar, aliás, na vida de todos os Gomes da Silva: a morte do irmão mais velho, Geraldo, no Natal de 1959, aos 45 anos.

Geraldo tinha aberto um negócio promissor em Ubá. Era uma casa comercial chamada "União dos Cometas". O porquê do nome? Os representantes comerciais que viajavam pelos estados eram conhecidos como "cometas". Cinco deles se uniram, à frente Geraldo, e criaram uma grande novidade para a época: o atacado de tecidos pronta-entrega.

Geraldo foi a Caratinga convidar o irmão para participar da aventura, mas Alencar estava recém-casado, com uma filha recém-nascida, e preferiu não mudar novamente de cidade.

Com sua experiência de 14 anos como "cometa" da Tecidos Custódio Fernandes, do Rio, Geraldo conhecia de cor e salteado um dos principais problemas do ramo: o representante pegava as malas de amostra, ia de loja em loja mostrando, vendendo, anotando os pedidos. Quando voltava para a sede da empresa, não havia mais aquela cor, não havia mais a estampa, não havia mais toda a metragem encomendada. O freguês recebia apenas parte da compra e, claro, ficava aborrecido.

O pulo do gato aconteceu quando Geraldo e seus quatro sócios adquiriram dois caminhões da marca Ford, um F-600 e um F-350, mandaram adaptar prateleiras nas carrocerias em São Paulo e passaram a adquirir os tecidos direto das fábricas. Em vez de sair por aí com malas e malas de amostras para anotar pedidos, eles levavam já as peças com todos os tamanhos, cores e qualidades. Paravam na porta do freguês, mediam, cortavam, vendiam e entregavam na mesma hora. Uma economia de dinheiro e de problemas.

Os sócios, todos eles "cometas", eram João Batista Magro, que dirigia o caminhão maior, o F-600; Heitor Peres (tio de Geraldo e Alencar por parte de mãe), que dirigia o menor, o F-350; Manoel Nascimento Moura, que entrou com parte do capital; e Manoel Vieira, que ficava no balcão.

O idealizador e líder era Geraldo, que tinha uma caminhonete F-100. Ele dava nome à firma: Geraldo Gomes da Silva e Companhia Ltda., com o nome de fantasia União dos Cometas.

O início dessa revolução para o atacado pronta-entrega foi em fevereiro de 1959. Em setembro, Geraldo já se sentia mal. No começo de dezembro, nem pôde ir ao casamento de uma sobrinha em Juiz de Fora, também na Zona da Mata, perto de Ubá. Era o casamento de Regina, filha de Tatão, o que deveria ser Sebastião e virou Álvaro na certidão de nascimento.

Alencar saiu de Caratinga e passou por Ubá para dar carona ao irmão. Quando chegou lá, encontrou Geraldo abatido, cansado. Ele era um homem ativo, trabalhador, mas sequer conseguia empunhar a caneta. Depois do casamento, Alencar voltou para Ubá, aflito com a situação do irmão. E os exames? Os exames não detectavam nenhum problema.

Pegou Geraldo e levou ao Dr. Gastão, clínico geral famoso, bem conceituado na cidade e arredores. Desconfiado, deixou o guarda-chuva de propósito no consultório. Quando o exame terminou e foram todos para o carro, encenou:

– Esperem um pouco, esqueci meu guarda-chuva. Vou voltar para pegar.

Alencar queria conversar separadamente com o médico, até porque, naquela época e durante muitas décadas, doenças eram tratadas como tabus, não se dizia nada abertamente aos pacientes. Os médicos usavam palavras técnicas e cifradas para as famílias, e amigos e vizinhos tratavam aquilo aos cochichos. Câncer, então, nem se fala. Aliás, nem se pronunciava a palavra.

De volta ao consultório, Alencar confirmou suas piores expectativas. Dr. Gastão abriu um livro e, com a ressalva de que tinha feito apenas um exame clínico, sem radiografias nem nada, disse que, em sua opinião, Geraldo tinha um câncer de pâncreas. Em Ubá, não havia recursos, nada a fazer. O médico pegou uma folha de papel e escreveu o nome de um grande especialista em Belo Horizonte, com carta de encaminhamento e seu diagnóstico inicial.

Geraldo já estava muito debilitado, não suportaria uma viagem de carro pelos mais de 300 km de estradas precárias entre Ubá e Belo Horizonte. Contrataram um monomotor, mas a viagem foi sacrificante, cheia de problemas. O tempo estava ruim e o avião não conseguiu pousar na capital. Foi necessário um pouso de emergência em Juiz de Fora. O jeito foi seguir de carro mesmo, "uma peleja na estrada", define Alencar.

Apenas à noite chegaram à capital e instalaram-se no Hotel Itatiaia. O médico indicado pelo Dr. Gastão foi até lá, leu a carta e fez um exame superficial em Geraldo, o suficiente para concordar com as suspeitas do colega de Ubá. Não satisfeito, Alencar chamou outro especialista, João Galize, que tratara de sua mãe, Dolores, morta de câncer dois anos antes.

Esse terceiro médico chegou ao hotel lá pelas 23h, deu uma olhada, ouviu, leu tudo, conversou com Geraldo e avisou para Alencar:

– Infelizmente, tudo indica que meus colegas têm razão.

No dia seguinte, Geraldo foi internado na Casa de Saúde São Lucas para se submeter a exames mais modernos, ao menos os mais modernos disponíveis à época. Ele estava preocupado com seu negócio em Ubá, recém-criado, ainda em fase de consolidação. Chamou Alencar e pediu que voltasse, porque ele era o dono, só ele mexia com a parte financeira e comercial, e havia compromissos que precisavam ser cumpridos.

Alencar tomou nota de tudo e fez o que ele pediu. Foi até a "União dos Cometas", em Ubá, deu uma olhada e resolveu o que era possível. Como já era casado e tinha seus próprios negócios, voltou para Caratinga a fim de passar o Natal com a família.

João Vicente Bonfim, o patrão que virou grande amigo e companheiro de bailes e de "golos", morreu aos 38 anos, sem deixar filhos, no dia 23 de dezembro de 1959. Foi de repente, sem que se soubesse exatamente do quê. Ao que tudo indicava, câncer. Geraldo morreu dois dias depois, em pleno Natal. Câncer de novo.

Ao falar nisso, os olhos do vice-presidente se enchem de lágrimas, mesmo passadas tantas décadas: "Eu perdi dois irmãos naquele Natal."

As perdas se somavam em sequência das mais dolorosas. A mãe havia morrido em 1957, o pai, em 1958, e o amigo e o irmão mais velho, em 1959. "Foram três anos de lascar."

Geraldo chegou a ser operado, mas não havia o que fazer. Morreu uma semana depois, deixando a mulher, Ana Braga Gomes da Silva, a Doninha, e uma única filha, Maria de Lurdes, a Lurdinha, ainda muito pequena. Doninha era de uma família de fazendeiros de Muriaé e nunca trabalhara, não tinha a menor ideia de como tocar a "União dos Cometas". Pediria então socorro a Alencar.

Anos depois, Lurdinha teve dois filhos. O mais velho herdou o nome do avô e virou Geraldinho. A caçula herdou o da avó e é Ana Maria. Consta que cada um deles tem um prédio em Ubá, mas aos poucos foram perdendo contato com a família, basicamente radicada em Belo Horizonte.

Naquela passagem para cumprir as tarefas que o irmão tinha delegado a ele, quando se internou em Belo Horizonte, Alencar ficou encantado com a engenhosidade do negócio. E também percebeu que tudo girava em torno de Geraldo.

Manoel Moura investira mas não trabalhava na empresa. O outro Manoel, o Vieira, era já um homem de bastante idade, muito limitado, que só ficava atrás do balcão. Tio Heitor era "excelente pessoa, mas sem nenhum tino comercial, sem nenhuma vocação empresarial, nada". Restava João Magro, vendedor diligente, bom viajante, mas não um administrador e gerente à altura do negócio.

Se a mulher de Geraldo não tinha condições de assumir as rédeas, e os sócios não pareciam talhados para aquilo, José Alencar entrou em ação reunindo garra, tino, gosto e coração: "Eu estava indo muito bem com o atacado de cereais, mas o certo é que meu ramo a vida toda foi tecido, desde o balcãozinho lá do Canteiro, onde meu pai tinha os paninhos dele."

Alencar vendeu tudo o que tinha "no" Caratinga, como dizia, e mudou-se em 1960 para Ubá com a mulher e a primeira filha, Maria da Graça. Tudo o que apurou em dinheiro com suas participações nas empresas de Caratinga foi colocado na "União dos Cometas". Os quatro sócios fizeram um aumento de capital e ele integralizou esse aumento, passando a ser o controlador da companhia. Assim tomou as rédeas da empresa que o irmão Geraldo só conseguira tocar durante 10 meses, entre a inauguração e a morte no ano anterior.

"Eu assumi a liderança absoluta dentro da casa comercial", explica Alencar. Herdou até um dos principais funcionários, Ronaldo Dornelas de Assis Ribeiro, que trabalhava no escritório diretamente com Geraldo. Dornelas se tornaria um dos braços direitos e cunhado, ao casar mais tarde com Dolores Maria, a caçula que morava com Alencar e Mariza.

Mas não foi fácil conquistar Alencar. Nem como patrão, nem depois como cunhado. Ronaldo, o bonachão da família, lembra do dia em que levou a maior bronca do novo chefe porque separou errado uma palavra com dois "s" na penúltima linha de um documento da empresa.

"Ele era tão exigente!", lembra Ronaldo, contando que Alencar chegou por trás da máquina de escrever Olivetti, olhou aquilo e ficou bravo:

– Assim não dá! – reclamou, com voz de poucos amigos.

Ou seja: só por causa daquele "errinho" (na definição de Ronaldo), foi obrigado a rebater o texto inteiro, de cabo a rabo. E com carbono e tudo!

Alencar segue convencido de que tinha razão. "Tinha de ficar um 's' cá e outro lá, uai! Eu era enjoado mesmo. E não ia passar essa vergonha!"

Quarenta e cinco anos depois, Amaury Teixeira Machado, assessor responsável pela correspondência de Alencar na Vice-Presidência, confidencia que aquela característica não "melhorou nada" com o tempo. "Ele sempre foi muito gentil, educado, mas também exigente, rigoroso. Embora sempre diga que não fez nem o curso ginasial, tenho de ser muito vivo, muito atento na correção gramatical dos discursos dele, porque ele é autodidata, conhece muito bem o português. Quando tem alguma coisa errada, fica zangado, corrige na hora", entrega Amaury.

Se já era assim no escritório, imagine-se como foi para Ronaldo pedir a mão da irmã caçula do patrão em casamento. Ele pensou a melhor hora, o melhor jeito, a melhor estratégia. Um belo dia, ofereceu carona para Alencar. Quando chegou na porta da casa dele, abordou o assunto, meio encabulado:

– Zé, eu estou namorando a Dolores e queria ficar noivo dela.

Reação imediata de Alencar:

– O quê? Você ficou doido?

Resultado: "Saiu, bateu a porta na minha cara e até hoje nunca deu licença para o noivado", conta Ronaldo, mais de 40 anos depois do casamento. Mesmo assim, ele se tornaria um dos grandes companheiros de noitadas dos cunhados Alencar e Toninho.

Quando casou com Dolores Maria, em 1965, Ronaldo deixou de ser funcionário da empresa para fundar uma sociedade com Toninho. No seu lugar, entrou Honório Carneiro, um típico ubaense, que também se tornou parceiro de "golos" do patrão. (Alencar sempre chamou goles de "golos" e, por sua influência, a mulher, os filhos, os irmãos, os sobrinhos e os amigos também chamam assim.)

Em 2010, depois de 45 anos de firma e mais de 80 de idade, Honório continuava dando expediente na sede da Coteminas em Belo Horizonte. E tinha orgulho disso, sentado de terno e gravata diante de sua máquina de escrever, sua calculadora e seu telefone, todos três do tempo do Onça.

Aos sábados à tarde, Alencar passava na casa dele e iam juntos ver jogo de futebol ali perto. Ou tomar cerveja em Tocantins, a 10km de Ubá. Ou até mesmo dar um pulo ao cinema – o Cine Rescala ou o Cinema Brasil.

Como Mariza fizera promessa de não ir mais ao cinema enquanto o pai estivesse vivo, Alencar viu com Honório clássicos que marcaram época, como *Doutor Jivago*, do diretor David Lean, com Omar Sharif e Julie Christie. Mariza teria gostado. O filme narra as desventuras de Yuri e Lara, um jovem médico aristocrata e uma valente enfermeira plebeia, na Rússia de 1917.

Uma noite, Honório já estava de pijama, pronto para dormir, quando Alencar bateu à porta. Queria porque queria que ele fosse de pijama mesmo tomar uns "golos" no Bar do Lico, em Tocantins. Honório cedeu, mas trocou de roupa antes.

De outra feita, os dois foram comer na Churrascaria do Osvaldino, em Ubá. Comeram e beberam que foi uma beleza. Na hora da conta, Alencar esticou o braço e disse:

– Paga isso aí porque eu não tenho um tostão.

– Nem eu! – respondeu Honório.

Penduraram a conta e só pagaram no dia seguinte. E não foi a primeira nem a última vez. Num outro restaurante, no município de Guarani, quem ficou com o prejuízo foi Leônidas Dutra, empresário em Ubá. E nem cobrou depois.

Ao assumir o comando da "União dos Cometas", naquele recomeço tanto da empresa quanto dele próprio no ramo de tecidos, o maior investimento de Alencar foi a compra de 40 caminhões do libanês José Abdo Micherif, mesmo fornecedor dos três veículos iniciais do negócio (dois caminhões e a caminhonete de Geraldo).

Em homenagem ao irmão, que tivera a grande sacada, mas não o tempo de saborear os resultados, Alencar manteve o nome de Geraldo na companhia depois de sua entrada. Ela apenas mudou de "Geraldo Gomes da Silva e Companhia Ltda." para "Geraldo Gomes da Silva S.A.".

"Foi ele, Geraldo, quem trouxe a ideia, uma ideia de quem conhecia, uma ideia genial. Ainda que eles estivessem apenas dando os primeiros passos, tinham um sucesso assegurado. Por isso, mantive o nome dele o tempo todo", conta. A cunhada, Doninha, foi aos poucos se desfazendo das ações da empresa, até se desligar dela anos depois.

Em 1963, capitalizado, Alencar abriu uma fábrica de calças e camisas masculinas que se chamou, primeiro, Companhia Industrial de Roupas União dos Cometas. Dois anos depois o nome mudou para Wembley Roupas S/A, por sugestão de um publicitário que avisou: "Com esse nome de cometas você não vai a lugar nenhum."

A ideia era batizar a firma de "Wimbledon", bairro londrino que sediava o principal campeonato de tênis do mundo, com a brasileira Maria Ester Bueno fazendo um tremendo sucesso. Ao consultar a Junta Comercial, a marca já estava registrada por outra empresa. Passaram de Wimbledon a Wembley, pegando carona na excitação nacional com a Copa do Mundo do ano seguinte, cuja final seria disputada no estádio de Londres de mesmo nome.

A Seleção Brasileira não levou a taça, mas o nome Wembley se consolidou e se multiplicou no Brasil. Primeiro, foi a fábrica de calças e camisas. Depois, uma loja em Ubá, outra em Belo Horizonte e mais uma aqui, outra ali, até alcançar uma rede de mais de 30 lojas para venda da produção no varejo em diferentes estados. A distribuição era em caixas ilustradas com desenhos dos soldadinhos ingleses, aqueles que fazem guarda no Palácio de Buckingham, residência oficial da rainha.

Enfim foi construído o Hotel Wembley, de sua propriedade. Ficava no centro da capital mineira, e Alencar o anunciava então como "o melhor três estrelas do Brasil".

Mas esse não era o seu ramo. Quando mergulhou no projeto de instalação da Coteminas, vendeu a fábrica e a rede de lojas Wembley para quatro ex-funcionários. Manteve apenas a razão social e o hotel, vendido anos depois, já decadente. Dedicou-se então integralmente aos tecidos, sua galinha dos ovos de ouro.

Paixão à Primeira Vista... por uma Foto

Antes de se apaixonar por Mariza Oliveira Campos, José Alencar se apaixonou por uma foto dela. Pudera! Como poderia resistir àquela jovem linda de Caratinga, de sorriso aberto, cabelos claros e olhos azuis?

"Não tinha uma só estrela de Hollywood que fosse tão bonita quanto a Mariza", ele sempre diz, para deleite da mulher, que ri entre constrangida e orgulhosa.

Alencar saiu cedo de casa, mas se manteve muito ligado a seus pais e irmãos pelo resto da vida. Naqueles tempos de comunicação difícil, quase impossível, não havia telefones em Caratinga. Ele costumava recorrer ao rádio amador para trocar notícias com a família. A prática se intensificou quando sua mãe, Dolores, se tratava de um câncer em Belo Horizonte.

O radioamadorismo é um *hobby* em que as pessoas se integram em uma rede de interlocutores. O adepto mais conhecido em Caratinga era Luiz Campos de Carvalho, pai de Mariza, representante comercial de grifes famosas da época, como a Ramenzoni, de chapéus, e a Juventino Dias, de tecidos. Foi numa visita a Luiz, para ter notícias de sua mãe, que Alencar viu a foto da moça e se encantou. Verdade ou não, sempre diz que foi paixão à primeira vista. À primeira vista de uma foto, diga-se.

Ele era ainda jovem, mas passou a vida repetindo o prefixo usado pelo pai de Mariza para buscar contato com alguém: "PY4HB (de Hora Brasileira)". Às vezes, repetia cinco, seis vezes seguidas: "PY4HB, PY4HB, PY4HB..." E não raro chorava, lembrando da mãe.

Mariza e Alencar só se encontraram pessoalmente algum tempo depois. E foi quase por acaso. Mariza já morava no Rio com uma irmã, Maria Izabel. Estudava no prestigiado Instituto Anna Nery com o intuito de se tornar voluntária de enfermagem. Morava no Rio, mas passava as férias com os pais na sua cidade em Minas. Numa delas, foi com um dos irmãos, Luiz Oliveira Campos, o Luizinho, a um ensaio de quadrilha para a festa junina do Clube de Caratinga. Uma das moças faltou porque estava muito gripada. O par dela pediu que Mariza fizesse as vezes. Com o consentimento do irmão, fundamental naquela época, ela aceitou.

Nas quadrilhas, moças e rapazes trocam de pares várias vezes. Na primeira vez que coube a Alencar dançar com aquela moça tão bonita, ele não teve dúvida: pegou Mariza pelo braço e levou-a até a varanda. Papo vai, papo vem, começou ali o flerte.

E a acompanhante de Alencar no ensaio, que fim levou? Ele diz que não se lembra, e Mariza morre de rir: "Eu não sei dizer quem era o par dele, mas deve ter morrido de raiva de mim, lógico!"

O flerte ficou por isso mesmo. Alencar continuou em Caratinga, e Mariza voltou para o Rio sem ao menos saber o nome dele. Só sabia que era o "Zé 55", apelido de origem curiosa: ele só tomava uísque e a conta, coincidentemente, sempre fechava em 55 cruzeiros.

Depois desse primeiro momento, houve outro quase encontro. Na festa anual em Caratinga, os rapazes compravam os votos das moças para eleger a "Rainha do Baile". Alencar aproximou-se de quem ia contar os votos e cochichou:

– Olha, seja o que for, não interessa, eu dou o dobro!

E comprou todos os votos para eleger Mariza, que ri: "As moças todas queriam me matar!"

Mas ela não estava num dia muito festivo: ficou um pouquinho e foi embora. Quando foi proclamada rainha, já nem estava mais na festa. Naquele ano, não houve coroação de rainha no Clube de Caratinga.

"Eu só fui um pouco para dar uma olhada e fui embora logo. Não sou muito de ficar até tarde. Sou diurna. Ele é noturno. Não bebo, só bebia um vinhozinho às vezes, mas nem isso mais, e gosto de deitar cedo, dormir cedo. Ele gosta de tomar um 'golo', de conversar até tarde, de ficar proseando. Ele, os irmãos, as irmãs, a família gosta. Nisso, não combinamos", diz Mariza.

O marido concorda, tanto que vive provocando: "Se tiver reencarnação, a única coisa que vou pedir a Deus é que me dê uma mulher que tome um 'golo' junto comigo."

Ao perceber que os dois se apaixonavam, Luizinho avisou aos pais para ficar de olho na irmã, porque o tal camarada não era lá flor que se cheirasse:

– Proíbam o namoro! Esse Zé 55 bebe e joga a noite toda!

Depois da dança e da conversa fortuita na festa de São João, com a história da compra de votos da Rainha do Baile no meio, os dois futuros namorados voltaram a se encontrar no Rio. Um senhor encontro!

Alencar não parava quieto e, naquele tempo, viajava muito para o Rio de Janeiro. Havia trabalhado por lá como representante comercial da Custódio Fernandes, e ainda mantinha contato com fornecedores.

Numa das idas à então Capital Federal, o pai de Mariza pediu que fizesse companhia a um sobrinho, Alberto, que pegara catapora durante as férias, atrasara a volta a Caratinga e não queria voar sozinho no avião Douglas que fazia a rota entre as duas cidades.

Foi o pretexto que Alencar pedira a Deus, porque Alberto estava passando as férias na casa em que Mariza morava no Rio. Quando telefonou para falar com a irmã dela, foi a própria Mariza quem atendeu. E fingiu não reconhecer, ou não reconheceu mesmo: "Imagina se eu não ia lembrar da figura?! É que não sabia o nome dele, é verdade", lembra.

Primeiro, Alencar pediu para falar com Izabel, que não estava. Depois, deixou o recado de que faria companhia ao menino na volta a Caratinga. E, por fim, foi direto ao que realmente interessava:

– Você pode informar se é aí que mora a Mariza?

– É, sim, senhor. É ela quem está falando.

– Você não está se lembrando de mim? Sou muito amigo do seu pai lá de Caratinga.

– Não!... Como é seu nome?

– José Alencar.

Nada. Ela não se lembrava. Foi aí que ele jogou a toalha:

– O Zé 55!

E não perdeu tempo. Foi logo convidando a moça para sair já no mesmo dia. Mariza tinha outros planos – ou melhor, obrigações. Naquele tempo, as mães não deixavam as filhas saírem sozinhas. Só acompanhadas por irmão ou amiga, que fazia o papel de "vela". Mariza estava escalada para "vela" de uma colega, Nélia Peixoto, de uma família de Cataguases, que estava noiva de um rapaz da Marinha.

Era uma festa de gala no Clube Naval. Uma festa e tanto, espalhada por três andares, centenas de pessoas. A fila do elevador estava uma confusão danada na entrada. Foi aí que Mariza se perdeu de Nélia e do namorado. Ainda passou pelos andares, um a um, deslumbrada com as mesas de jantar ornamentadas com flores recém-colhidas, as pistas de dança bem iluminadas, as moças maravilhosas, mas viu que seria impossível localizar o casal amigo e decidiu aguardar junto à porta do elevador.

"Nélia vai descer e me procurar", pensou. E ficou ali, sentada, com seu vestido de baile caprichado e um casaquinho que sua mãe tinha feito para a ocasião. Esperou, esperou, esperou, até a festa acabar. A colega só apareceu na hora de voltar para casa.

"Até hoje, acho que foi praga do José. Eu não saí com ele, mas também não vi a festa nem me diverti", diz ela. E, ao lembrar o papel de vela, admite, mais pragmática: "Nem a Nélia nem o namorado tinham o menor interesse em me encontrar, não é? Quem teria?"

De qualquer forma, o telefonema daquele dia de Alencar para Mariza, ou melhor, para Izabel, não foi em vão. Ele deixou o recado de que a viagem com Alberto seria no dia seguinte e pediu que levassem o menino para encontrá-lo no aeroporto. E quem levou? Mariza e seu cunhado, marido de Izabel.

Parece mentira, mas foi ali mesmo, no aeroporto, que o Zé 55 pediu a mão da moça em casamento. Como convinha, ela achou graça e deu uma resposta vaga:

– Nem nos conhecemos direito... Mas vou pensar.

E ele, transportando para o amor o estilo do mais puro e jeitoso negociante:

– Eu não aceito talvez como resposta. Ou é sim, ou é não.

Ficou valendo como não. Alencar levou Alberto para Caratinga no Douglas e resolveu fazer jogo duro. O próximo passo teria de ser dela. E foi. Nas férias seguintes em Caratinga, Mariza entrou em ação. Com o pretexto de ir à estação de trem da Leopoldina, ela sempre arranjava um jeito de passar em frente à casa dele e dar "uma olhadinha". Como nunca dava certo, passou a visitar os tios e o primo Alberto, vizinhos do turrão. Vai à estação daqui, visita o primo dali, foi só uma questão de tempo.

"Ela passava lá só para me ver", diz Alencar, como se tivesse vencido uma guerra. "E era mesmo", concede Mariza.

Quando ele voltou depois ao Rio, já estavam namorando. Isso foi em 1956. Em 1957, estavam casados. Naquele mesmo ano, Mariza se formou em primeiro lugar no Anna Nery, depois de trabalhar como voluntária na Santa Casa de Misericórdia. As alunas se revezavam nas várias especialidades e a que ela mais gostava era justamente a Cirurgia. Jamais imaginaria, àquela altura, que o homem com quem se casava iria passar por mais de 15 cirurgias.

Ela lembra quando foi destacada para a enfermaria cirúrgica e uma senhora era submetida ao mesmo procedimento enfrentado por Alencar décadas depois, em 2009: a colostomia, que permite realizar a drenagem fecal externamente. O paciente carrega uma bolsinha ao lado do corpo 24 horas por dia. Foi a primeira vez que ela ouviu falar naquilo que faria parte do dia a dia tempos mais tarde.

Ao comunicar a familiares, amigos e assessores que não iria mais disputar a eleição de 2010, encerrando a carreira política, ele disse com todas as letras: "Como vou poder dizer aos eleitores que estou curado, se tenho a quimioterapia e a colostomia?"

Mas, naquela época da jovem Mariza, tudo era ainda muito pior: "Para você imaginar, não existia nem bolsa, nem mesmo num hospital que tivesse mais recursos. Nós fazíamos com gaze", relata ela, usando da mesma coragem didática do marido.

Por essas e outras, as voluntárias que estudavam como Mariza no Anna Nery entravam e saíam sem se formar. Na própria turma dela, contavam-se nos dedos as que tinham determinação de ir até o fim – e que suportavam todo o tempo a provocação das monitoras, enfermeiras que supervisionavam a formação das voluntárias.

"Elas nos chamavam de Fernão Dias Paes Leme. Sabe por quê? Ele não foi atrás de esmeraldas e pedras preciosas em Minas? Então, elas diziam que nós íamos atrás de um casamento, estávamos lá para caçar marido médico", diz, revelando a mágoa de décadas atrás.

Se terminou em primeiro lugar o curso de voluntária de enfermagem, Mariza não foi até o fim no de instrumentadora cirúrgica, apesar de ter assistido a várias operações no anfiteatro da Santa Casa e ainda recitar a ordem dos equipamentos: bisturi, pinça de Koche (hemostática) e o dente de rato, que tem ponta envergada. Mas a vida de casada, naqueles anos 50, falou mais alto. Mariza explica:

"Desisti do curso porque é aquela história: na verdade, você era criada para o casamento. Vamos dizer que a mulher era aceita na sociedade se ela fosse professora. Fora isso, se fosse encontrar outra profissão, não era bem-vista nem no Rio. E no meu caso, que morava em Caratinga? Ou era professora ou casava, virava mãe de família. E quais os dotes de uma dona de casa naquela época? Você aprendia a bordar, a tocar piano ou outro instrumento musical, porque sempre tinha aquele sarau à tarde. Eu fazia muito com minhas filhas. Aprendi um pouco de piano, mas tocava melhor violão, e elas cantavam e dançavam. As duas estudaram balé clássico, sonho que não pude realizar."

O noivado foi em julho. O casamento se deu em 9 de novembro de 1957, celebrado na Catedral de Caratinga pelo bispo diocesano Dom João Cavatti. (O bispo depois virou nome de cidade em Minas.) Dona Dolores, mãe de Alencar, havia morrido pouco antes, em agosto daquele mesmo ano.

Tudo muito bom, tudo muito bem, mas o início do casamento não foi nenhuma maravilha. Tampouco prenúncio dos anos de felicidade conjugal, pujança econômica e glória política que vieram tempos depois.

Primeiro, moraram em Caratinga. Depois, Alencar resolveu ir para o Rio, achando que agradava a mulher, grávida da primeira filha, Maria da Graça. Mas as coisas não andavam bem.

"Esse período em que moramos no Rio foi muito difícil para ele, porque foi início de vida", relata Mariza. Não era o melhor emprego do mundo, e havia outro problema: Mariza, com um barrigão, sentia-se sozinha. "Ele tinha de ficar no escritório no sábado também, esperando os telefonemas e quem encomendava as coisas. Chegava o domingo e era dia de descansar. Não íamos ao cinema nem nada."

Se ele diz que foi para o Rio para fazer o gosto dela, voltou para Caratinga pelo mesmo motivo. Como haviam se desfeito da casa na cidade, foram morar com os pais de Mariza e continuaram com eles quando a primogênita nasceu. Era final de 1959, ano da morte de Geraldo. Como já se viu, a pedido da cunhada, Alencar assumiu a empresa liderada pelo irmão e se mudou com armas e bagagens para Ubá. Foi um recomeço em vários sentidos.

Na nova cidade, Alencar trabalhava muito, divertia-se pouco (a não ser pelas cervejas em Tocantins com Honório Carneiro). "José Alencar era carente de amizades", diz Honório, lembrando o início em Ubá.

Aos poucos, de todo modo, a casa ia ficando cheia. Quando seus pais, Antônio e Dolores, morreram, Dolores Maria, a caçula, então com 15 anos, foi mandada para Belo Horizonte para fazer o curso normal, que formava professoras primárias. Depois de formada, foi morar com Alencar e Mariza e só saiu da casa deles para casar, em 1965.

Ela lembra como se sentia diante do irmão 11 anos mais velho: "Ele pode ter mudado muito com a política, com a doença, com a idade mesmo, mas, quando eu era nova e morava com ele, o Zezé era uma pessoa exigente, intransigente, brabo mesmo. Eu morria de medo dele!"

Dolores recorda também das coisas boas, claro, e dos talentos de Alencar, como o que cedo se manifestou para compra e venda de qualquer coisa. Lembra que, quando ficou noiva, ele se responsabilizou por bancar um enxoval caprichado, algo muito importante para uma moça casadoura naquela época.

Uma senhora portuguesa, dona Pureza, passava pelas cidades do interior vendendo toalhas de mesa bordadas, lindas, da Ilha da Madeira. Dolores Maria era louca por elas, e o irmão fez sua vontade.

Ela e a cunhada Mariza escolheram, ele negociou e pagou. As duas ficaram abismadas com o jeito dele de acertar as contas com a tal portuguesa.

"Em vez de falar num pagamento em quatro meses, ele falou que ia pagar em 120 dias. Quando nós perguntamos por quê, ele riu e disse: 'Porque a impressão é totalmente diferente, a impressão é de que você vai pagar muito mais rápido'", reproduz Dolores.

Alencar se consolidava, as empresas cresciam e se multiplicavam. A vida começava a melhorar num fluxo que nunca mais se alteraria. Com os anos, Mariza virou mulher de milionário e depois de um dos políticos mais importantes e populares do país, que ocupou a Presidência da República por mais de 500 dias.

Apesar disso, a esposa do vice-presidente jamais usa joias, exceto pela aliança de casamento e o anel de formatura e, vez ou outra, um bom relógio. É resultado de uma das três promessas que fez na vida, ou, pelo menos, das três que confessa.

A primeira, quando ainda era jovem e morava no Rio ("As moças faziam promessa até para passar de ano..."), foi parar de comer açúcar e doces. Acabou com hipoglicemia, acentuada por estresse.

Promessa para quê? Desconversa: "Eu era garota, foi uma bobagem, mas não foi por namorado, não. Eu não era de namorar. O primeiro namorado que eu tive foi antes do José, mas durou muito pouco, eu me desiludi."

A segunda promessa foi quando estavam no início do casamento, e ele começou a sentir umas dores estranhas, um incômodo qualquer. Os dois se apavoraram, pensando no câncer da mãe e do irmão dele. A coisa piorou quando o médico pediu os mesmos exames que pedira a Geraldo.

Mariza fez a promessa de nunca mais usar joias, nem mesmo bijuterias, caso não fosse nada. Como não foi nada mesmo, ela foi dando anéis, colares, brincos e pulseiras para as duas filhas, Maria da Graça e Patrícia. Muitos anos depois, as que ficaram para Patrícia foram roubadas.

Reação de Mariza na época:

– Minha filha, não fica triste, não. Isso não vale nada!

Alencar, que não é tão obcecado por religião e acha bobagem essa história de promessa, gostava de provocar a mulher com tentações difíceis de resistir. Certa vez, chegou em casa com uma pulseira de pérolas. Noutra ocasião, com uma segunda pulseira maravilhosa, cravejada de brilhantes.

– Quero ver se você vai ter coragem ou não!

Mariza nem experimentou.

A terceira promessa foi dias depois de ter Josué, num hospital no Rio. As duas filhas mais velhas tinham ficado em Ubá com os avós maternos, e a irmã de Mariza ligou, cheia de dedos, cheia de cautelas, avisando que eles todos teriam de ir correndo para o Rio. O pai dela não estava passando bem, iria fazer exames.

Mariza concluiu:

– É câncer!

Dessa vez, acertou. Era mesmo, na próstata, e ela fez a promessa de nunca mais ir ao cinema, uma das suas paixões, enquanto o pai vivesse. Conclusão: ele superou a doença e só morreu 15 anos depois, aos 88 anos – e do coração! E ela ficou privada durante todo esse tempo de um grande prazer. Quem levava as crianças ao cinema eram as babás.

Mariza também passou por uma crise de depressão entre os 48 e os 49 anos, às voltas com médicos e psicólogos, mas a depressão passageira e a promessa que a faria perder as sessões de cinema seriam nada perto de tudo o que ela e Alencar enfrentariam com estoicismo incomum a partir de 1997.

O problema é que o fantasma do câncer se materializaria de novo, e agora com toda a intensidade. A luta pública de Alencar foi a luta privada de Mariza, silenciosa, abnegada, corajosa – uma coragem à altura da demonstrada dia após dia pelo marido. Como voluntária de enfermagem, acompanhou e cuidou pessoalmente de Alencar desde as primeiras cirurgias, em 1997, e intensamente a partir da descoberta do sarcoma, em 2006.

Herdeiros

Mariza é muito ligada à família e à Igreja. Não há parente ou amigo que não mencione o fato. Apesar disso, teve de se adaptar aos novos tempos, os tempos dos seus três filhos: Maria da Graça, nascida em Caratinga, em 1959; Patrícia, que nasceu num hospital no Rio em 1960 e foi registrada no cartório de Ubá; e Josué, de 1963, que também nasceu no Rio e foi registrado em Ubá.

Alencar fica bravo quando dizem que os dois filhos menores são cariocas: "Não são, não. Eles são registrados em Ubá e, portanto, são mineiros e ubaenses, com muito orgulho."

Sobre casamentos e separações, ele não fala. Mas Mariza tem um compromisso com a realidade: "Se me perguntarem sobre como ficar mais de 50 anos casados, eu sei a resposta. Existe a cumplicidade, a compreensão, existe também o amor. E os casais da minha época eram diferentes de agora. Dava-se muito valor à família. Você lutava pela família. Hoje, não", conta ela.

Considerada boa aluna, Maria da Graça estudou Belas-Artes e fez curso técnico de Estilismo em Confecções Industriais no Senai-Cetiqt, no Rio, e depois um mestrado em Marketing Têxtil Global na Universidade da Filadélfia, Estados Unidos, em convênio com o Shenkar College, de Israel, e a FH Reutlingen School of Textiles and Business, da Alemanha. Obteve primeiro lugar no curso alemão. A mãe, orgulhosa, foi para a formatura. É graduada ainda em

Compras e Marketing no FIT (Fashion Institute of Technology), de Nova York.

Na volta do exterior, já com seus títulos, a filha mais velha de Mariza e Alencar integrou-se à equipe da Coteminas, como diretora de Marketing e Desenvolvimento de Novos Produtos. Jogou tudo para o alto quando, já na faixa dos 40 anos, teve David, em 11 de julho de 2000. Pesou também na decisão o fato de que estava com David nos Estados Unidos, avaliando se deveria ou não assumir um cargo nas fábricas americanas do grupo, quando estourou a tragédia do 11 de Setembro. Voltou ao Brasil e desistiu da aventura de mudar de vida e de endereço.

Maria da Graça não registrou o filho com o sobrenome do pai, inclusive para evitar a infernal burocracia de ter de pedir autorização sempre que fosse viajar com a criança. O nome completo ficou David Shlomo Gomes da Silva, unindo o primeiro nome do avô paterno (Shlomo, ou Salomão) e o sobrenome da mãe e do avô materno.

Mãe e filho se mudaram de São Paulo para Belo Horizonte e depois para Brasília, quando Alencar se elegeu vice-presidente. Ficaram encantados com o ar puro e os gramados, o sol o ano inteiro e as largas avenidas. Criado na casa dos avós ou bem próximo a eles, David transformou-se no xodó do vovô Alencar. A primeira palavra que pronunciou foi "Zezé". Desde então só chama Alencar de Zezé, como os irmãos e sobrinhos do vice.

"David é louco com o avô, e o avô com ele. Você não pode imaginar a cumplicidade desses dois, e a alegria de um com o outro. É impressionante", confidencia Mariza.

Os outros netos são Ricardo, o mais velho, e Giovanna, a segunda, ambos de Patrícia; e Bárbara e Josué, filhos de Josué.

Patrícia é decoradora prestigiada, com quatro livros publicados sobre o tema, e nunca trabalhou no grupo. Mariza e Alencar moraram um tempo com ela enquanto construíam uma casa em Belo

Horizonte. Depois, ela morou um tempo com os pais no Rio, paixão de mãe e filha. Quando a mãe assumiu a condição de mulher de senador em Brasília, a filha se fixou em definitivo no Rio. É noiva de Alexandre Sabino Correia Lima, neto do escritor Fernando Sabino.

Ricardo Santos Júnior, o Ricardinho, filho de Patrícia, neto mais velho de Alencar, formou-se em Direito e fez especialização em Administração Empresarial na Universidade de Columbia, Estados Unidos. Na volta, trabalhou na área de investimentos financeiros da Gávea Investimentos, do economista Armínio Fraga, ex-presidente do Banco Central. Durou pouco. Logo se sentiu atraído pela Coteminas e por Minas.

Casado com Mariana, Ricardo trabalha na área administrativa da empresa, ligado diretamente ao tio Josué, mas com base em Belo Horizonte. Sua sala fica num dos 13 andares do prédio número 981 da rua Aimorés, centro de Belo Horizonte. Adquirido integralmente pela Coteminas em 1993, o imóvel abriga escritórios de outras empresas do grupo, tem alguns andares alugados para terceiros e mantém até hoje os quatro últimos pisos exclusivamente para a Coteminas.

A irmã de Ricardo, Giovanna, que colecionou primeiros lugares e medalhas na vida escolar, é formada em Engenharia Ambiental e Civil, trabalha numa empresa privada, é casada com Thiago Carone e tem uma filha. Chama-se Maria, primeira bisneta de Alencar e Mariza.

A segunda é Manuela, filha de Ricardo e Mariana, nascida em 2010. O bisavô, que saiu de uma sessão de quimioterapia para o batizado de Maria, e de outra para ir num sábado, bem cedinho, conhecer Manuela, avisou como queria ser chamado. Depois de ser "Zezé" para David, quer ser "Bizezé" para as bisnetinhas.

Maria da Graça mora em Brasília, Patrícia no Rio. O pai virou arroz de festa da imprensa nacional, a mãe está sempre presente em festas beneficentes que colorem as colunas sociais e o filho caçula, Josué, vive no noticiário até por dever de ofício, pois é sucessor de Alencar no comando dos negócios e um dos maiores empresários brasileiros. Já as duas moças, ninguém sabe, ninguém viu. São discretíssimas.

Josué Christiano Gomes da Silva nasceu num hospital do Rio, em 25 de dezembro de 1963. Foi batizado Josué Christiano em homenagem a Jesus Cristo e ao Natal, e tratado pelo pai e pela mãe como "uma bênção de Deus" – até porque veio ao mundo no dia em que, quatro anos antes, morrera o tio Geraldo.

"Todos nós temos uma missão na vida. Uma das minhas missões foi ter o Josué, que é tudo em caráter, em coração, em paz. Foi meu presente de Natal!", diz Mariza. Se para ela foi assim, imagine-se como foi para o pai: "Foi aí que eu vi como o José queria tanto um filho homem..."

Josué viveu os primeiros anos em Ubá e cresceu em Belo Horizonte. Desde pequeno, o pai o pegava pela mão e levava às lojas, depois às fábricas. Ele conhecia os principais funcionários pelo nome, fazia montes de perguntas, se interessava pela maquinaria, arranjava diversão ao se esgueirar entre os teares. Nas reuniões, prestava atenção em tudo.

Aos 10 anos, sua empresa preferida era a Minasplac, que o pai fundara em sociedade com o empresário Ivan Botelho, em paralelo ao projeto da Coteminas. Era uma fábrica-modelo de madeira aglomerada em Ubá, *cluster* da indústria moveleira pela abundância de madeira e pela influência da imigração de marceneiros italianos.

O aglomerado era mais nobre do que o compensado, e considerado inovador. A fábrica, entre outras sofisticações, dispunha de área própria de reflorestamento de pínus e de eucalipto. Mas o que mais atraía o menino Josué eram os vários andares e a linha de montagem com passarelas de metal, escadas tipo marinheiro coloridas com guarda-corpo, fornos e bandejas, tudo com ar de ação e de ficção científica.

"Eu tinha de entrar com capacete e óculos protetores, me sentia num filme de aventura tipo MacGyver", recorda Josué, referindo-se à série americana de mesmo nome que faria sucesso anos depois, entre 1985 e 1992, com um agente secreto esperto e inteligente, capaz de se safar das piores situações com um canivete suíço.

Foi ali na Minasplac que ele viveu um doído constrangimento. O pai o levara às 2h da madrugada para o grande momento em que todo o sistema da fábrica seria acionado e, a partir daí, produzida a primeira placa de madeira, a primeira fornada. Para fazer uma gracinha com o patrão, os funcionários escolheram Josué para apertar o botão e dar o *start*. A coisa não funcionou. O sistema andou devagar, não prensou até o final, e a madeira saiu fofa. Um fiasco.

Como Josué era ainda garoto e era de madrugada, a conclusão dos técnicos foi que ele estava com sono e não tinha apertado o botão com força suficiente.

"Sempre fui muito responsável. Fiquei assustado, com aquela sensação horrível de que a culpa era minha, que tinha desapontado todo mundo", lembra.

Quando, enfim, descobriram que havia de fato uma falha – um vazamento de óleo –, os mesmos técnicos fizeram questão de levá-lo até lá e revelaram que ele não tivera responsabilidade alguma. Foi um alívio.

Alencar e o sócio venderam a fábrica menos de dois anos depois, quando ela foi absorvida pela tradicional Duratex. A empresa conserva até hoje o bom desempenho.

Os anos se passaram, os negócios se multiplicaram e Josué foi sempre o fiel companheiro de Alencar em visitas a fábricas e negociações com fornecedores e compradores. Assim como a escola de Alencar foi o balcão das lojinhas de seu Antônio, o professor de Josué foi o próprio pai.

O caçula foi aprovado no vestibular de Engenharia da Universidade Federal de Minas Gerais (UFMG). Seis meses depois, comunicou ao pai que prestaria vestibular também para Direito na Faculdade Milton Campos, uma das mais respeitadas do estado.

– Você vai trancar a matrícula de Engenharia, meu filho?

– Não, não vou. Vou cursar as duas, Engenharia de manhã, Direito à noite.

– E você aguenta?

– Aguento.

Josué se formou nas duas e, conforme o pai não cansa de contar, foi o primeiro da classe no curso de Direito e ficou bem colocado no de Engenharia.

A explicação do próprio Josué para fazer um curso de Ciências Exatas e outro de Ciências Humanas: "Um ajuda o outro. Eu sempre tive facilidade com números, mas queria ganhar conteúdo de Humanas. A Engenharia dá lógica ao Direito, e o Direito dá mais emoção e mais conteúdo ao debate."

Há duas outras explicações. Uma é que quase todos os melhores amigos de infância optaram por Engenharia, mas o pai sempre o estimulou a seguir Direito. A outra é puramente pragmática: os dois cursos seriam de grande valia para o futuro comandante do império empresarial.

"Papai sempre me estimulou a seguir a carreira de magistrado. Dizia que me deixaria os bens materiais, as fábricas, os imóveis e eu seria um juiz absolutamente independente. Viraria juiz de comarca, iria sendo promovido de instância em instância e, quem sabe, poderia até chegar a ministro do Supremo Tribunal Federal", conta Josué com um sorriso. Não parecia ser esse o seu sonho. Aliás, nem mesmo era o do pai.

"Podia ser que ele estivesse só me testando, para saber se eu tinha mesmo vontade e vocação para seguir a carreira empresarial. E, no fundo, eu acabei fazendo as duas faculdades exatamente porque as duas ajudariam muito na empresa", concede Josué.

Para fechar o ciclo, foi para os Estados Unidos cursar um MBA na Universidade Vanderbilt, no estado do Tennessee. Mas, no início, titubeou.

Um mês depois de chegar lá, o telefone tocou num domingo na casa de Alencar em Belo Horizonte. Era Josué, querendo voltar. Alegava que, por já ter se formado em Engenharia e Direito, estava perdendo tempo ali. Queria começar logo a trabalhar.

O pai ficou desconfiado, achou que aquilo tudo era conversa mole. Como queria ganhar umas horas para pensar e não falar nada na frente de Mariza, arranjou uma desculpa, disse que estava ocupado e que ligaria do escritório mais tarde, tão logo chegasse lá.

Assim procedeu, e foi direto:

– Conta aí, filho, que história é essa? Você nunca foi de largar as coisas no meio, ainda mais esse curso de Administração que vai fechar um círculo perfeito com Direito e Engenharia para você tocar as empresas.

Josué abriu o jogo:

– Quero me casar com a Cristina.

O pai topou, mas apresentou uma contraproposta:

– Você já ouviu falar numa coisa chamada procuração, não é? Você passa uma procuração para o seu pai, seu pai casa com a moça aqui e manda para você.

Dois dias depois, a tal procuração estava nas mãos de Alencar.

Josué casou por procuração com Maria Cristina da Silveira, filha de Márcio da Silveira, piloto da antiga Panair e depois do governo de Minas Gerais. Uma vez providenciada a documentação, Cristina seguiu para os Estados Unidos com um visto F2, de mulher de estudante. Depois, ela e Josué aproveitaram um feriado americano para se casar no religioso na Igreja da Boa Viagem, em Belo Horizonte, no dia 26 de novembro de 1987. A lua de mel, de apenas alguns dias, foi no Nordeste.

Como o pai sonhara, Josué concluiu o curso da Vanderbilt com distinção. Na cerimônia de formatura, da qual participaram Alencar e Mariza, recebeu a medalha Cornelius Vanderbilt, uma distinção que só oito entre todos os formandos recebem, um por escola, ou seja, um de Medicina, outro de Engenharia e assim por diante. Josué foi o agraciado em Administração.

Quando retornou ao Brasil, em 1989, ele e Cristina já tinham a primeira filha, Bárbara, nascida nos Estados Unidos em 20 de outubro do ano anterior. Rumaram então direto para São Paulo, para onde já migrara o comando central da Coteminas.

O segundo filho nasceu no Brasil, em 27 de dezembro de 1990, e introduziu uma mudança oficial no sobrenome da família. Em vez de Josué Gomes da Silva Jr., ele foi registrado como Josué Gomes de Alencar. O Alencar do avô é nome próprio. O do neto é sobrenome.

"Passei a vida sendo chamado de Josué Alencar pelos amigos e até pelos fornecedores, por influência do nome do papai. Já tive até dificuldades em hotel, porque ligavam perguntando pelo Alencar e não tinha Alencar nenhum", conta, ao explicar a decisão.

Uma curiosidade é que, por pouco, Bárbara não nasce no mesmo dia do aniversário do avô, e Josué Alencar, no mesmo dia do aniversário do pai. O obstetra americano tinha previsto o parto de Bárbara para 17 de outubro, sem saber da coincidência. Ela nasceu três dias depois. E Josué Alencar, dois dias após o Natal.

Bárbara cursa Arquitetura. Josué Alencar, seguindo os passos do pai, matriculou-se em Engenharia e Direito. Também atendeu a um pedido do avô e decidiu cursar o CPOR (Centro de Preparação de Oficiais da Reserva, próprio para estudantes universitários realizarem a formação de aspirantes a oficial do Exército).

Como a faculdade de Direito só tinha aula de manhã e era impossível conciliar, Josué Alencar trancou a matrícula e prestou vestibular para Engenharia em outra universidade. Faz CPOR de manhã e estuda Engenharia à noite. E diz que pretende voltar ao curso de Direito.

Alencar, o avô, explica por que o CPOR: "Por causa da formação comportamental que a escola militar dá, a noção de disciplina, de hierarquia, de respeito ao próximo e ao superior, uma coisa muito bonita."

Ele próprio fez Tiro de Guerra aos 18 anos, no primeiro ano de vida empresarial. Saía de casa bem cedinho, praticava no Tiro de Guerra e voltava correndo para abrir "A Queimadeira". No time de futebol, usava o mesmo número dos tempos de Exército, o 39.

Já no governo, além de atirar dia sim, dia não contra as taxas de juros mais altas do planeta, Alencar conservava outra obsessão: a retomada das aulas de Educação Moral e Cívica e de Religião nas escolas públicas e privadas brasileiras. A defesa era uma manifestação saudosista dos ensinamentos do seu professor na escolinha improvisada em Rosário da Limeira, com a turma toda – metade dela de pés descalços – perfilada e cantando o Hino Nacional.

Quando alegavam que seria impossível optar por uma das religiões, Alencar rebatia: "Pode fazer, sim, porque 99% dos brasileiros são cristãos e dá para fazer algo baseado na filosofia cristã, sem criar nenhum problema com a Igreja Católica, nem com a Protestante, nem com nenhuma delas."

A ideia não vingou, mas Josué Gomes de Alencar inscreveu-se no CPOR para fazer gosto ao avô. Coisa raríssima nos tempos modernos.

Alencar e Mariza moraram em Brasília ao longo dos oito anos de Vice-Presidência, mas conservaram apartamentos no Rio, em Belo Horizonte e São Paulo, neste caso, no mesmo prédio em que mora Josué – os pais no primeiro andar; o filho, no segundo.

Do Interior para a Capital

Josué Christiano era ainda pequeno quando a família iniciou a mudança de Ubá para Belo Horizonte.

Aconteceu em 1967. A escola de Maria da Graça e de Patrícia, o Sacré Coeur de Marie de Ubá, só para meninas, havia fechado as turmas do primário. A opção seria o grupo escolar, mas as histórias que circulavam na cidade não eram nada animadoras. Corria de boca em boca que os meninos invadiam os banheiros femininos para bolinar as coleguinhas.

"Não foi preconceito meu, não, de forma nenhuma, até porque eu mesma fui educada no Grupo Escolar de Caratinga. É que fiquei com medo daquelas histórias dos garotos", diz dona Mariza.

A mudança para Belo Horizonte aconteceu aos poucos. Ela alugou um apartamento no primeiro andar do número 20 da rua La Plata, no bairro Sion, para que as filhas fossem estudar num outro colégio de freiras, o Sion, de cultura francesa. Elas eram pequenas. Maria da Graça tinha 9 anos; Patrícia, 8.

Como Alencar viajava muito, mas mantinha sua principal base em Ubá, Mariza ficava com ele e com o pequeno Josué, indo e voltando, nos primeiros tempos. Os pais de Mariza, Luiz Campos de Carvalho e Carmem de Oliveira Campos, mudaram-se para a capital para tomar conta das netas. Nunca mais saíram de lá.

Só quando Josué estava em idade escolar foi que a família deixou

Ubá em definitivo e se instalou de armas e bagagens em Belo Horizonte. O apartamento ficava num prédio de três andares sem graça, com uma fachada stalinista de ardósia. A rua era calma e arborizada, e continua assim ainda hoje.

Nesse primeiro apartamento, alugado, os Gomes da Silva dividiam o andar com o empresário e político Walfrido dos Mares Guia, que viria a ser ministro de Relações Institucionais do governo Lula (obrigado a pedir demissão depois de denunciado pelo procurador-geral da República, Antonio Fernando Souza, sob acusação de envolvimento com o chamado "mensalão tucano").

Naquele final dos anos 60, início dos 70, os casais eram vizinhos e amigos. Brincavam que Josué e Érika, filha dos Mares Guia, iriam se casar um dia. "Érika era pequenininha, devia ter uns três aninhos, entrava lá em casa e ia direto para o quarto do Josué. Eles viviam agarrados, brincando, uma gracinha. Até hoje, os dois já adultos, casados, o Walfrido, quando me encontra, brinca: 'E o casamento?' Só que cada um foi estudar num lugar e a vida passou...", relata Mariza.

Alencar já tinha expandido os negócios para a capital mineira, instalando a loja de confecções Wembley na estratégica "zona dos panos", na rua Rio de Janeiro, quase esquina com Santos Dumont. Vendia no varejo as calças e camisas masculinas produzidas pela fábrica de mesmo nome, a Wembley, de Ubá.

Ele lembra com prazer da época em que ele, Mariza e as crianças frequentavam o PIC (Pampulha Iate Clube). Almoçavam nos fins de semana com grupos de amigos, ao redor de um bom uísque, de uma cervejinha gelada, da velha e boa comida mineira.

Apesar da imagem de homem determinado, trabalhador, durão e implacável, uma faceta marcante da personalidade de Alencar foi sempre o gosto pela boemia, que o atraía a bares e restaurantes para uns "golos". O Hotel Wembley foi *point* de algumas dessas noitadas.

O irmão Toninho, o cunhado Ronaldo, casado com Dolores Maria, e o sobrinho Daniel Freitas, filho de Célia, faziam parte da turma da farra já em Belo Horizonte. À exceção de Daniel, publicitário, todos eram ligados à indústria têxtil. Eles se reuniam às sextas-feiras num restaurante que não existe mais, o Alpino. O finado restaurante permitia aos frequentadores assíduos levar sua própria bebida, prática comum hoje até mesmo em restaurantes sofisticados. Cada um levava sua própria garrafa de uísque.

Virava e mexia, Zé Alencar saía esbaforido e esquecia a garrafa de uísque no escritório da Coteminas. Chegava e dava uma de joão sem braço, ia filando dos amigos, bebendo, contando "causos", como se nada estivesse acontecendo. Num belo dia, tomou um trago e comemorou:

– Que beleza! Esse uísque do meu cunhado é um colosso!

O dono da garrafa, Reinaldo, não deixou passar em branco:

– Do seu cunhado uma pinoia! Esse uísque é meu, pô!

Alencar era dos mais falantes e esfuziantes, gostava de contar piadas e casos mais ou menos verdadeiros. Pinçava histórias reais e construía um enredo interessante, numa boa mistura de realidade e ficção.

Nas férias, Mariza adorava ir para o Rio. Alencar alugava um apartamento de temporada em Ipanema e, quando não ia à praia ali mesmo, em frente ao Country Club, botava a turma toda no carro (um Aero Willys), subia até São Conrado, cruzava a Barra da Tijuca e atravessava o Recreio dos Bandeirantes. Passavam o dia ora na Prainha, ora em Grumari, duas praias que permanecem muito bonitas ainda hoje. Naquela época, eram verdadeiros paraísos, sem bares, camelôs: nada, nada.

Enquanto moravam de aluguel em Belo Horizonte, Mariza e Alencar compraram o terreno e construíram a casa da rua República Argentina, com projeto do prestigiado arquiteto Raul Lagos Cirne. A casa era uma festa, alegre, aberta aos amigos – "um palacete", como define o velho amigo e depois presidente da Associação Comercial de Minas Gerais (ACMinas) Charles Lotfi, um dos frequentadores.

Para Josué, os tempos da casa foram mágicos. Ele é capaz de reproduzir de cor todas as divisões internas, sala por sala, quarto por quarto. Inclusive o telhado: "Eu vivia correndo pelo telhado. Provocava as minhas irmãs e, quando elas corriam atrás de mim, não me pegavam de jeito nenhum, porque eu fugia pela janela."

A casa evoca apenas uma má recordação. A família ficou desgostosa depois de um assalto em que os ladrões levaram tudo, além de passar horas dentro da casa e destruir o que restava. Mariza e Alencar tinham saído para uma viagem de 20 dias ao Japão, enquanto a casa passava por uma pequena reforma. Quando voltaram, ficaram horrorizados com a ação dos vândalos.

Josué foi dos mais prejudicados. Durante a reforma, Mariza havia trancado alguns pertences no quarto dele, alvo preferencial dos ladrões. Como conta, levaram quatro preciosidades de imenso valor afetivo: suas duas espingardas, um revólver .38 da juventude do pai e o relógio Omega de pulseira de ouro que pertencera ao tio Geraldo.

O revólver tinha uma história especial. Aos 16 anos, ainda em Muriaé, Alencar ouvia dos amigos que homem que é homem tinha de ter um revólver e uma lanterna. Adquiriu então um .32 e uma lanterna de duas pilhas, o que lhe valeu boa gozação. Aquilo era coisa de criança, brincavam. E lá foi Alencar, à época franzino como ele só, trocar por um potente .38 e um lanternão de três pilhas. "Diziam que ele mal conseguia carregar aquilo", ri Josué.

Para aumentar o desgosto com o roubo, na mesma época, a mãe de Mariza, dona Carmem, que já se tratava então de seu câncer, caiu, quebrou a perna e precisou ser operada. Acabou morrendo em função das complicações.

Em 1993, Alencar comprou um prédio inteiro no centro de Belo Horizonte. Instalou ali a sede da Coteminas, inclusive seu amplo escritório de canto, com janelão de vidro em toda a lateral em forma de "L". Mal usou aquilo, já metido em atividades patronais e políticas. Quando Josué assumiu o controle dos negócios, a decisão consensual foi que deveria se fixar em São Paulo, centro nevrálgico do país.

A família decidiu se mudar para um apartamento em 1994, depois de 20 anos no casarão. Escolheu um prédio de 14 andares construído, não por coincidência, pelo mesmo arquiteto da casa, o Dr. Cirne. Ali os Gomes da Silva fincaram estacas.

A casa da República Argentina foi vendida para uma escola de italiano. Em 2010, ela já mudara de ramo e ostentava uma placa: "Despertar – Educação Infantil, Ensino Fundamental, da 1ª à 9ª Séries". A fachada de pedras continua a mesma e a imponência dos três andares ainda chama atenção. O interior foi todo reformado para se adaptar ao formato escola. Na antiga garagem, passou a funcionar a secretaria.

Alencar gostava tanto daquele imóvel que tomou uma providência antes de vender: retirou todo o madeiramento e o acomodou no depósito da Coteminas em Montes Claros, de onde nunca saiu até 2010. Estão estocados ali todo o engradamento do telhado e as madeiras nobres, principalmente o ipê-tabaco do piso e das portas, janelas e armários.

A intenção era reproduzir a casa de Belo Horizonte em menores proporções e aproveitar todo aquele tesouro em madeira. Chegou a comprar o terreno e a encomendar o projeto de arquitetura, mas o sonho não virou realidade. Talvez nunca aconteça.

Quando Alencar e Mariza saíram da casa, os filhos já estavam fora. O casal morou um tempo com a filha Patrícia, então casada, até o apartamento ficar pronto.

Um apartamento enorme, igualmente cheio de recordações. Fica num andar bem alto, com vista maravilhosa de Belo Horizonte. A sala é imensa, com um piano de cauda que acolhe as fotos de casamento dos filhos e de alguns sobrinhos. Dos que continuam casados, fotos do casal. Dos que se separaram, só das noivas.

Peças raras e lindas de prata, cristal e cerâmica estão por toda parte. Há quadros dos pintores Bax, Wilde e Yara Tupynambá. E uma Bíblia, além de imagens de santos discretamente expostas pela dona da casa.

A piscina, com a melhor vista do imóvel, fica ao lado da varanda, da churrasqueira e da sauna, onde há um quadrinho dado pelo Centro de Artes Marciais Magka-Isa, de Brasília. O quadro prega o seguinte:

"Se o adversário é inferior a ti, então, por que brigar?
Se o adversário é superior a ti, então, por que brigar?
Se o adversário é igual a ti, compreenderá o que tu compreendes...
Então, não haverá luta.
Honra não é orgulho, é consciência real do que se possui."

As quatro suítes são amplas, mas o local mais acolhedor e convidativo, que dá vida ao apartamento e confirma que há, sim, gente morando ali, é a sala de TV. E na suíte do casal há um enfeite artesanal onde se lê: "Na casa da Bisa, pode tudo. Vovó Linda." Provavelmente, foi feito por causa de Maria, filha de Giovanna e primeira bisnetinha.

Um dos espaços que oferece melhor dimensão da pujança do imóvel é a garagem, com vaga para cinco carros. Um deles parece ter estado ali desde sempre: um Ômega CD Chevrolet azul-rei, exclusivo de dona Mariza. Atrás, um adesivo com uma única palavra: "Paz".

Além desse apartamento em Belo Horizonte, com área estimada de mil metros quadrados e valor aproximado de R$ 3 milhões, a preços de meados de 2010, Alencar e Mariza têm também um outro na Zona Sul do Rio, próximo ao de Patrícia, e um terceiro nos

Jardins, em São Paulo, um andar abaixo do de Josué, Cristina e seus dois filhos.

A empregada em Belo Horizonte, Maria Rodrigues Honorato, nascida em Virgolândia (MG) em 1946, acompanha a família há mais de 50 anos. Foi incumbida de passar no apartamento três vezes por semana para molhar as plantas e cuidar da limpeza desde que o casal se mudou para Brasília.

Com o fim do segundo mandato de Lula, Maria estava convencida de que eles voltariam para lá após 1º de janeiro de 2011. "Se eles vão voltar para cá? Com certeza", responde.

A família não estava tão certa.

As discussões sobre o destino do casal depois de Alencar deixar a Vice-Presidência pareciam recair sobre o endereço em São Paulo, apesar da preferência afetiva pelo apartamento de Belo Horizonte. A questão é que não é fácil descartar São Paulo, seja pela proximidade com Josué, seja porque ali estão praticamente todos os médicos de José Alencar e Mariza.

"Nós estamos numa fase em que sair correndo para o hospital vai ficando cada vez mais frequente", costuma dizer Mariza, cuja preferência pelo Rio parece inviável agora.

O apartamento paulistano é bem parecido com o de Belo Horizonte, inclusive na disposição dos cômodos e na área de mil metros quadrados. Um anjo barroco, com 1,65m de altura, é o destaque da suíte do casal.

Alencar gosta daquele imóvel. Foi adquirido ainda em fase de acabamento e depois de uma oferta tentadora: arrematar o primeiro e o segundo andares à vista. A proposta foi aceita, e o desconto, claro, excelente. O fato de se tratar de andares baixos também ajudou no preço mais camarada, do qual não se lembra ou diz não se lembrar.

Alencar, porém, tem outra explicação para a opção: "Não gosto de andares altos, nunca gostei. Andar alto até balança! Se você tem um problema qualquer, se cai a força, dá para subir um, dois andares. E se você mora no 20º?"

Os imóveis ficam nos Jardins, bairro elegante e movimentado de São Paulo. Quando a saúde de Alencar ajudava, pai e filho podiam ir a pé de casa até a sede da Coteminas, na imponente avenida Paulista, endereço empresarial número um do Brasil.

Em Brasília, Alencar e Mariza tinham dois apartamentos alugados no Hotel Nacional durante os anos de Senado, entre 1999 e 2002. Quem conheceu as acomodações do casal no Nacional – um dos dois primeiros hotéis e o mais cheio de histórias da nova (e hoje cinquentona) capital – diz que nem parecia quarto de hotel. Mariza emendou dois apartamentos, transformando um em área íntima e outro em social, com uma sala repleta de fotos, mobiliário, tapetes e quadros da família. Sem contar suas imagens de santos e de Nossa Senhora, ou ao menos parte delas.

"Parecia que era a casa deles, com o toque pessoal da tia Mariza em tudo. Logo na entrada, havia um aparador cheio de fotos, de recordações. Era como se eles morassem sempre ali", conta a sobrinha Dolores Abrahão, filha de Antônio, o Toninho, um dos irmãos mais próximos de Alencar, com quem manteve o hábito de falar longamente ao telefone, em especial aos domingos.

"Mas só (falam) besteira, porque o tio Zezé sempre acha que eles estão sendo 'ouvidos'", relata Dolores, cometendo uma inconfidência, ao remeter para a suspeita que grassa em Brasília de que há uma espécie de competição de "grampos telefônicos" entre órgãos oficiais, arapongas privados, interesseiros políticos e concorrentes empresariais.

Pelo sim, pelo não, os filhos preferem a discrição e o comedimento – e não apenas ao telefone.

Ao trocar o Senado pela Vice-Presidência, o casal também mudou de endereço. Migrou do Hotel Nacional para a residência oficial dos vices, o Palácio do Jaburu. Era ali que a família se reunia, diante do laguinho de mesmo nome, jardins exuberantes e uma verdadeira fauna solta, onde se distinguem multicoloridos e barulhentos pavões, patos selvagens, emas, periquitos, galinhas-d'angola e, a depender da época do ano, imponentes garças migratórias.

Mariza tinha várias reclamações da manutenção do Jaburu, com portas empenadas, filmadoras que não funcionavam, banheiros desconfortáveis. Mas adorava a fauna e a flora ao redor, as obras de arte de Athos Bulcão e Alfredo Ceschiatti e, principalmente, a capelinha particular. Foi o seu "cantinho" do Jaburu nos oito anos de Vice-Presidência.

No Centro do Caldeirão (1964)

No início de 1964, José Alencar tinha 32 anos e já estava às voltas com atividades políticas patronais. A militância se manteria ao longo de décadas, até o desvio de rota para a política partidária e finalmente para os braços de Lula.

Foi como líder de representação empresarial que Alencar se viu no centro do caldeirão político que cozinhou e serviu o golpe militar daquele ano. Ele era diretor da Associação Comercial de Ubá e foi enviado pelo presidente da entidade, Sebastião José Barreto, para uma reunião de associações comerciais, rurais e federações de indústrias de todo o país no Rio de Janeiro.

Antes de viajar, Alencar se reuniu com o promotor de justiça de Ubá, José Campomise Filho. Os dois escreveram a quatro mãos o discurso que faria em nome dos comerciantes da cidade. Elencaram os três alvos principais da ira do patronato contra o governo João Goulart. Nas palavras de Alencar, os temas eram: "o clima de anarquia, a ameaça de comunização e o aumento da inflação".

A reunião, na sede da Associação Comercial do Rio, na Candelária, centro histórico da cidade, foi liderada pelo presidente da entidade, Rui Gomes de Almeida, e contou com a participação, segundo os jornais da época, de cerca de 500 representantes patronais, adversários ostensivos do presidente João Goulart e do ministro da Justiça, Abelardo Jurema.

Os debates se estenderam por três dias, e Alencar teve a preocupação inicial de prestar atenção, assuntar, sentir o clima. Achou os discursos excessivamente cuidadosos e diplomáticos, como se todo mundo estivesse com medo.

Na sua vez de falar, em 10 de março de 1964, 21 dias antes do golpe e três dias antes do histórico comício da Central do Brasil que precipitou a queda de Jango, Alencar rasgou o discurso morno que trouxera pronto de Ubá e incendiou a plateia.

Depois de se declarar "juscelinista", caprichou na oratória para condenar o que considerava desmandos, quebra de hierarquia militar, tentativa de implantar o comunismo no Brasil e a inflação galopante que inviabilizava as empresas brasileiras.

Alencar cita de cabeça trechos e relembra o tom daquele discurso de mais de 40 anos atrás:

"O Brasil está passando por um momento muito difícil, muito grave. Por quê? Porque a inflação está sendo estimulada, a anarquia está sendo estimulada, a quebra da disciplina e da hierarquia das Forças Armadas está sendo estimulada. Eles estão dando hegemonia aos sargentos em relação aos oficiais. E, além do mais, está-se buscando a comunização do Brasil. Nós, como democratas, não aceitamos e não aceitaremos isso!"

Sua intenção era "propor que criássemos coragem e levássemos, dessa reunião, uma denúncia aos oficiais superiores das três Forças Armadas", recorda. A ideia era que eles "assumissem a normalização da situação política nacional".

O clima era de guerra naquele momento. Os estudantes, intelectuais, militantes católicos e sindicalistas que viriam a fundar o PT, em 1980, e a compor o governo Lula, a partir de 2003, estavam num campo. Alencar, no campo oposto. E foi bastante aplaudido, o que confirmava a beligerância de industriais, comerciantes e ruralistas contra o governo Jango. Eles anunciaram, na ocasião, a criação do Comando Nacional das Classes Produtoras, sugerida pelo presidente da Associação Comercial do Paraná, empresário Oscar Schrappe, para se contrapor ao Comando Geral dos Trabalhadores (CGT), entidade de apoio ao governo de esquerda surgida em 1962.

Os jornais reproduziram trechos do documento final das entidades patronais:

> *"Urge combater o desvirtuamento da autoridade, o processo inflacionário, a estatização crescente e o enfraquecimento do sistema federativo (...)".*
>
> *"Pugnam [as classes produtoras] pela continuidade da legalidade democrática, atitude histórica das Forças Armadas sempre dispostas a impor o respeito pela Constituição (...)".*
>
> *"Reivindicam que se restaure, em sua plenitude, o princípio da autoridade, para que se restabeleça o clima de austeridade e de harmonia a que têm direito todos os que contribuem com seus esforços para o desenvolvimento nacional."*

O governo reagiu. O movimento foi classificado como "subversivo", e tanto o *Correio da Manhã* quanto *O Globo* publicaram como manchete em 12 de março a ameaça de intervenção na Associação Comercial. Tal intervenção jamais foi decretada, até porque nem deu tempo, já que naquele mesmo mês ocorreria o golpe militar.

Apesar de ainda jovem e originário da interiorana Ubá, em meio àqueles poderosos homens de negócios das capitais, José Alencar mereceu referências tanto no *Jornal do Brasil* quanto em *O Globo*.

O JB de 11 de março publicou chamada na primeira página com o título "Ubá sugere diálogo". Citou documento assinado por José Alencar, Miguel Jacob Ibrahim, José Xavier Gomes, Fouad Haikal e Antonio Gomes do Nascimento. O texto reivindicava a construção e recuperação de estradas e ferrovias que ligavam a Zona da Mata ao

Rio, além de condenar o nivelamento do salário mínimo da região mineira ao de São Paulo, Rio de Janeiro e Belo Horizonte. A medida, segundo eles, sobrecarregava os produtores.

Eles queriam marcar reuniões tanto com o presidente da República quanto com os chefes militares, e o desfecho do documento de Ubá assumiu tom político: "*Estamos vivendo um momento de crise, com o conformismo de certas áreas, com o radicalismo de outras e com a intransigência de muitas. Um salto não se pode dar no progresso da Pátria.*"

O Globo veiculou nota discreta mas significativa na página 13. Ela mostrava claramente a disposição do representante de Ubá: "*Discursou o Sr. José de (sic) Alencar Gomes da Silva, da AC de Ubá, que afirmou ser necessário responsabilizar o Chefe de Governo pelas suas falhas e pela crise nacional.*"

Afora escrever seu nome errado – ele sempre detestou ser chamado de José DE Alencar –, *O Globo* pegou bem o ponto crucial da questão: ele era, sim, contra o governo Jango. Como era, sim, um ferrenho defensor dos militares.

Naquele início de 1964, o clima era de tensão e expectativa, com uma boataria infernal. Ubá não fugia à regra, e um dos boatos atingia diretamente Alencar e sua família: o de que o braço local do Grupo dos 11 de Leonel Brizola articulava o sequestro de Josué, então um bebê de três meses.

Brizola (1922-2004), líder trabalhista e nacionalista, era o principal aliado político de Jango. Criou o "Grupo dos 11 Companheiros" para lutar pela "libertação do Brasil da espoliação internacional" e pela implantação das reformas de base – urbana, agrária, educacional, bancária – preconizadas pelo governo. O principal canal de divulgação e de arregimentação de militantes do grupo era uma rede de rádios centralizada pela Rádio Mayrink Veiga, do Rio, e por organizações como o CGT, a Frente de Mobilização Popular e a União Nacional dos Estudantes (UNE). Cada núcleo abrigava 11 membros, como o nome indicava, e o grupo chegou a reunir mais de 1.200 unidades país afora. O Grupo dos 11 foi extinto a partir de 1964. Brizola rumou para o exílio, voltou ao Brasil com a redemocratização, governou duas vezes o Rio de Janeiro e foi derrotado duas vezes como candidato a presidente, em 1989 e em 1994, e uma como candidato a vice na chapa de Lula, em 1998.

Quando soube da boataria do sequestro, Alencar não titubeou. Chamou um ex-policial muito conhecido na cidade e orientou, ou melhor, mandou:

– Você sabe onde vendem armas e munições por aqui? Pois vá lá e compre tudo, porque eles vão querer incendiar o nosso armazém, vão querer levar o meu filho. Então, vamos ficar prevenidos.

Sua casa, a partir daí, passou a dispor de proteção e segurança própria 24 horas por dia, com uma ordem explícita: em caso de ameaça, era para atirar. Alencar acreditava que a hora não era para brincadeira.

Quando 31 de março de 1964 finalmente chegou, ele estava tão animado quanto pronto para a guerra: "Em Minas, nós tivemos, naturalmente, aquele entusiasmo. Por quê? Porque o Brasil foi salvo."

O líder local do "Grupo dos 11" era um sindicalista, "um tal de Chester", do qual, apesar da memória prodigiosa, jura não se recordar do nome completo. Lembra, isto sim, do que se passou na noite de vigília de 31 de março de 1964. Ia do armazém para casa e de casa para o armazém quando Chester se aproximou com sua turma, trazendo um rádio possante que transmitia as notícias de fora. Foi um bafafá, um bate-boca. Alencar foi tomar satisfação, e ele reagiu com moderação:

– O que é isso? Somos democratas...

Alencar não quis saber de conversa:

– Vocês são democratas coisa nenhuma! Estão é fazendo terrorismo na cidade. Vão fazer a democracia de vocês lá no inferno, aqui na minha porta, não!

E... tascou um tapa no camarada.

"Ele fumava um charutão, aquelas coisas de Cuba, você sabe... Eu dei um tapa na mão dele, o charuto foi longe. E não devia dizer, mas vou: pegou um pedaço da mão na cara dele", relembra.

Estavam todos nervosos e, pior, armados. Alencar tinha um revólver .38 na cinta: "Não fiz nenhum curso de tiro, mas sabia atirar. Lá em Caratinga, nós tínhamos um grupo que fazia treino de tiro. Mas era assim mais para exibição." E que exibição! Segundo Alencar, ele era capaz de fazer coisas do arco da velha com uma espingarda .22, que tem boa mira e bala pequena. Uma delas, inocente, era acertar o talo da manga, catar a manga com um tiro. Outra, nada inocente, era mirar e acertar o cigarro de Nilson Resende, o Nem, que morreria logo depois, aos 21 anos, em Belo Horizonte. Era filho de um amigo de Alencar, Otávio Resende. Alencar jura que cortava o cigarro dele ao meio de uma distância de oito metros...

A pregação de Alencar contra Jango, a defesa dos militares e a contratação de capangas para enfrentar pretensas ameaças do grupo de Brizola não implicam defesa de um regime como o que se forjou a partir de 1964. Menos ainda uma ditadura como a que se instalou sobretudo a partir de 1968, com censura à imprensa, torturas, desaparecimentos e mortes de opositores.

Quando Brizola morreu, ele já era vice de Lula e foi ao velório em Porto Alegre, antes do enterro em São Borja. E elogiou o "sentimento nacionalista" do velho líder trabalhista.

O que Alencar pregava era "o fim da anarquia e a restauração da ordem, da moralidade, da hierarquia". Na prática, trabalhou como pôde pela queda de Jango, mas sob a expectativa de que seria seguida por um governo provisório, sob comando do general Olímpio Mourão Filho, que liderou as tropas que saíram de Juiz de Fora e se uniram às de Belo Horizonte e de São João Del Rei para garantir o sucesso do golpe contra o governo constitucional.

No sonho de Alencar, depois desse governo provisório, Juscelino voltaria ao poder pelo voto nas eleições seguintes, em 1965. A história mostrou amargamente que isso jamais aconteceria. A eleição direta foi cancelada, Juscelino acabou cassado, e os militares permaneceram no poder de 1964 a 1985, controlando o Congresso, os partidos, a economia, a imprensa, os movimentos sociais e sufocando com brutalidade qualquer tentativa de reação.

Alencar opina sobre o marechal Humberto Castelo Branco, primeiro presidente pós-golpe:

"Era um intelectual do Exército, um homem sério, um homem de bem, despretensioso do ponto de vista político, que faria naquele período inicial o que fosse preciso fazer, até o Juscelino ser candidato e certamente eleito em 1965. Mas tudo isso acabou, o Carlos Lacerda inventou uma encrenca daquele tamanho, o Castelo cassou o Juscelino, contra os princípios dele, e o que veio depois foi uma coisa realmente desastrosa."

Foi contra a cassação não só de Juscelino, mas do próprio Carlos Lacerda: "Se o Lacerda fez algo errado, fora da lei, ele tinha de ser punido. Mas não com a cassação, que significa retirar os direitos políticos de um homem público, um cerceamento de liberdade."

Castelo Branco tomou posse em 15 de abril de 1964. Seis dias depois, seguiu para Ouro Preto com o general Mourão Filho para as comemorações do dia de Tiradentes. Alencar foi prestigiar a festa e uma cena pareceu chocante na ocasião. Sob os olhares do então presidente da República, Mourão colocou o pé em cima da murada de uma varanda e ficou ali, fumando, balançando a perna, numa total falta de respeito ao superior.

Alencar sempre gostou da caserna, dos oficiais militares, e logo ficou amigo do sucessor de Mourão em Juiz de Fora, general Alfredo Souto Malan. Já em 1965, ano seguinte ao golpe, foi dirigindo o próprio carro até uma cidadezinha chamada Guidoval, à beira do rio

Xopotó, para atender a um capricho do novo general. Souto Malan havia lido um livro sobre o oficial francês Guido Marlière, provavelmente escrito pelo advogado e historiador mineiro Oiliam José. Queria conhecer os resquícios da passagem dele por ali no século XIX, quando dera nome ao local. Foram os dois casais, Alencar e Mariza, Souto Malan e Heloísa, à cata dos resquícios de Marlière.

O fato é que Alencar sempre transitou bem nos meios militares.

Em Juiz de Fora, cidade maior e muito próxima do Rio, houve intensos focos de resistência à ditadura militar. Ubá foi bem mais passiva: "Em Ubá, não entrava na cabeça de ninguém fazer uma besteira daquela", avalia Alencar.

A primeira grande decepção com o novo regime foi o Ato Institucional número 2, assinado por Castelo Branco em 27 de outubro de 1965. Suspendia a Constituição de 1946, criava o bipartidarismo (Arena *versus* MDB) e cancelava as eleições diretas para presidente. Não era o combinado, além de fazer ruir o sonho de ver Juscelino de volta à Presidência.

A partir do AI-2, o regime de exceção foi num crescendo, com a extinção da liberdade de manifestação e de imprensa e o aniquilamento dos direitos e garantias políticas e individuais. Daí à tortura foi um passo.

O pau comia nos porões do regime, onde eram torturados jovens estudantes de 19, 20, 25 anos que se atreveram a pegar em armas contra a ditadura. Em Ubá, ilhada pela censura à imprensa, muito pouco se sabia dessas coisas.

O único contato direto que Alencar relata sobre os excessos do regime militar se deu quando a filha de um amigo de Caratinga foi presa e barbaramente torturada em 1971. Ela se chamava Inês Etienne Romeu, era uma das cinco filhas do gerente do Banco Mineiro da Produção, Paulo Romeu, dono da primeira casa a servir uísque escocês na cidade. O comum era os homens beberem "Madeira R", um vinhozinho nacional para lá de ruim.

Toninho, irmão de Alencar, conta que Paulo Romeu tinha muitas filhas. Por conta disso, abria as portas da casa para as amigas, amigos e namorados. "Era uma pessoa muito boa. Quando não havia domingueira no clube, a domingueira era na casa dele, que gostava de receber bem, tratava os jovens com muita atenção. Todo mundo gostava daquela família."

A educação que Paulo Romeu dava às filhas era bem mais avançada do que a imposta por Alencar às irmãs mais jovens. "Ela (Inês Etienne) era novinha, muito diferente da gente. Quando eu tinha uns 13, 14 anos e passava perto de algum rapazinho que eu conhecia, se eu estivesse com o Zezé, não cumprimentava, não, fingia que nem via", lembra Dolores Maria, a que "morria de medo" do irmão e praticamente tutor.

Quando o jovem Alencar passava de carro em frente ao casarão de Paulo Romeu e as luzes estavam acesas, ele dava uma paradinha para tomar uns "golos" de uísque. "Muito sério", na definição da jornalista e tradutora Celina Romeu, uma das irmãs de Inês, ele não se misturava com os mais novos, preferia a convivência com os mais velhos. Quase não teve contato com a então pequena Inês.

Formada em História e funcionária do Banco do estado de Minas Gerais, Inês militou no movimento estudantil, no Sindicato dos Bancários de Belo Horizonte e em duas organizações clandestinas de esquerda, a Política Operária e a Vanguarda Popular Revolucionária.

Foi presa em São Paulo, em maio de 1971, pelo temido delegado Sérgio Fernando Paranhos Fleury. Ali foi torturada, estuprada e depois condenada à prisão perpétua por participação no sequestro do embaixador suíço Giovanni Enrico Bucher. Cumpriu oito anos no Instituto Penal Talavera Bruce, em Bangu, no Rio, até ser solta em 1979, beneficiada pela Lei da Anistia.

Celina conta que outra irmã, Elizabeth, era a melhor amiga de Dorinha, irmã de José Alencar. Juntas, as duas visitavam Inês na sede do

DOPS ou numa clínica de recuperação em Belo Horizonte, onde foi internada depois de 96 dias de cruel pancadaria num centro de torturas do DOI-CODI em Petrópolis (antes de ser levada para Bangu).

Segundo Dolores Maria, Elizabeth e Dorinha "ficaram detidas quando foram visitar Inês no DOPS. Os nomes delas ficaram registrados lá, e a gente morria de medo porque não tinha absolutamente nada a ver com a 'revolução'".

Alencar também não, e, como havia censura, demorou a saber que a moça tinha sido presa e mais ainda a saber, horrorizado, que ela havia sido brutalmente torturada.

"Só soube depois que tudo aconteceu, porque não havia informação naquela época. Primeiro, ela desapareceu, depois soubemos da tortura, nos contaram que ela sofreu para valer", diz Alencar, que voltou a se encontrar com Inês e Elizabeth no lançamento do 2º Plano Nacional de Direitos Humanos, no Palácio do Planalto, em dezembro de 2009. Ele, vice-presidente da República. Inês, na primeira fila, uma das homenageadas.

Dilma Rousseff, então chefe da Casa Civil, enalteceu Inês Etienne como sua colega de luta clandestina. E José Alencar, que havia ficado no campo oposto de ambas em 1964, aproveitou a solenidade para defender a candidatura de Dilma à sucessão do presidente Lula: "Há uma característica na pessoa da ministra Dilma que deve ser observada: ela é uma mulher brava e nós precisamos sempre, à frente do governo, de alguém com determinação, seriedade, competência."

A despeito do apoio a Dilma, Alencar nunca deixou de registrar privadamente o respeito por seus dois principais adversários em 2010. José Serra era classificado como "grande homem público", e Marina Silva como "uma boa amiga".

No auge da campanha das "Diretas Já", em 24 de janeiro de 1984, Alencar observava a movimentação para o comício no centro de

Belo Horizonte pelas janelas do escritório da Coteminas, no edifício Acayaca, que fica na avenida Afonso Pena. Não resistiu. Desceu e tomou parte na passeata, caminhando até o palanque na Rodoviária, "do lado do povo", uma multidão calculada em 200 mil pessoas pelos jornais da época.

No palanque desfilaram artistas engajados como Chico Buarque, Gonzaguinha, Simone, Maria Bethânia e Tony Ramos, além do cartunista Ziraldo, que era de Caratinga e amigo da família de Mariza. Entre os 36 oradores, a nata da resistência parlamentar ao regime: Lula, Ulysses Guimarães, Brizola e os governadores Tancredo Neves (MG), Franco Montoro (SP), Gerson Camata (ES), Jader Barbalho (PA) e José Richa (PR).

Alencar ficou feliz da vida de ter participado daquela passeata. O mesmo não se pode dizer dos membros da conservadora ACMinas (Associação Comercial de Minas Gerais), que chegaram a fazer reunião para recriminar os que tinham aderido às "Diretas Já". Até fizeram insinuações contra o atrevimento dele.

"Eu me lembro muito bem que houve um zunzum: como pode diretor de associação comercial se meter em 'Diretas Já?'", conta o braço direito Adriano Silva, que trabalhava à época na entidade. Estavam muito atrasados, pois o movimento pela redemocratização se enraizava país afora até entre empresários e comerciantes.

Logo depois da passeata de Belo Horizonte, O *Estado de Minas* publicou reportagem sob o título "Empresários de Ubá debatem economia", na qual relatava a reunião política das associações comerciais. Alencar, que integrava o Conselho Diretor da ACMinas, representou na ocasião os presidentes da Confederação das Associações Comerciais do Brasil, Ruy Barreto, e das Associações Comerciais de Minas, Francisco Guilherme Gonçalves. Fez um discurso voltado para a questão econômica, foco do debate, e para a política.

Ao tratar de política, segundo o jornal, Alencar *"falou sobre a reali-*

dade nacional", além de defender "*a adoção de uma nova Constituição e o restabelecimento das prerrogativas do Congresso*".

Na esfera econômica, "*ao discorrer sobre a situação atual das empresas, recomendou que o segmento adéque sua produção e faturamento a níveis dos recursos próprios, possuídos, evitando assim as taxas por demais onerosas praticadas pelo mercado financeiro*", reportava *O Estado de Minas*. A crítica aos juros altos, que atravessou décadas e foi um *must* no primeiro mandato de Lula, já estava presente naqueles tempos.

Quando a emenda constitucional Dante de Oliveira foi derrotada no Congresso, enterrando as "Diretas Já", Alencar simpatizava abertamente com o nome de Tancredo Neves (PMDB) como candidato da oposição no Colégio Eleitoral indireto que definiria o sucessor do último general presidente, João Figueiredo, em 1985. "É aquela máxima: 'política é a arte do possível'. Naquele momento, isso era o que era possível", confirma.

Mas essa foi fácil, porque Tancredo vinha do antigo PSD, e Alencar sempre fora ligado ao partido e seus sucedâneos. Ainda em Ubá, trabalhara firme com o então deputado Ozanan Coelho na campanha de Tancredo a governador de Minas em 1960. Tancredo perdeu naquela oportunidade para o adversário da UDN, Magalhães Pinto. Só assumiria o governo do estado em 1982, já nos estertores da ditadura militar.

Uma das múltiplas peculiaridades da vida de José Alencar Gomes da Silva, o autodidata, o *self-made man*, o homem que se tornou símbolo da luta contra o câncer e a morte, é que ele foi um empresário de direita e apoiou o golpe militar de 1964, mas aderiu à campanha das "Diretas Já" de 1984 e se tornou vice do primeiro presidente de esquerda da História do Brasil. O empresário vice do operário, o líder patronal vice do líder sindicalista. Dessas coisas tão brasileiras.

JK, uma Grande Inspiração

Outra dessas jabuticabas – ou seja, dessas coisas típicas do Brasil – é que a maioridade era de 21 anos para quem quisesse abrir uma loja (por isso ele teve de ser emancipado para criar "A Queimadeira"), mas era de 18 para votar. Ele não iria perder essa chance e deu seu primeiro voto para Getúlio.

Eis os votos que afirma ter dado, sem incluir Fernando Henrique Cardoso, do PSDB, eleito em 1994 e reeleito em 1998:

1950 – Getúlio Vargas, PTB
1955 – Juscelino Kubitschek de Oliveira, PSD
1960 – Marechal Henrique Teixeira Lott, PSD
1989 – Ulysses Guimarães, PMDB, no primeiro turno, e Luiz Inácio Lula da Silva, PT, no segundo
1994 – Orestes Quércia, PMDB
1998 – "Não lembro..."
2002 – Luiz Inácio Lula da Silva, PT
2006 – Luiz Inácio Lula da Silva, PT

O pai de Alencar, Antônio Gomes da Silva, "admirava alguma coisa de Getúlio Vargas, mas era contra o Estado Novo, que foi um golpe". Um golpe entre tantos golpes mundo afora. Eram os tempos de Hitler, Franco, Stálin, Mussolini. Uma turma da pesada.

Alencar era uma criança, vivia no interior, não tinha ideia do que se tratava. Só veio a se interessar por política lá pelo fim da Segunda Guerra Mundial e da primeira era Vargas, em 1945, quando completou 14 anos.

"Desde então, eu já me interessava pelas coisas da política nacional, por uma política de desenvolvimento, crescimento econômico, aproveitamento das oportunidades do Brasil."

Depois dessa definição, e por se tratar de um mineiro, nem é preciso dizer quem era o ídolo de então: Juscelino Kubitschek, que nasceu em Diamantina (MG), em 12 de setembro de 1902, e imprimiu sua marca e sua concepção de progresso e modernização em suas três administrações – prefeito de Belo Horizonte (1940-1945), governador de Minas (1950-1955) e presidente do Brasil (1955-1960). Entrou para a História como um dos presidentes mais populares, desenvolvimentistas e ousados que o país já teve. Capaz de transferir a capital da República do Rio de Janeiro, cidade-símbolo do Brasil, para o Planalto Central. Ninguém acreditava, mas ele construiu e inaugurou Brasília em 21 de abril de 1960.

Na primeira metade dos anos 1900, Minas já estava "bombando" no panorama industrial nacional, em especial pela expansão de seu parque siderúrgico. Em 1940, a produção de ferro-gusa foi de 158.739 toneladas, contra 2.000 toneladas em 1920. O aço, que não existia na década de 20, atingiu 85.397 toneladas em 1940.

Diante desse quadro, era natural que a elite empresarial mineira contasse sediar o grande parque siderúrgico que o governo Vargas planejava. Para surpresa ou desapontamento geral, a escolha recaiu sobre Volta Redonda, no interior fluminense. A CSN (Companhia Siderúrgica Nacional) foi instalada lá em 1º de outubro de 1946. A empresa acabou inaugurada pelo presidente Eurico Gaspar Dutra. Vargas nem sequer foi convidado.

Foi nesse clima pró-desenvolvimento, pró-Minas e pró-JK que o menino Alencar se tornou rapaz. E juscelinista roxo. Ele não apenas sufragou JK em 1950 como trabalhou ativamente na campanha e se tornou simpatizante do PSD até debaixo d'água.

"Escrevia o nome de Juscelino nas porteiras, lá em Caratinga, e ajudava no comitê dos votos", conta Alencar, entronizado na política por um deputado estadual do PSD que se chamava José Augusto Ferreira Filho (ex-prefeito – ou melhor, interventor – da cidade).

Alencar, quase um pirralho, já tocava "A Queimadeira" e cortava cabelo no mesmo barbeiro que os ilustres de Caratinga. Foi um deles, o Dr. Bandeira, encantado com aquele jovem tão ousado e autoconfiante que prometeu apresentá-lo ao tal deputado José Augusto.

Prometeu e cumpriu. Um belo dia Dr. Bandeira estacionou o carro na porta de Alencar com o deputado a bordo. Foram convidar o jovem comerciante para a inauguração do novo serviço de água de Caratinga. Ele foi, todo prosa: "Aquilo foi uma homenagem que me prestaram, porque eu era só um menino." Desde então, virou PSD, contra a UDN.

Foi naquele passeio que ganhou sua primeira tarefa na campanha. Era daquelas que combinavam perfeitamente com ele: orientar as moças que cuidavam das cédulas eleitorais, individuais naquele tempo, uma para cada candidato.

"Era assim: um salão com as moças trabalhando, separando cédula por cédula e colocando um percentual previamente estabelecido para cada vereador. Eu chefiava as meninas, organizava o trabalho."

Ao ser provocado a contar se aproveitou para namorar uma meia dúzia delas, finge que não ouve e segue em frente. Conta que as pessoas eram muito simples, com a população concentrada no meio rural. Os candidatos e partidos buscavam o eleitor às dezenas, de ônibus, de caminhão, até de carroça. O eleitor já chegava e ia direto para o comitê, votos prontos, à espera.

Aos domingos, o trabalho era mais braçal: "A gente recebia balde, pincel, cal e saía pintando as porteiras. Aí, a gente escrevia o nome do Juscelino, mas ninguém escrevia Kubitschek, não, primeiro porque não cabia e depois porque ninguém sabia escrever aquilo", diverte-se.

Alencar atesta o quanto gostava de JK:

"Não tenho outra coisa senão orgulho de ter feito isso, de ter trabalhado por ele para governador e para presidente. Foi um grande homem, mudou o Brasil. E ele ganhou a eleição com o slogan 'Energia e Transporte', que continua tão atual hoje. Ele fez energia, fez transporte e industrializou o país, essa é a verdade. Mas, se não investirmos de novo agora, esse vai ser um dos grandes gargalos brasileiros."

Ele explica como viveu e sentiu aquele momento do país: "Com entusiasmo, muito entusiasmo. Juscelino trazia entusiasmo, nos enchia de orgulho. Começamos a ser mais brasileiros a partir dele. E havia uma coisa: sem nenhum radicalismo ideológico."

Outra história que gosta de contar é a de João Monlevade, engenheiro de minas na Europa que fugiu de Napoleão e veio dar com os costados em Minas Gerais. Dom João VI permitiu que entrasse, mas com a condição de passar ao largo das regiões de ouro e pedras preciosas. Ele se concentrou no minério de ferro, começou a fazer ferramentas e ensinar os escravos a usá-las. Virou nome de cidade em Minas. É a típica história com cara de Alencar.

Nasce o Império

Israel Pinheiro, do PSD, mesmo partido de Juscelino Kubitschek, foi eleito governador de Minas em 1965, nas últimas eleições permitidas pelo regime militar. Em outubro do mesmo ano, foi baixado o AI-2. Em fevereiro do ano seguinte, veio o AI-3, que suspendeu as eleições diretas para os governos estaduais.

O vice de Israel Pinheiro era Pio Canedo, de Muriaé, região em que o pai de Alencar, Antônio, foi chefe político e cabo eleitoral do PSD, atuando principalmente em Miraí, Rosário da Limeira e arredores. Canedo conhecia o pai e, por extensão, o filho.

Alencar era então empresário consolidado e líder classista emergente, todo assanhado na Associação Comercial de Ubá e já desconfiado dos bons propósitos moralizadores da "gloriosa", como alguns setores apelidaram o golpe militar de 1964.

Um dia o vice-governador Pio Canedo telefona:

– Ô Zé Alencar, você é amigo do deputado Luiz de Paula Ferreira, nosso companheiro de Montes Claros, não é? Então, liga para ele e diz que a gente quer fazer uns encontros políticos lá, trocar umas ideias com o nosso pessoal.

Além de deputado e líder político ligado ao PSD em Montes Claros, Luiz de Paula era fazendeiro e empresário, dono da algodoeira que levava seu nome. De quebra, era governador do Rotary Club e, nessa condição, viajava de cidade em cidade pela região. Ao passar por Ubá, viu-se recepcionado por Alencar, que, não satisfeito com mil e uma atividades, arranjava tempo para ser rotariano.

A conversa fluiu bem já nesse primeiro encontro e, quando Luiz de Paula voltou depois à cidade, fez questão de visitar a fábrica Wembley. Os dois descobriram que tinham muita coisa em comum. Ficaram amigos para o resto da vida.

Alencar, portanto, não teve problema para acertar a ida do vice-governador Pio Canedo a Montes Claros. Os dois foram de carro e, como boa parte da estrada era de terra, chegaram lá com poeira dos pés à cabeça, até com vergonha de entrar na bela casa de Luiz de Paula. Ele, casado com Isabel havia pouco e com um filho pequeno, Luizinho, fez questão não só que entrassem como se hospedassem com a família.

Pio Canedo passava os dias na sala ou na varanda. Recebia um líder daqui, outro de lá, num entra e sai interminável de militantes e simpatizantes do PSD. Alencar não tinha o que fazer. Ele gostava de política, mas de política com ação, resultados, não daquela política miúda, municipal, de varejo.

Percebendo, o anfitrião Luiz de Paula sugeriu:

– Olha, esse negócio está muito enfadonho para você. Vou te apresentar o nosso dirigente da Sudene aqui em Montes Claros, porque essa tal de Sudene ainda vai dar o que falar.

Antes, presenteou Alencar com o livro *Formação econômica do Brasil*, do economista e professor Celso Furtado, um dos intelectuais brasileiros de maior destaque e um dos criadores da Sudene (Superintendência do Desenvolvimento do Nordeste). Planejada originalmente para a região Nordeste, acabou abrangendo o norte de Minas, que tinha características geográficas, climáticas, econômicas e sociais muito semelhantes.

Alencar iniciou a leitura do livro. Informava-se sobre o que era e o que prometia a nova superintendência e concluiu que havia ali uma imensa janela de oportunidades: "Vi que a Sudene era uma grande chance para fazer aquilo que era o meu sonho, uma indústria integrada de tecidos." Alencar se referia a uma fábrica com fiação, tecelagem, tinturaria, estamparia, confecção e acabamento – ou seja, que cumpria o ciclo completo, desde a produção do fio até o tecido e finalmente a peça pronta e acabada (toalha, lençol...).

Na época havia três grandes companhias de fiação e tecidos: a Sarmento, a Cedro e Cachoeira e a Tecidos Belo Horizonte. Luiz de Paula, anfitrião e amigo, que comprava algodão em caroço, descaroçava e vendia para essas grandes fiações e tecelagens, perguntou:

– Por que você não faz uma fábrica aqui em Montes Claros, igual à que tem lá em Ubá?

Alencar explicou que não tinha fábrica de tecidos em Ubá, o que ele tinha era uma confecção de roupas e uma distribuidora, mas falou de sua ideia de montar a tal indústria integrada, que ia do fio ao produto pronto, já estampado.

Era a fome com a vontade de comer, porque, a vida inteira, o ramo de Luiz de Paula foi o algodão, e o de Alencar, o tecido. Juntos, eles eram, por assim dizer, as duas pontas da indústria integrada. Daí a fazerem uma parceria e virarem sócios foi um estalar de dedos. E com a mão providencial da Sudene.

Conforme explicou décadas depois um dos cinco filhos de Luiz de Paula, João Gustavo, agropecuarista e engenheiro com MBA nos Estados Unidos, Montes Claros era o lugar ideal. Não apenas havia sido incluída na região abrangida pela Sudene como dispunha de um trunfo estratégico, o de fazer a conexão entre diferentes regiões do Brasil. A tal ponto que se tornou o segundo principal entroncamento rodoviário do país, com o cruzamento das rodovias federais BR 135, BR 365 e BR 251, que unem Brasília ao litoral, o poderoso Triângulo Mineiro ao Nordeste e todos eles ao Sul.

No dia 27 de junho de 2010, Luiz de Paula completava 93 anos. A Coteminas já era um império. Montes Claros sediava indústrias de peso, como a primeira fábrica de biocombustíveis inaugurada pela Petrobras, a fábrica de leite condensado da Nestlé, a fábrica de insulina da Novo Nordisk e a de vacina animal do laboratório Vallée.

Como resultado, a cidade somava então 10 universidades, incluídas uma pública federal e outra pública estadual. A população era de 363.227 habitantes, segundo o IBGE (Instituto Brasileiro de Geografia e Estatística), com 238.405 eleitores registrados no TRE-MG (Tribunal Regional Eleitoral de Minas Gerais).

Quarenta e três anos antes, em dezembro de 1967, José Alencar Gomes da Silva e Luiz de Paula constituíram, em sociedade, a Coteminas, Companhia de Tecidos Norte de Minas. Foi apenas para dar personalidade jurídica à firma e deslanchar o longo e detalhado processo (da apresentação do projeto à liberação de recursos) de financiamento da Sudene.

Nessa época, Alencar ainda morava em Ubá, embora rodasse o mundo pesquisando as fábricas e os fornecedores mais modernos do setor na Europa, na Ásia, nos Estados Unidos. De volta, não saía de Belo Horizonte, "pelejando" pela aprovação na Sudene.

Toninho comete uma inconfidência ao explicar que um dos problemas que emperravam a burocracia para autorizar o projeto e liberar de vez a verba era uma funcionária da Sudene que exigia, em troca, um bom emprego para o marido.

Pode parecer simples, mas a questão era de princípio. Alencar não cedeu. Ele tinha empregado todo o dinheiro na empresa, a Sudene não liberava a outra parte e a coisa foi ficando apertada. Mesmo assim, resistiu até a documentação sair naturalmente, sem se submeter à pressão da tal funcionária.

Para surpresa dos técnicos da Sudene, ele andava para lá e para cá de fusquinha. Primeiro, ele próprio dirigia o carro. Depois, arranjou motorista. Era esquisito ter fusquinha com motorista, mas ele não estava nem aí.

Teve um verde, um meio marrom e depois um azul-bebê que até emprestou para o contador João Batista Bonfim, funcionário número 1 (primeira carteira assinada) da Coteminas, a quem chamavam João Bonfim. Alencar preferia "João Batista", para não confundir com o grande amigo de mesmo nome que morrera em 1959.

João ia ao casamento de uma cunhada em Santos com a mulher e as quatro filhas, mas o seu próprio carro, um Corcel, quebrou em cima da hora. Alencar não teve dúvida: emprestou o fusquinha. Tempos depois, Alencar deu aquele primeiro carro de presente para o motorista, José Reinaldo, que nunca se desfez dele. Quase 30 anos depois, o automóvel continuava na garagem, e não por falta de ofertas.

Os dois veículos seguintes de Alencar foram um Passat prata e um Opala vermelho. Vendeu primeiro um e depois o outro para João Bonfim, ou João Batista, que pagou cada um em 10 suaves prestações mensais.

Quando olhavam meio incrédulos para seus fusquinhas, Alencar dizia:

– Pois é, eu fiquei pobre, mas já fui rico, só andava de carro importado.

Era uma brincadeira, além de dupla ironia. Primeiro, porque, quando era jovem, na era pré-Juscelino, o Brasil não produzia automóveis e, portanto, todos eram importados. Segundo, porque uma das ousadias de Alencar foi se associar a um cunhado numa agência de transporte de fazendeiros, empresários e comerciantes ricos entre Caratinga e Rio de Janeiro. Nada modesto, ele dizia que era uma "agência de limusines". O irmão Toninho entrega: não eram limusines nada, eram apenas uns sedãs quatro portas metidos a besta. E não deram no couro. As estradas eram péssimas, cheias de buracos. Os carros sofriam. O serviço, muito caro, tinha pouco mercado. A empresa afundou, e a história entrou para o folclore familiar.

Anos depois, naquele final dos 60, início dos anos 70, o objetivo de Alencar era obter na Sudene a classificação "A" de prioridade para o desenvolvimento do Nordeste, que autorizava participação na base de ¾. Ou seja, a Sudene entraria com três cruzeiros a cada um que eles pusessem. Mas havia um porém: eles tinham de buscar contribuintes que optassem por financiar o projeto. O benefício fiscal era engenhoso. O governo abria mão de parte do imposto, desde que o contribuinte a depositasse na Sudene em favor de projeto específico.

Alencar e Luiz de Paula fizeram quase 15 mil acionistas no Brasil. Não foi fácil, muito menos rápido. A constituição da nova empresa aconteceu em dezembro de 1967, e a aprovação do projeto pela Sudene se deu em dezembro de 1969. O início das operações da Coteminas só ocorreria em fevereiro de 1975. O total do investimento, segundo Alencar, foi de cerca de 30 milhões de cruzeiros. A Sudene entrou com 22,5 milhões, correspondentes aos ¾, ou seja, 75%.

Entre apresentação e aprovação do projeto, Alencar visitou fábricas integradas pelo mundo afora e ergueu "a fábrica mais moderna que existia na época em todo o planeta", como diz, naquele jeitão conhecido.

A inauguração oficial foi em 31 de março de 1975, aniversário do golpe de 1964. Coincidência? Improvável. Rondon Pacheco, governador de Minas nomeado pelos militares entre 1971 e 1975, estava presente.

Três Continentes

Alencar visitou fábricas na Suíça, na Alemanha, na Itália, nos Estados Unidos e no Japão. Nunca com a intenção de copiar e, sim, de conhecer, comparar, mesclar o que havia de melhor e mais moderno e, assim, de alguma forma, revolucionar o setor. Aproveitou para fazer um curso de inglês, enquanto aprendia sobre máquinas, projetos de arquitetura e produtividade.

"Não era nada daquilo que eu queria, necessariamente, trazer. Conhecia o mercado de pano para valer e queria fazer uma fábrica para o mercado brasileiro, que ninguém conhecia melhor do que eu. Então, sabia o que queria fazer", explica. Um detalhe crucial eram os custos: "Toda a vida fui muito cuidadoso com esse problema."

O que mais o impressionou nas viagens foram os teares suíços da Sulzer Brothers. Por conta disso, deixou de lado a ideia original de teares de lançadeira e importou os de projétil. A diferença era que os de projétil representavam três vezes a velocidade e duas vezes a largura da lançadeira. Operavam com 300 batidas por minuto e tinham quatro metros de largura. Eram seis vezes mais produtivos e reduziam na mesma proporção a área necessária para produção.

Alencar foi pioneiro no Brasil ao optar pelo tear de projétil, mas a primeira máquina com essa tecnologia que entrou no Brasil foi da Santanense, também de Minas, arrematada pela Coteminas anos depois. "De qualquer maneira, os primeiros teares que chegaram aqui estão comigo", orgulha-se ele, que não parou de inovar. Do tear de projétil, evoluiu para o tear a jato de ar, também suíço, e, mais adiante, para o moderníssimo modelo japonês Tsudakoma.

Toda essa ousadia tinha um preço ao provocar um misto de descrença e inveja nos industriais mais tradicionais de Minas. Eles faziam chacota:

– Esse Alencar está maluco. Quem é que vai dar manutenção para um tear suíço desses em Montes Claros?

Isso não era problema para quem cresceu na roça, estudou até o primeiro ano ginasial, saiu de casa aos 14 anos e abriu a primeira lojinha aos 18. Alencar simplesmente pediu uma indicação à própria fábrica e contratou o engenheiro Carlos Keller, de origem suíça, que morava na cidade serrana de Petrópolis, Rio de Janeiro.

Keller apresentou um projeto para a fábrica e se tornou responsável pela manutenção. Tempos depois, seria também peça-chave na indústria têxtil da família de Albano Franco, ex-governador de Sergipe, ex-presidente da CNI e grande amigo de Alencar.

"Sou muito consciente do que posso fazer sozinho e do que não posso. E, quando não posso, me entendo com os melhores. O melhor para aquilo era o Sr. Keller? Então, chame-se o Sr. Keller", explica Alencar.

A fábrica foi um show de modernidade, tanto pelos equipamentos e pela operação quanto pelo projeto de arquitetura (com tijolos aparentes encaixados em estruturas de concreto). As paredes enormes eram montadas no chão e depois erguidas com gruas até se fixarem na vertical.

A primeira fábrica da Coteminas em Montes Claros surgia com quase 16 mil metros no polo industrial da cidade, tudo dividido em três módulos climatizados, com temperatura e umidade controladas. Como lembrou pelo resto da vida, eram 16.236 fusos, que demandaram a contratação de cerca de 300 funcionários, organizados em quatro turmas. Eles se revezavam, como ocorre até hoje, 24 horas por dia, incluídos sábados, domingos e feriados.

Nem tudo eram flores naqueles primeiros tempos de muito dinheiro investido e pouca entrada. A Coteminas passou por momentos de dificuldade e, um ano depois da inauguração, deixou o mercado em polvorosa em Montes Claros e arredores. A luz da matriz foi cortada por alguns dias pela Cemig (a companhia de energia de Minas) por falta de pagamento.

"Foi uma fofoca danada", segundo Josué, que, na época, era um menino de 12 para 13 anos."Havia dificuldades naturais de implantação do projeto, até ajustar o ciclo de vender, receber e pagar. Não havia dinheiro em caixa, mas a empresa tinha uma boa carteira de duplicatas para receber. O problema foi de sincronia", comenta.

Não foi o único. Além da falta de dinheiro, havia falhas de operação. Em vez de tirar gente das empresas concorrentes, para evitar uma disputa predatória, Alencar decidiu formar sua própria turma numa escola do Senai-MG, que integra os Sistemas FIEMG e CNI. Os técnicos"apanhavam muito" dos equipamentos estrangeiros e sofisticados para a época. Uma peça importante nessa engrenagem foi o engenheiro mecânico e eletricista Pedro Garcia. Gaúcho, filho de militar, ele se enraizou em Minas e foi chamado por Alencar para realizar uma regulagem fina e colocar a casa em ordem. Nunca mais saiu da Coteminas, onde ocupou a vice-presidência industrial por muitos anos. Continuava ali em 2010.

Consolidada a Coteminas, Alencar montou equipe e elaborou planejamento para aquisição das ações daqueles quase 15 mil investidores que haviam ingressado no negócio via Imposto de Renda e Sudene. Levou anos, mas Alencar comprou praticamente tudo.

Depois da Coteminas original, partiu para o projeto da Cotenor, também em Montes Claros, e igualmente reivindicando prioridade "A" da Sudene. Isso queria dizer: 75% de recursos via impostos.

O problema é que havia um dado novo: a inflação. E bota inflação nisso! Primeiro, o dono do negócio bancava sua parte e só depois a Sudene entrava com a dela. E, como não podia deixar de ser em se tratando de Brasil e de setor público, a liberação sempre atrasava e o dinheiro chegava defasado. Com uma inflação de 12% ao mês, se o atraso alcançasse um ano, a relação se invertia: ¾ de investimento privado e ¼ da Sudene.

Alencar tomou então uma decisão. Mesmo com a Cotenor classificada como prioridade "A", montou a nova empresa com recursos quase inteiramente gerados pela Coteminas: 96% de recursos próprios e apenas 4% da Sudene.

A Cotenor começou a ser construída então em novembro de 1982 e entrou em operação em setembro de 1990. Hoje, o grupo conta com matriz e mais três fábricas em Montes Claros, onde planeja construir também um complexo habitacional.

A Coteminas original já gerava caixa e se preparava para uma ampliação quando emergiu da crise. Naquele momento, Pedro Garcia pediu a Alencar que contratasse mais um engenheiro para assumir desde o início o controle do projeto da Cotenor. Ele reagiu com uma das suas expressões mais comuns:

– Perfeitamente.

Garcia consultou um amigo, professor de Engenharia da UFMG, que enviou três dos seus melhores formandos para entrevistas com Alencar. Ele devia escolher o mais adequado. Os três eram amigos, chegaram à sede da Coteminas juntos. Alencar mandou que entrassem ao mesmo tempo. Em vez de entrevistá-los, passou a descrever a empresa, a falar com entusiasmo de cada equipamento, cada etapa, cada sonho futuro. Eles praticamente não abriram a boca, mas saíram dali contratados – os três!

Quando Alencar ligou para Garcia e avisou, o engenheiro ficou surpreso:

– Para quê? Nós só precisamos de um.

E o chefe:

– Uai! Porque os três são bons alunos, muito bons.

Mário Setti fez toda a carreira na Coteminas, onde chegou a diretor comercial sediado em São Paulo. João Batista Gomes Lima também segue na companhia, promovido a diretor industrial em Natal. Só Tadeu Adriano Leão, que estava apaixonado por uma moça capixaba, ficou pouco tempo. Acabou voltando ao estado natal para se casar.

Josué esteve em Montes Claros nas férias escolares do verão de 1978. Tinha então 14 anos e conviveu dois meses com os três jovens engenheiros, seis a sete anos mais velhos. Hospedou-se com eles na pensão do seu Rocha e fez uma espécie de estágio informal por todos os departamentos da Coteminas – almoxarifado, recepção de material, planejamento e controle de produção, controle de qualidade, manutenção, expedição e faturamento. Josué adorava aquilo tudo: "A gente comia o prato feito do Gegê e ia ao Clube da Cidade no fim de semana. E ninguém podia saber que eu era filho do Zé Alencar."

Aos poucos a Coteminas se transformava num império. Alencar logo partiu para outro projeto ambicioso: comprar e recuperar a Seridó, empresa moderníssima, mas falida, em São Gonçalo do Amarante, Rio Grande do Norte. Foi o início da expansão para o Nordeste.

A fábrica, projetada e construída por um grupo forte, contava com participação de um dos próceres do mercado financeiro da época. Tinha capital, equipamentos e planta sofisticada desenhada por empresa japonesa. Faltava a ela o que sobrava em Alencar: a cultura do mercado. Tinham como fabricar um ótimo produto, mas não sabiam fazer a ligação entre esse produto e o comprador. Haviam acumulado por isso um rastro de credores e de funcionários sem salários e furiosos. O problema parecia insolúvel, tanto que vários outros grupos foram estimulados e se recusaram a encampar o projeto, ou o que restara dele.

Foi quando o BNDES (Banco Nacional de Desenvolvimento Econômico e Social), um dos principais credores, procurou a Coteminas. Aconteceu entre o Natal e o Ano-novo, em 1983. A Coteminas ingressava no oitavo ano de atividades e se preparava para a expansão com a construção da Cotenor. Era hora de seguir em frente.

Alencar chamou Josué e Pedro Garcia para uma viagem a São Gonçalo do Amarante. Ficaram todos encantados. Josué fala com admiração de um detalhe da construção: as paredes larguíssimas, reforçadas. A recorrência de abalos sísmicos no Japão explica o fato. O arquiteto de origem nipônica havia descoberto que a região era cenário de tremores quase imperceptíveis. Pelo sim, pelo não, caprichou na segurança. Jamais houve um terremoto que assustasse Natal ou São Gonçalo do Amarante. Quando acontecer, os funcionários da Coteminas podem ficar tranquilos. Aquilo ali é uma fortaleza.

Josué e Pedro gostaram do que viram. No retorno a Belo Horizonte e a Montes Claros, puseram fogo na ousadia de Alencar. Ele orientou então sua equipe a meter as caras e avaliar a viabilidade do negócio. Em janeiro de 1984, foi entregue o primeiro relatório ao BNDES. O desafio estava aceito. Em 19 de abril, apresentou-se proposta concreta de recuperação da Seridó.

O que corria no Rio Grande do Norte é que havia "uma cabeça de burro" na fábrica. Reação de Alencar:

– Eu não acredito em cabeça de burro, mas, se houver, a gente tira de lá.

Tirou mesmo. Em lugar de oferta para comprar a dívida com deságio enorme, a Coteminas fez uma proposta de parceria que previa recuperação financeira e física, modernização e consolidação.

O Brasil sofria com a "crise do petróleo", que tornava inviáveis os preços do produto. A solução técnica foi mudar o sistema a vapor

Arquivo pessoal

Arquivo pessoal

Acima: Antônio e Dolores Gomes da Silva, pais de Alencar, com os filhos Cotinha, Álvaro e Geraldo, em 1922.

Ao lado: Innocêncio Gomes da Silva, avô paterno.

Arquivo pessoal

Arquivo pessoal

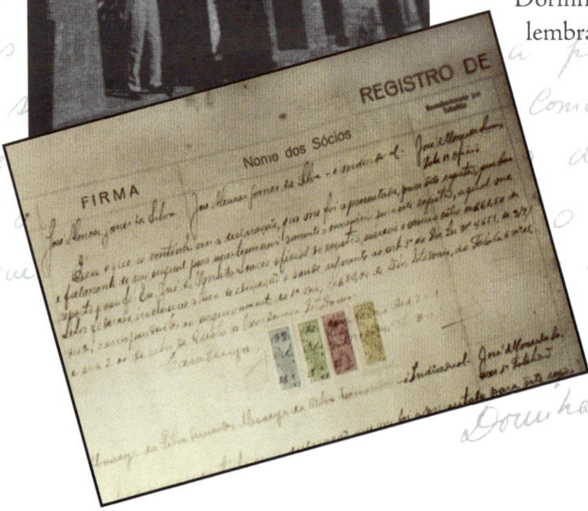

Acima: "A Sedutora", primeiro emprego longe dos olhos do pai e aprendizado para voos futuros.

Ao lado: "A Queimadeira", registrada em 1951, em Caratinga, marca o início da trajetória do jovem empresário. A carta da irmã Dorinha, ao fundo, é uma doce lembrança.

Arquivo pessoal

Ao lado: Alencar aos 27 anos.

Abaixo: Barro Branco Futebol Clube, Caratinga, 1954. Alencar é o sétimo, da esquerda para a direita, de pé.

Arquivo pessoal

Arquivo pessoal

Casamento de Alencar e Mariza, Catedral de Caratinga, 1957.

Arquivo pessoal

Arquivo pessoal

Arquivo pessoal

ACIMA: Alencar e Mariza com as filhas Patrícia e Maria da Graça.

AO LADO: Mariza com os filhos do casal, Josué, Patrícia e Maria da Graça, em Ubá, 1966.

Página ao lado: Alencar (à esquerda) ensaia os primeiros passos como grande empresário.

Abaixo: Alencar e Mariza na inauguração da Wembley, fábrica de roupas, em Ubá, 1965.

Arquivo pessoal

Arquivo pessoal

Alencar entre o governador de Minas Gerais, Israel Pinheiro, e o deputado Ozanan Coelho, em 1966.

Arquivo pessoal

Assinatura do primeiro contrato com a Sudene,
impulso fundamental para a Coteminas.

Arquivo pessoal

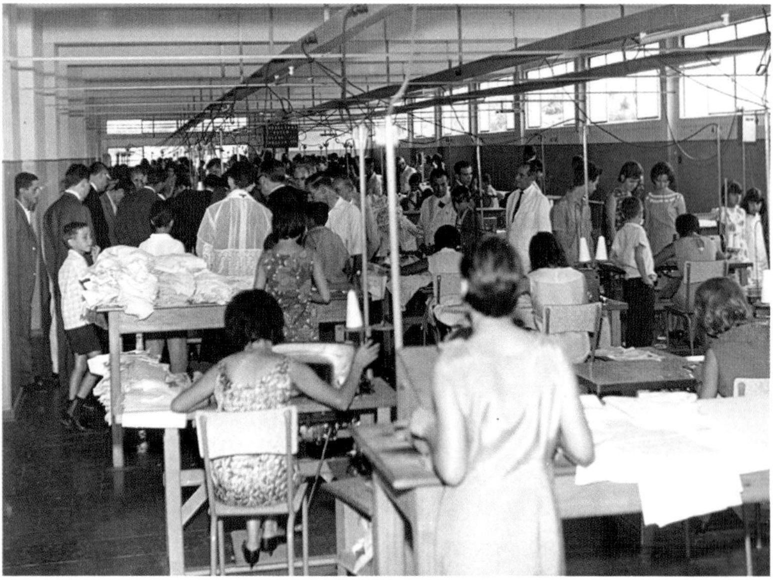

Arquivo pessoal

Interior da primeira fábrica de calças e camisas masculinas em Ubá. Chamava-se União dos Cometas e passou a ser Wembley.

Arquivo pessoal

Acima: O empresário conservador apoiou a campanha das "Diretas Já" e a eleição de Tancredo Neves pela via indireta.

Abaixo: Alencar em campanha para o governo de Minas Gerais, a única derrota eleitoral na trajetória de político vitorioso.

Arquivo pessoal

Aluizio Gomes de Assis

Arquivo pessoal

No alto: Em frente à Escola São Paulo, onde estudou, em Muriaé.

Embaixo: Visita ao Centro Educacional da Coteminas, em Montes Claros.

Página seguinte, acima: Com o presidente da CNI, Robson Andrade.

Página seguinte, abaixo: Ao lado de Mariza, quando recebeu o título de Cidadão Honorário de Campina Grande.

Aluizio Gomes de Assis

Arquivo pessoal

Jefferson Coppola / Folhapress

Acima: Josué Christiano da Silva, caçula e herdeiro nos negócios.

Página seguinte, acima: Alencar e oito irmãos na varanda da Fazenda Cantagalo.

Página seguinte, abaixo: Cerimônia de bodas de ouro, São Paulo, 2007, celebrada por Dom Odilo Scherer.

Arquivo pessoal

Aluizio Gomes de Assis

Aluizio Gomes de Assis

A família se reúne no Jaburu para o aniversário de 79 anos. Sentados, da esquerda para a direita, a neta Giovanna com a primeira bisneta, Maria, no colo; Alencar com o neto David; Mariana, mulher do neto Ricardo, com a bisneta Manuela. De pé, da esquerda para a direita, Tiago (marido de Giovanna), Patrícia (filha), Maria da Graça (filha mais velha), dona Mariza, Bárbara (neta, filha de Josué), Josué Alencar (neto), Cristina (nora), Josué (filho) e Ricardo (neto). Alencar se emocionou com uma surpresa de Lula: a execução pela banda da Guarda Presidencial da canção "Amigos para sempre".

para energia elétrica. A outra parte da solução, nesse caso mais importante, foi a engenharia financeira. A Coteminas se comprometia a aportar 50% dos recursos, enquanto os outros 50% seriam responsabilidade do BNDES, em primeiro plano, e do governo do estado, secundariamente. Seus créditos seriam então convertidos em capital sob a forma de ações ordinárias.

O primeiro passo foi negociar o acerto das dívidas – INSS, salários atrasados, outros impostos e demais credores. Não era pouca coisa e o clima não ajudava. Os funcionários estavam em pé de guerra, faziam piquete na porta da fábrica, primeiro, e depois na porta do Hotel Ducal, controlado pelos antigos donos da Seridó e onde os diretores se hospedavam. Em certo momento, não deixavam pessoas nem alimentos entrar ou sair. Um caos.

Para completar, o bebê de um dos funcionários morreu. O homem, desesperado, se matou na entrada da fábrica. Virou manchete de toda a imprensa local. E acirrou os ânimos.

Todos os meses, Alencar enviava um relatório para os técnicos do BNDES sobre o andamento das negociações e dos procedimentos adotados para colocar a fábrica nos eixos. Uma das intenções era ganhar confiança. Outra, mostrar que não havia "por fora", algo tão comum no meio empresarial brasileiro.

Ao mesmo tempo, Alencar destacou dez funcionários exemplares e os despachou, junto com as famílias, para o Rio Grande do Norte. Como explica Josué, o objetivo era "instalar ali a cultura da empresa". Dos 10, seis se estabeleceram por lá e continuam na região até hoje.

Aos poucos, a empresa se recuperava e se afirmava no mercado. Em fevereiro de 1985, a Coteminas assumiu seu controle acionário. Em junho, as operações foram retomadas sob novo comando. O nome mudou de Seridó para Cotene (Coteminas do Nordeste).

Quatro anos depois do início da Cotene e do fim da ditadura, o governador Fernando Collor de Mello venceu as primeiras eleições presidenciais diretas e assumiu o governo no ano seguinte com uma cacetada de bom tamanho: foram confiscados os valores em poupança superiores a 50 mil cruzeiros novos.

As empresas foram pegas de jeito. A Coteminas estava com todo o dinheiro aplicado. Ou seja, o dinheiro evaporou. Ao ser informado, o sócio e amigo de Alencar, Luiz de Paula, chegou à sede da Coteminas cantarolando, rindo da desgraça. E convocou a turma toda para encher a cara na casa do diretor João Batista Bonfim. Ficaram até as 4h30 da madrugada, tocando violão, cantando e bebendo.

Toninho, o irmão, e Ronaldo, o cunhado de Alencar, eram sócios, na época, da Aliança Distribuidora de Tecidos, empresa que mantiveram por 25 anos. Eram todos muito amigos, companheiros de farra, e estavam juntos "comemorando a desgraça". Na hora de ir para casa, Ronaldo perguntou a Alencar:

– E agora? O dinheiro sumiu!

Alencar tentou fazer graça:

– E agora? Agora seja o que Deus quiser!

Como lembrou Ronaldo muitos anos depois, "foi um momento difícil demais para a empresa". Tudo parecia ir tão bem, o caixa bom, situação tranquila. De repente, faltava dinheiro até para a folha de pagamento...

Alencar, como bom comandante, reuniu a tropa, explicou em que pé estavam as finanças da empresa e pediu colaboração em caso de atraso de salários por quatro, cinco dias. Arrumou um empréstimo de banco daqui, outro dali e foi levando.

Collor não trouxe apenas o confisco da poupança. Trouxe também – como reconhece Alencar – os ventos da abertura de mercado que favoreciam alguns setores para os quais o Brasil era e é mais vocacionado.

O setor têxtil não foi exatamente favorecido, como se viu depois, com a invasão predatória dos tecidos e roupas chineses, mas os negócios de Alencar foram beneficiados pelo fato de o Brasil ser um dos principais produtores de algodão do mundo, dispor de energia elétrica abundante e de um mercado já francamente promissor.

Na época, o que faltava era escala, e a filosofia da Coteminas, inspirada pela história, experiência e coração do patriarca Alencar, era crescer com o menor endividamento possível para competir com os grandes do setor (China, Índia, Turquia e Paquistão).

Em 1991, a empresa abriu seu capital em bolsa de valores. Foram três leilões no mercado secundário que permitiram ao BNDES converter seu crédito em ações da Cotene em ações da Cotenor. Em seguida, vendeu num ótimo negócio. Moral da história: o BNDES transformou o mico da Seridó num bom negócio com a Cotene.

Coteminas e Cotenor estavam de pé, assim como a Cotene, antiga Seridó. Nem assim Alencar parava. Fundou ou adquiriu nos anos seguintes a Cebractex (1994), em Montes Claros, a Wentex (1996), ao lado da Cotene, a Embratex (1997), em Campina Grande, e a Toalia (1998), em João Pessoa, ambas na Paraíba. Na sequência, vieram a Lençóis (1999), em Montes Claros, depois as unidades de Blumenau (2000), em Santa Catarina, e de Macaíba (2001), mais uma na Paraíba.

Houve ainda a compra em 2004 das três fábricas da Santanense em Minas, nos municípios de Itaúna, Pará de Minas e Montes Claros, e em 2009 da fábrica e da rede de mais de 100 lojas da MMartin, marca forte em cama, mesa e banho para a classe média espalhada pelo país.

O grupo também acumula participações em outras empresas. É acionista minoritário, por exemplo, da Cedro e Cachoeira, tradicionalíssima na área têxtil em Minas Gerais.

O avanço internacional teve início em fevereiro de 2004, com a aquisição e início de operação da fábrica de La Banda, em Santiago Del Estero, Argentina. A expansão logo alcançou Estados Unidos e México.

Nos Estados Unidos, o grupo contabiliza fábricas em cinco diferentes estados, da Virgínia à Califórnia. Lá produz travesseiros, tapetes de banheiro, protetores de colchão e edredons. No México, a produção se concentra em edredons, fronhas, saias para cama e jogos de cama com tecidos oriundos tanto do Brasil quanto da Ásia. Sua *trading* no continente asiático fica em Shangai, China.

Em 1997, um ano depois de Josué assumir a Superintendência Geral, as fábricas foram reunidas numa só empresa e classificadas como "unidades". O nome desta empresa única é Coteminas.

Há unidades de fiação, tecelagem, confecção e, claro, as mistas, que fazem desde o fio até o lençol completo, já estampado, dobrado, acondicionado em sacolas plásticas e pronto para os caminhões que fazem entrega no mercado interno ou para os contêineres que seguem para o porto e para a exportação.

Desde que montou duas fábricas em Campina Grande, Paraíba, pelas quais revela particular orgulho, Alencar vive dizendo que comprou o terreno, mandou "roçar o mato" e criou as "mais belas fábricas do mundo". A Coteminas foi incorporando tudo isso.

Ao explicar a opção por Campina Grande, Alencar responde sem titubear: "Porque eu era e ainda sou muito grato à Sudene."

A gratidão tem a ver com os investimentos que viabilizaram erguer um império em torno da Coteminas, além da isenção fiscal na importação de equipamentos sem similar nacional. O imposto era de arrasar, mas a Sudene oferecia isenção para quem tivesse cadastro limpo, caso das empresas dele.

Alencar jura que nunca teve problemas com a Justiça. Nem trabalhista? "Sempre tem um camarada que entra, mas nunca perdemos", responde. "E nunca saiu um fiapo de algodão das nossas empresas sem nota fiscal", assegura.

Se Alencar é grato à Sudene, a Sudene é grata a José Alencar. O Conselho Deliberativo da entidade, integrado por 10 governadores (os dos estados do Nordeste e o de Minas Gerais), organizou em 2009 uma baita homenagem para dois ilustres mineiros: Tancredo Neves e Alencar, o homem que revolucionou a indústria têxtil no Brasil.

A cerimônia foi na primeira fábrica da Coteminas, em Montes Claros, 34 anos depois de sua inauguração. Estavam lá o presidente Luiz Inácio Lula da Silva, os 10 governadores e mais 11 ministros, inclusive a chefe da Casa Civil, Dilma Rousseff, já então pré-candidata à sucessão presidencial.

Depois de o último governador discursar, o tucano Aécio Neves, Lula e Alencar puxaram uma gargalhada geral. Lula acabava de voltar de uma viagem em que fora apontado como "o cara" pelo presidente dos Estados Unidos, Barack Obama. Aécio acabou de falar, e Lula:

– Alencar, você é o cara!

Ao que Alencar respondeu:

– Eu sou o vice-cara!

O fato é que a Coteminas cresceu e prosperou, e a Sudene teve um papel nessa história de tanto sucesso. Alencar sempre teve em mente essa importância, assim como não esquece o papel social de uma grande empresa.

Eis a opinião dele, um dos homens mais ricos da América Latina, sobre a função da empresa na sociedade:

"Eu parto do princípio de que a empresa é um bem da sociedade, é uma fração da economia, não importa o tamanho que tenha. A Petrobras é uma grande indústria, uma fração gigantesca da economia. A pastelaria da esquina é uma fraçãozinha, mas é. E nós precisamos de empresas fortes para ter uma economia forte, próspera, independente. Para quê? Para gerar empregos e alcançar os objetivos sociais."

Alencar defende um compromisso direto com o empregado e sua família. Em várias fábricas do grupo, de Montes Claros ao Nordeste, há escolas, serviço médico e odontológico e quadras de esporte.

São 15 fábricas no Brasil, cinco nos Estados Unidos, uma no México e uma na Argentina, com mais de 15 mil trabalhadores em 2010.

No Brasil, o grupo abastece grandes redes, como Pernambucanas e Riachuelo, especializadas em cama e mesa, Zelo e até grandes supermercados, como o Carrefour. No exterior, fornece toneladas ao mês para as redes JC Penney e Walmart, disseminadas por todo o território americano, com etiquetas diferentes, personalizadas.

Ao adquirir um jogo de toalha de banho da Artex nas Pernambucanas, o consumidor está comprando um produto feito nas fábricas da Coteminas, de José Alencar e Josué Gomes da Silva. Se é um jogo de lençóis da Zelo, com selo da própria Zelo, idem. O mesmo vale para as redes americanas. Cada uma tem suas etiquetas, suas marcas, ao gosto do freguês. Outras etiquetas são Santista, Arco-Íris, Fantasia, Calfat.

De 2000 a 2009, os ativos totais da Coteminas cresceram de R$ 1,37 bilhão para R$ 3,08 bilhões; o faturamento anual, de R$ 774 milhões para R$ 3,1 bilhões; os investimentos, de R$ 517 milhões para R$ 1,84 bilhão; a produção, de 88 mil toneladas para 199 mil toneladas.

O salto nas exportações é uma interminável linha ascendente desde 1997, quando começou com US$ 6 milhões. Depois, subiu para US$ 36 milhões em 1998, US$ 51 milhões em 1999, US$ 111 milhões em 2000 e US$ 163 milhões em 2009.

A abrangência do império não termina aí. O grupo responde por um terço dos investimentos de uma usina hidrelétrica em Minas, a Usina Porto Estrela, com capacidade instalada de 118 MW. É uma sociedade com a Vale do Rio Doce e a Cemig, que participam também com 33,33% do capital. A usina fica no rio Santo Antônio, próxima às cidades de Joanésia, Açucena e Braúnas.

A Coteminas é proprietária ainda, desde 2007, de uma usina termelétrica de 5,6 MW em Macaíba (RN), ao lado de sua fábrica de corte e costura de tecidos planos e de malhas para confecção de camisetas e de cama e mesa.

Além de todas essas indústrias que se entrelaçam, Alencar é sócio de Luiz de Paula na Fazenda Cantagalo, na pequena cidade de Pedra de Maria da Cruz, a cerca de 200km de Montes Claros. Com 25 mil hectares, a Cantagalo é uma das maiores fazendas de gado de Minas, mas ficou famosa mesmo pela produção de cachaça da boa.

Ainda na década de 70, ele e o sócio compraram a primeira fazenda, de 5 mil hectares, às margens do São Francisco. Adquiriram depois a fazenda ao lado, que pertencia ao Banco Nacional, do ex-governador de Minas Magalhães Pinto.

Quando soube que a fazenda do banco já estava praticamente vendida, Roberto Rezende, que tomava conta dela, sugeriu a Magalhães que, antes de fechar o negócio, desse a Alencar e a seu sócio 30 dias para usar o direito de preferência. Consultados, os dois decidiram imediatamente comprar a propriedade. Prevaleceu assim a velha regra de que, em Minas, ninguém vende fazenda sem dar prioridade ao vizinho imediato.

Alencar e Luiz de Paula sabiam bem disso e não abriram mão. Alguns interessados chegaram a enviar emissários, tentando comprar a preferência por boas boladas. Os sócios nem os receberam.

Isso não significa que Alencar tenha uma ligação afetiva ou seja frequentador da fazenda, que cria gado nelore e produz cachaças famosas, especialmente sua preferida, a Maria da Cruz.

Quem assumiu a gerência da fazenda, na prática, foi Toninho, de quem partiu a ideia da fábrica de cachaças. Pedra de Maria da Cruz fica na margem direita do São Francisco, do lado oposto a Januária, referência nacional de produção de nossas "caninhas". "Aquela região tem vocação para a produção de cachaça, porque o clima ajuda muito, e todo mundo já identifica as melhores marcas com Januária.

Era meio caminho andado", conta Toninho, explicando que a Maria da Cruz da vida real, que deu nome à cidade e à própria cachaça da família, foi uma inconfidente mineira que por pouco não acaba seus dias exilada. Ficou no país e desempenhou importante trabalho social na região.

Havia outra razão, quase afetiva, para uma fábrica de cachaça: o pai de Alencar e Toninho, seu Antônio, tomava um trago todo santo dia, antes do almoço.

Depois da derrocada, pós-crise do café, seu Antônio passou a ter uma insistente dor de estômago, provavelmente uma gastrite de fundo nervoso, como desconfiam seus filhos. Um amigo dele, Sebastião Ribeiro, fez o que todo mundo fazia e continua fazendo ainda hoje, especialmente no interior: sugeriu uma receita tiro e queda qualquer. No caso dele, era tomar uma colher de álcool puro diariamente – em jejum! Do álcool para um copinho de cachaça, evidentemente, foi um pulo.

Tal como Alencar, Luiz de Paula também sempre foi chegado a um "golo", uma boa farra e uma cantoria de varar a noite. A sede da fazenda é espaçosa, com salão, varanda, cinco suítes. Nem assim foi capaz de seduzir Alencar: "É para quem gosta, não é bem o meu caso." A aquisição da Cantagalo foi puramente pragmática: "Para fazer investimento." Apesar da memória prodigiosa, não conseguiu sequer lembrar a última vez que sentou naquela varanda, olhou o pasto verdejante, respirou o ar puro e se deslumbrou com a vista do São Francisco, tomando a cachacinha saída do alambique.

"Quando pequeno, ainda na roça, era cavaleiro, pegava animal no pasto e descia a galope rio abaixo. Depois que saí de lá, nunca mais me interessei", admite. E prossegue: "Com minha agenda sempre tão carregada, não teve jeito. Como Jesus Cristo falou, 'onde está o seu tesouro, está o seu coração'. Provavelmente, o nosso tesouro não estava lá."

O coração dele, como o tesouro (literalmente), sempre esteve no ramo de tecidos, no comércio, na indústria. Até mergulhar de coração e alma na política.

O sócio de Alencar desde 1967, Luiz de Paula, tem cinco filhos. São três filhas médicas e dois filhos engenheiros, ambos com MBA nos Estados Unidos, "brilhantes, competentes, inteligentes e probos", segundo Alencar. Até ocuparam diretorias nas empresas, mas nenhum quis continuar. João Gustavo integra o Conselho de Administração, mas o "tesouro e o coração" dele estão... nas fazendas, na criação de gado, na vista para o rio São Francisco.

Quando Alencar assinou a ficha de filiação ao PMDB, em 1993, ele e Mariza fizeram um "adiantamento de legítima" (doação de ascendentes para descendentes em vida) para os três filhos. Foi quando começou a se desligar da rotina das empresas. Achava que era responsabilidade demais atuar em tantas frentes simultaneamente.

O cargo de presidente da Coteminas ainda se manteria, de todo modo, até 30 de dezembro de 2002. Apenas dois dias antes de subir a rampa com Lula, afastou-se formalmente e na prática de todas as funções do grupo empresarial, inclusive do Conselho de Administração. Josué assumia o comando, desta feita, em definitivo.

Ao ser indagado sobre as razões de transferir o controle da companhia para Josué, Alencar responde com rapidez e sinceridade: "Porque ele, além de formado no ramo, é o filho homem."

Alencar tinha então 71 anos e o sonho oculto de um dia se tornar presidente.

O Líder Empresarial

Recém-saído da adolescência, mas já comerciante, José Alencar recebeu a visita do então presidente da Associação Comercial de Caratinga. Queria saber como aquele menino, vindo do interior, com uma casinha comercial tão pequena, já fazia frente aos grandes comerciantes de Caratinga.

O presidente levou junto dois diretores da entidade e, no final, ofereceu a ficha de sócio para Alencar. Por conta dos 18 anos do novo associado, uma exceção seria aberta e ele ficaria desobrigado de pagar anuidade. Alencar aceitou ser sócio, mas não admitiu o privilégio. Só entraria se pagasse, como os demais.

Assim teve início a longa e bem-sucedida trajetória de líder empresarial. Muitos anos depois, já consagrado no meio, recebeu o título de presidente de honra da Associação Comercial de Caratinga, uma das centenas de homenagens, honrarias, títulos, certidões e prêmios que inundam as paredes dos andares do escritório da Coteminas em Belo Horizonte e converteram seu currículo num verdadeiro calhamaço.

Ao se mudar de Caratinga para Ubá, em 1960, Alencar se filiou também à Associação Comercial de Ubá, da qual se tornaria diretor e depois presidente. Sete anos mais tarde, já em Belo Horizonte, uma das primeiras providências foi assinar a ficha de filiação da Associação Comercial de Minas, antiga ACM, atual ACMinas.

A ACMinas é uma entidade tradicionalíssima. Foi fundada por empresários do comércio, da indústria, de serviços e da agricultura em 1901, três anos depois da fundação de Belo Horizonte. Seu presidente mais jovem, empossado aos 28 anos, foi Magalhães Pinto. Atribui-se à ACMinas a instalação em Minas Gerais da Refinaria Gabriel Passos, da fábrica da Fiat, da Açominas e da Usiminas. Em alguns casos, ajudou bastante. Noutros, foi decisiva.

Quando a Fiat anunciou o interesse de montar uma unidade no Brasil, o presidente da então ACM, Adolfo Neves Martins da Costa, aliou-se ao governador Rondon Pacheco e foi pessoalmente à Itália convencer a empresa a priorizar o estado. Deu certo. A fábrica foi inaugurada em Betim, em 1976.

Alencar foi eleito diretor em mandatos consecutivos, mas sofreu uma doída e rara derrota em sua vida de vitórias quando disputou a presidência da entidade, em 1980. Os empresários mais antigos puxaram seu tapete.

Seguindo um complexo estatuto e um arraigado ritual, o sistema de poder da ACMinas girava como roda. O primeiro vice-presidente era o candidato natural a presidente, assumia e depois do mandato virava segundo vice. Até 1984, os mandatos eram de dois anos com direito a uma reeleição. Depois, passaram a ser de três anos sem reeleição.

Alencar tentou quebrar a corrente, lançando-se contra o então primeiro vice, Francisco Guilherme Gonçalves, da Minas Forte, empresa de segurança e transporte de valores que se expandiu para São Paulo e para o resto do país. Eis os trunfos de Alencar: era um empresário em franca ascensão e trazia um sopro de modernidade e ousadia para uma instituição tão conservadora.

Não foi suficiente. Uma parte da diretoria era francamente pró-Alencar: Paulo Roberto Brandão, José Lamacié Ferreira, Bernardo Andrade Nogueira e Manoel Carlos Ferreira, este último representante comercial de tecidos e, portanto, do mesmo ramo do futuro vice-presidente da República.

O outro lado era mais forte, e não estava propriamente a favor de Francisco Guilherme Gonçalves, mas das tradições. Era integrado pelo presidente à época, o conservador Nilo Antônio Gazire, dono de um escritório de contabilidade, e pelos ex-presidentes, os veneráveis, que mantinham direito a voto para todo o sempre.

"Eles eram gente de família rica e importante de Belo Horizonte. Eu era do interior, da roça", comenta Alencar sobre a derrota. Foram momentos de constrangimento para ele.

Na campanha, um dia, Alencar telefonou para o administrador de empresas Gilson Elesbão Siqueira, que em 2010 completaria mais de 50 anos metido em entidades patronais de Minas, 30 deles como funcionário da Associação Comercial.

– Olha, Gilson, eu sou candidato.

– Uai, Zé Alencar, em 52 anos nesse meio só me lembro de duas chapas de oposição aqui. E nenhuma das duas ganhou.

– Mas eu não tenho alternativa. Meus amigos estão me pressionando, dizem que eu posso fazer muito pela associação, e eu não tenho mais volta. O bloco está na rua.

Gilson ainda sugeriu que "batesse um papo" com cada vice-presidente, cada diretor, explicasse quais eram suas ideias, falasse da força das suas empresas, mostrasse tudo o que podia fazer pela entidade. Alencar não deu ouvidos, convencido de que angariara apoios suficientes na diretoria.

A conversa acabou com uma advertência do funcionário ao pré-candidato:

– Você é muito novo aqui, precisa entender que a ACM é muito tradicional, tem seus rituais, suas regras. Se não seguir, você voa, sai do circuito.

Alencar não deu bola. "Tinham enchido ele de confete. Achava que ia ganhar", relata Gilson, 30 anos depois.

Dias após a advertência, a grande maioria dos 65 diretores da época se reuniu no solene auditório de 50 lugares, com paredes de lambri e poltronas de couro, para ouvir o presidente ler o resultado das "prévias". Era uma única folha de papel. Alencar perdeu por 15 votos a 50 no início do processo, quando é decidida a indicação da chapa oficial para o aval da direção. Nem chegou a bater chapa.

Alguns de seus maiores apoiadores caíram no choro, como lembram velhos assessores. Honório Carneiro, já seu amigo, dá o nome de dois: Paulo Roberto Brandão e Bernardo Andrade Nogueira. Eles eram os homens da vanguarda, da renovação. Alencar aguentou firme.

"Era uma eleição indireta, um colégio eleitoral, e eu não sou bom nisso, não. Eu gosto é de ganhar eleição direta!", ironiza, depois de muitos anos, uma outra derrota e três vitórias nas urnas.

A ACMinas foi palco de muitos "causos", narrados ao longo da vida, e de pronunciamentos sobre temas diversos. Num discurso registrado na ata 37/83, de 26 de outubro de 1983, ainda durante a ditadura militar, Alencar defendia a liberdade e criticava a elevada dívida externa, um dos principais problemas do país à época:

"Não adianta ficarmos tampando o sol com a peneira (...). Agora, há pouco tempo, o Brasil recebeu duas lições da Polônia: uma no campo político e outra no campo econômico. No campo político, a Polônia nos deu uma lição, através do Sindicato Solidariedade e do próprio Papa João Paulo II, de que a liberdade é tão importante quanto o ar que se respira. E, no campo econômico, a Polônia nos ensinou que nós não devemos fazer dívidas sobre moedas que nós não emitimos e, muito menos, fazer dívidas a taxas de juros flutuantes, como fizemos."

O Sindicato Solidariedade e seu grande líder, Lech Walesa, surgiram em Gdansk e irradiaram um forte movimento nacional de reivindicações por melhores salários e condições de trabalho na Polônia. A mobilização foi a principal alavanca da resistência à ditadura soviética. Walesa chegou a ser preso, ganhou o Prêmio Nobel da Paz naquele mesmo 1983 e se tornou o primeiro presidente do país com a redemocratização.

Quanto à "lição econômica", a Polônia havia entrado em colapso em boa medida graças à dependência excessiva da então União Soviética e do endividamento em moeda estrangeira. Em 1980, faltava até alimento. Eram filas quilométricas, dia e noite, à frente de lojas e prateleiras vazias. A debacle econômica e a pressão política precipitaram o fim do regime e o início da transição com Walesa.

O Brasil viveria a campanha das "Diretas Já" no ano seguinte, com a vitória do oposicionista Tancredo Neves. Tancredo morreu antes da posse, e José Sarney assumiu. Para compor a chapa, Sarney migrara do PDS, aliado do regime militar, para o PMDB, de oposição. Logo depois, em 1986, o Brasil declarou moratória da dívida externa.

Ainda na Associação Comercial, como diretor-conselheiro, foi Alencar quem apresentou o relatório da Comissão Permanente de Comércio sobre o Estatuto da Microempresa, projeto do ex-ministro da Desburocratização, Hélio Beltrão. Apesar de megaempresário, Alencar sempre se interessou pelas micro e pequenas empresas, assim como defendeu a descentralização e o investimento em educação para fortalecer o interior do país social, política e economicamente.

Em março de 2001, quando a ACMinas completou 100 anos, Alencar recebeu o título de diretor emérito. Em julho de 2008, recebeu também um título inédito, de presidente de honra, por outorga do então presidente, Charles Lotfi, descendente de libaneses que nasceu em Corumbá, atual Mato Grosso do Sul, e se radicou em Belo Horizonte ao casar.

Alencar ficou felicíssimo: "Sou o primeiro e único presidente de honra da Associação Comercial de Minas", costuma se gabar pela distinção. Todas as suas vitórias eleitorais foram pela via direta, nunca pela indireta.

Velho amigo de Alencar, tanto na associação quanto na vida privada, Lotfi conheceu o vice-presidente da República quando decidiu disputar uma licitação peso-pesado para fornecer toda a sorte de tecidos para o novo hospital da Polícia Militar de Minas, com sede em Belo Horizonte.

"Ele ficou meu amigo porque eu tinha os melhores preços. Fazer negócio comigo era um sucesso. Todo mundo queria fazer negócio comigo", diverte-se Alencar.

A amizade atravessou décadas, eleições, cargos e doenças. Até as conversas por telefone permaneceram corriqueiras, naturais. Em 7 de junho de 2010, com sete anos e meio dos governos de Lula e Alencar, ao ser indagado se o grande sonho do vice era ser presidente da República, Lofti responde de chofre: "Uai! Mas ele foi! Sabe quantos dias ele assumiu a Presidência no lugar do Lula até agora? 479!"

E quem deu um número tão preciso para ele?

"O Zé. Liguei ontem e ele tinha acabado de receber um balanço com o total das interinidades."

Quando morava em Belo Horizonte, antes de se aventurar pela política, Senado Federal, Vice-Presidência e mudar para Brasília, Alencar costumava abrir as portas da casa da rua República Argentina para os amigos.

Ao trocar a casa pelo novo apartamento, manteve o hábito, mas nunca deixou de tomar seus "golos", comer petiscos mineiros e relembrar velhas histórias nos encontros no Hotel Wembley ou nos restaurantes e bares preferidos de Belo Horizonte.

As limitações provocadas pelos anos de Brasília reduziram as saídas em público, mas Alencar manteve o hábito de dar uma passadinha pela ACMinas. Numa das visitas, logo depois de uma das internações, o garçom passava para lá e para cá com bandejas de Coca-cola, guaraná, suco, água. Alencar, nada. Lotfi percebeu, chegou perto e matou a charada:

– Já sei. Você quer é um golo, não é?

"Ele riu, eu chamei o garçom e pedi uísque. Pronto, ele sorriu de novo", conta o amigo.

O copo de uísque já estava na mão, mas o garçom passava com coxinhas de galinha, canapés e azeitonas. Alencar, nada. Lotfi nem perguntou mais.

– Traz torresmo, garçom!

Uma Revolução na FIEMG

Alencar ficou desencantado com a ACMinas e concentrou energias em dois outros foros: Fiemg e CDL (Clube dos Diretores Lojistas, depois Câmara dos Dirigentes Lojistas). Sem falar na Federaminas (Federação das Associações Comerciais e Empresariais de Minas Gerais), onde também militou.

"Há males que vêm para bem", diz o ditado e repetem os amigos de Alencar, como Honório Carneiro, sobre sua derrota para a presidência da ACMinas. A partir dali, Alencar só galgou degraus em sua trajetória de líder patronal. Assumiu a presidência do Sindicato das Indústrias de Fiação e Tecelagem no estado de Minas Gerais e trocou a ACMinas pela Fiemg, muito mais representativa. Se não foi presidente de fato da ACMinas, foi da Fiemg, decisiva para sua tardia, mas meteórica, carreira política.

Com a autoridade de quem assessorou por 37 anos o Sesi em Uberaba e a Fiemg em Belo Horizonte, o advogado César Vanucci entende que Alencar teve uma "atuação vibrante" como diretor, vice-presidente e, enfim, presidente da Federação entre 1988 e 1994.

"Logo ao chegar à Federação das Indústrias, ali pelo início dos anos 1980, Alencar se projetou naturalmente. Passou a integrar conselhos em que eram debatidas questões empresariais, econômicas, sociais e, com o brilhantismo peculiar e o talento nato que tem para tudo, passou a pontificar. Foi um homem que acumulou saberes. Quando conversa com um advogado, ele se coloca no nível de conhecedor do saber jurídico. Quando conversa com um engenheiro, a mesma coisa. Sua construção empresarial, política e humana é impressionante", depõe Vanucci, superintendente geral da Fiemg nos anos de presidência de Alencar.

O conselho da entidade que mais atraiu aquele empresário do comércio e do interior foi o de estudos econômicos. Vem daí, conforme Vanucci, a campanha constante e incansável contra os juros: "Ele madrugou nisso." E lembra que, desde então, o futuro vice-presidente da República não só estimulava os debates como também escrevia artigos na revista da entidade, *Vida Industrial*. Cobrava a queda das taxas e detalhava quão danosas eram para indústria, empregados e país.

Logo foi eleito um dos 12 vice-presidentes da Fiemg. E não ficou nisso, passando a ocupar, na prática, a função de "primeiro vice" do então presidente, Nansen Araújo, intelectual, membro da Academia Mineira de Letras, mas já muito velhinho e com grave problema de enfisema pulmonar. No último ano de gestão de Nansen, a quem se refere com especial deferência e respeito, Alencar chegou a ocupar por mais tempo a presidência, o que o legitimou ainda mais como sucessor. E com apoio do próprio Nansen, evidentemente.

A principal característica da gestão de seis anos, invariavelmente classificada de "revolucionária", foi honrar o compromisso com sua origem e seu passado. "Descentralizou" e "interiorizou" as ações sociais da Fiemg, via Sesi (Serviço Social da Indústria) e Senai (Serviço Nacional de Aprendizagem Industrial), enraizando a atuação dessas entidades em todas as regiões, inclusive as mais pobres.

Alencar conferiu nova dinâmica à Fiemg ao ampliar o número de sindicatos, valorizar pequenas e médias empresas, construir centros de apoio aos trabalhadores e suas famílias, investir em arte e história e procurar o entendimento com sindicatos de trabalhadores e suas lideranças, antes tratados como inimigos.

A Fiemg ampliou seus horizontes para além do circuito tradicional – Belo Horizonte, Ipatinga, Betim, Contagem, Juiz de Fora, Uberaba, Uberlândia, João Monlevade, Varginha, Itajubá, Montes Claros – e começou a chegar a outras cidades ricas, até então descoladas da entidade, e a pequenas cidades mais pobres e sem indústria, onde os empreendimentos eram quase artesanais (padarias, funilarias, oficinas mecânicas de esquina). Essas cidades passaram a dispor de representação e a se organizar em sindicatos regionais.

"Ele começou pequeno. Então, dava muita importância aos pequenos. Antes, eles tinham até medo de botar as caras lá na Fiemg. Depois entravam sem protocolo, com as portas abertas", atesta Ildeu da Silveira e Silva, egresso da indústria gráfica e de embalagens em Belo Horizonte, diretor-secretário nas gestões de Nansen e Alencar e suplente do Conselho Fiscal da Coteminas.

Ildeu se lembra de dois sindicatos diretamente favorecidos por aquele jeito de Alencar de fazer as coisas: o da Indústria de Brinquedos e o da Indústria de Papel e Papelão, que passaram a participar e a ter voz ativa na entidade.

A gestão de Alencar criou as câmaras de assuntos setoriais (indústria têxtil, gráfica, panificação) e investiu pesadamente nas pequenas cidades de 10 mil habitantes do Vale do Jequitinhonha, como Sacramento, Perdizes e Coromandel. Por lá houve experiências interessantes, como agrupar obreiros artesanais em torno de uma pequena indústria de moagem de trigo para subsistência.

Os críticos perguntavam para que levar a Fiemg para lá, se nem indústria havia na região. Vanucci explica: "Era a visão social preponderando sobre a econômica, e o Zé Alencar sempre foi de vanguarda, sempre teve essa filosofia empresarial de que a economia não é um fim em si mesmo, mas um meio para atingir a educação, saúde, tecnologia, bem-estar geral."

Segundo Vanucci, "a Fiemg se interiorizou, o Sesi e o Senai alargaram suas fronteiras, foram criados núcleos de associações comerciais que depois se transformaram em sindicatos, uma coisa tremenda".

Em toda a história da Fiemg, 52 sindicatos patronais tinham sido criados no estado de Minas Gerais. Quando Alencar deixou a presidência, em 1994, eles superavam 130, mais do que os então filiados à poderosa Fiesp (Federação das Indústrias do estado de São Paulo).

A atenção era direcionada tanto às empresas quanto a seus funcionários e familiares. Os CATs (Centros de Apoio ao Trabalhador da Indústria) eram implantados em diferentes regiões, e abrigavam piscinas, quadras de futebol e de vôlei, além de assistência médica e odontológica, cursos profissionalizantes e de informática.

"Uma beleza!", costuma repetir Alencar, lembrando que os projetos eram divididos entre Fiemg, prefeituras e comunidade, com apoio das associações comerciais e empenho das próprias famílias.

Foi iniciada também por Minas a "Ação Global", em parceria com a Rede Globo, para levar atendimento médico e odontológico, vacinas, orientação psicológica e educação sexual a comunidades carentes, além de atendimento volante para emissão de títulos eleitorais, certidões de nascimento e de casamento.

Tudo isso contava com centenas de voluntários das mais diversas profissões – médicos, psicólogos, professores e dentistas –, militares das três Forças Armadas e funcionários públicos dispostos a trabalhar em fins de semana e feriados.

Alencar e sua equipe atraíram para a órbita da Fiemg cidades pobres e também setores abastados de Minas Gerais, sempre mais ligados a São Paulo e Rio do que às lideranças de Belo Horizonte. Os principais exemplos foram o rico Triângulo Mineiro, que reúne, entre outros municípios, Uberlândia, Uberaba e Araguari, e o Sul de Minas, região de Pouso Alegre, Poços de Caldas e Varginha.

No seu périplo pelas cidades ricas, médias e pobres do estado, Alencar foi parar em Mariana, primeira cidade e primeira capital do estado. Lá tomou duas providências. Uma foi usar o Sesi para restaurar um cinema antigo da praça central, largado às traças, usado como depósito. O cinema foi transformado no teatro local. A segunda providência foi atender um apelo da Arquidiocese para restaurar monumentos barrocos da cidade.

Alencar, pessoa física, bancou do início ao fim a restauração de uma das primeiras igrejas de Minas, num povoado nos arredores de Mariana. Foi a Igreja de Nossa Senhora da Conceição, no distrito de Cachoeira do Brumado, localizado em agradável vale cujo acesso se dá pela rodovia dos Inconfidentes. Construída há mais de 300 anos, sua arquitetura simples e sóbria contrasta com pinturas de cores fortes em seu interior. O pedido foi feito por Dom Luciano Mendes de Almeida, ex-presidente da CNBB (Conferência Nacional dos Bispos do Brasil) e então arcebispo da Arquidiocese de Mariana. O projeto foi do IPHAN (Instituto do Patrimônio Histórico e Artístico Nacional).

Ainda durante a gestão de Alencar, o Teatro do Sesi em Belo Horizonte se transformou em palco de espetáculos e manifestações artísticas das várias regiões do estado, como o prestigiado balé de Araxá.

Alencar também exercitou seu talento de negociante à frente da Fiemg para obter ótimas compras, a baixos custos. Além das múltiplas atividades, ainda encontrava tempo para integrar a comissão de compras da Federação, do Sesi e do Senai, à época efervescente pelas centenas de obras de escolas, consultórios, quadras de esporte. Saía das reuniões e ia a campo negociar com os fornecedores, coitados. Como aconteceu quando discutia a compra de 120 equipamentos dentários para distribuição pelo Sesi nos CATs do estado. Depois de uma longa negociação, em que o preço caiu uma vez, duas vezes, três vezes, estava tudo fechado quando arriscou uma novidade:

– Ótimo. E, agora, a gente leva mais 12 de brinde.

Deu certo.

Repetia assim, pela vida afora, a história da adolescência, quando arrancou o menor preço do hotelzinho de Muriaé e ainda barganhou com aquela "roupa lavada"!

Ildeu ri: "Com Alencar, esse negócio de dinheiro é coisa séria, é tudo na ponta do lápis. Por isso é que todo mundo diz que ele é um grande pão-duro." E mais: confia desconfiando. Quando mandava Ildeu representá-lo em alguma reunião, principalmente quando haveria decisão sobre gastos, orientava:

– Presta atenção em tudo, não dá palpite em nada, não assina nada, nem ata, nem lista de presença, nada mesmo. Quando eu chegar, você me faz um relatório.

Ao brincar com um amigo que entregaria a ele até a chave do cofre, logo o alvo do elogio retrucava:

– Entrega a chave do cofre, mas não ensina o segredo!

Foi assim que, além de tudo o que realizou na Fiemg, respondeu por uma gestão enxuta e que deixou em caixa uma bolada correspondente a US$ 23 milhões, conforme relato de Ildeu.

A influência de Alencar em Minas cresceu ao longo dos anos de Fiemg. Tanto que o governador Newton Cardoso fez de tudo para nomeá-lo secretário da Indústria. Insistiu muitas vezes e, numa das idas de Alencar ao Palácio da Liberdade, ameaçou:

– Vou assinar agora o ato de nomeação.

Não houve jeito. Alencar foi amigo de todos os governadores, inclusive Cardoso, mas nunca ocupou cargo no governo de Minas.

Não ocupou cargo, mas fazia pressão. Envolveu-se em campanhas que mobilizaram milhares de pessoas em diferentes regiões, como em favor da duplicação da rodovia Fernão Dias, que liga Belo Horizonte a São Paulo e é vital para as indústrias, para os dois estados e para o desenvolvimento do país.

"As reuniões eram em Belo Horizonte, Governador Valadares, Teófilo Otoni, aglutinando lideranças políticas, classistas, agropecuárias, ONGs, operários, todo mundo que tivesse interesse, mesmo que fosse só um interesse cívico", conta Vanucci. Em algumas, no final de 1990, início de 1991, participaram tanto o governador que saía, Newton Cardoso, como o que entrava, Hélio Garcia.

Do ponto de vista político, todos os que conviveram com Alencar à época, como Vanucci e Ildeu da Silveira e Silva, lembram que ele abriu a Fiemg ao diálogo com as entidades dos trabalhadores. A Federação das Indústrias, seguindo velha tradição de órgãos congêneres, era elitista, fechada.

"Não me recordo de uma presença constante, frequente, das lideranças operárias na Fiemg para reivindicar, sugerir ou negociar por ocasião dos dissídios trabalhistas. O que se viu no período do Alencar foi uma mudança radical e completa", diz Vanucci.

Se Alencar "escancarou" as portas da entidade patronal, houve a contrapartida: líderes trabalhistas dispuseram-se a dialogar, principalmente Carlos Calazans (presidente da CUT entre 1987 e 1994), cujo mandato praticamente coincidiu com o de Alencar. Anos depois, Calazans foi secretário sindical do PT e delegado regional do Trabalho no governo Lula.

"A negociação entre patrões e empregados na Fiemg passou a ser fato corriqueiro, incorporou-se à vida da entidade", garante Vanucci, agora aposentado. "Lembro inclusive de debates com o Paulinho sobre a reforma da CLT (Consolidação das Leis do Trabalho)", acrescenta Ildeu. Paulinho, o depois poderoso presidente da Força Sindical, era presidente do Sindicato dos Metalúrgicos do estado de São Paulo na época.

Alencar não circunscreveu sua atuação à Fiemg. Foi também vice-presidente da CNI, então comandada pelo amigo Albano Franco, de Sergipe, ex-governador daquele estado, do qual já havia sido senador e deputado. Depois de percorrer Minas, Alencar passou a percorrer o Brasil.

Tanto por ocupar essas posições quanto pelo reconhecido traquejo para se expressar, Alencar era das figuras mais requisitadas por televisões, rádios e jornais. Opinava sobre questões econômicas, decisões do Ministério do Desenvolvimento, anúncios na área de comércio exterior.

Numa das entrevistas coletivas, no segundo turno da campanha eleitoral de 1989, um repórter informou que Fernando Collor acabara de dispensar o voto de empresários. E perguntou o que ele, Alencar, achava daquilo.

– Eu já não ia votar nele mesmo.

– Quer dizer que o senhor vota no Lula?

– E por que não?

Aquilo foi ao ar e causou rebuliço na área empresarial, principalmente na Fiemg, onde por certo beirava a unanimidade a rejeição ao migrante nordestino, metalúrgico, líder sindicalista e "de esquerda". O presidente da Siderúrgica Belgo Mineira, Hans Schlacher, chegou a escrever um artigo em jornal rechaçando a declaração de Alencar e deixando claro que não refletia a posição dos empresários mineiros.

Alencar afirmou em público e cumpriu na intimidade da cabine indevassável. Votou no candidato do seu partido, Ulysses Guimarães (PMDB), no primeiro turno, mesmo sabendo da estrondosa derrota que se anunciava, e em Lula no segundo.

Ao optar por Lula, apesar de toda a onda nacional pró-Collor que arrastou o grande empresariado e os setores conservadores do país, Alencar cedeu, em parte, à pressão das filhas; Maria da Graça, sobretudo. Mas não foi só isso, claro.

"Toda a vida fui muito preocupado com comportamentos mais ostensivos. Penso que as pessoas têm de ter um mínimo de humildade. Como Miguel de Cervantes já dizia, a humildade é a mais importante de todas as virtudes", filosofa Alencar. Ele tinha ficado com péssima impressão do imperial Collor, já candidato favorito a presidente, numa solenidade no Salão Minas 2, no bairro Mangabeiras, em Belo Horizonte.

Alencar chegou atrasado, e o homenageado e os convidados já almoçavam. Foi cumprimentando os presentes, um levantava daqui, o outro dava um abraço dali, até que chegou à mesa onde estava Collor. O presidenciável não deu bola para ele. Comendo estava, comendo continuou.

Ao ser indagado se Collor ficou incomodado porque Alencar interrompeu o almoço, a resposta é curta e grossa: "É. E eu fiquei meio feito bobo ali."

Em 1992, quando Collor estava no terceiro ano do mandato e balançava no cargo, Albano Franco convocou reunião extraordinária da CNI no Rio de Janeiro. Alencar estava em Natal, tratando de assuntos ligados às suas empresas. Como Albano fazia questão que ele participasse, mandou um avião da CNI para buscá-lo em Natal e levá-lo diretamente ao Rio. Ali os empresários do país inteiro estavam cheios de cuidados, receosos de uma crise institucional grave.

Já ciente do clima que encontraria, e temeroso de que a reunião se transformasse em movimento de apoio à "governabilidade" – eufemismo para dar sustentação a Collor –, Alencar aproveitou que estava sozinho na longa viagem de avião para redigir uma nota em que propunha o oposto.

Em resumo, enfatizava que a situação estava incontrolável, as acusações contra Collor eram muito graves e o desfecho tinha de ser estritamente legal e constitucional. Equivalia a apoiar o *impeachment* do presidente e a automática posse do vice, Itamar Franco.

A ata daquela reunião da CNI no Rio, ocorrida às vésperas da votação do *impeachment* pelo Senado, registra na página 4:

"Do triste episódio, resta-nos o exemplo de que o país pode conviver no estado de Direito, havendo todo o processo de impeachment sido realizado

com a estrita observância da Constituição e das leis, com pleno exercício do direito de defesa do presidente acusado."

Na saída, Albano incumbiu Alencar de relatar a reunião aos jornalistas. Pouco depois das 20h, o "Jornal Nacional" da TV Globo exibia sua entrevista com sólida defesa da posse do vice Itamar, sem nenhum trauma para a democracia. E ele não falava por si. Manifestava posição oficial da Confederação Nacional da Indústria.

Eram o gosto e o faro político de Alencar em ação.

Em resumo: ele se opôs à ACMinas ao aderir à campanha das "Diretas Já" em 1984; apoiou Tancredo Neves no colégio eleitoral indireto de 1985; contrariou o empresariado mineiro ao optar por Lula contra Collor em 1989; foi a voz patronal que avalizou o *impeachment* de Collor e a posse de Itamar em 1992. Nada mau para quem defendera com tanto empenho o golpe de 1964.

Há controvérsias se Alencar fez tudo isso na Fiemg para entrar na política, ou se entrou na política porque fez tudo isso na Fiemg. César Vanucci não tem dúvida: "Ele foi para a política porque foi procurado pelos partidos, depois de uma gestão reconhecidamente revolucionária na principal entidade empresarial de Minas."

Para Ildeu, a resposta parece simples: "Alencar tem uma liderança natural. Nasceu líder. Acredita que pode servir ao Brasil. Ele, como empresário, não precisa da política. E, como político, não precisa das empresas."

Foi sua experiência como líder patronal, com carimbo de politicamente liberal, que possibilitou a José Alencar rodar o estado inteiro, tornando-se conhecido e admirado. Ela, portanto, foi decisiva na definição de sua candidatura ao governo de Minas em 1994 e na vitória para o Senado em 1998. E foi decisiva para que se tornasse vice-presidente da República no governo do líder dos trabalhadores, Luiz Inácio Lula da Silva.

Apesar do sucesso na Fiemg, Alencar não conseguiu fazer o sucessor na presidência da entidade. Ele tentou eleger o presidente do Sindicato da Construção Pesada, Roberto Maluf, seu companheiro de "golos" no restaurante Cozinha Mineira e no Hotel Wembley. O eleito foi o esloveno de nascimento Stefan Bogdan Salej, oriundo da indústria eletrônica, com formação em Admistração de Empresas, pós-graduação em Ciência Política e especialização em Marketing Internacional.

Salej não gostava nem da ideia nem do resultado daquela gestão "revolucionária" do antecessor. Ao assumir, deu uma trava e uma meia-volta na interiorização e na vertente social. Seu lema era direto: o foco e a prioridade de uma entidade como a Fiemg têm de ser a empresa e o empresário. Dos 21 funcionários que trabalharam na direção durante os dois mandatos de Alencar, não sobrou um.

O Palanqueiro

A principal referência de José Alencar na política é, como já se viu, Juscelino Kubitschek.

Por volta de 1970, em plena ditadura, ele e o presidente regional do PSD, Ozanan Coelho, fizeram uma recepção para Juscelino em Ubá. Eram dois carros. Um velho e antiquado na frente e um Ford 29, novinho e sem capota, logo atrás. A placa do primeiro dizia: "O Brasil era assim". A do segundo comparava: "E ficou assim".

"Coloquei o Juscelino de pé num Ford 29 aberto. Foi um sucesso!", conta Alencar, lembrando que, em seu discurso depois do almoço, desfiou um dos muitos "causos" mineiros que adorava contar.

O discurso e o "causo" começaram com uma provocação: "Todo mundo aqui sabe que Minas não tem mar por causa do presidente Juscelino!"

E contou aquela história – sempre presente no estoque de Alencar – de um cabo eleitoral do PSD, José Fernandes, o Fernandinho, que aproveitou a vitória de Juscelino para o governo do estado, em 1950, para aumentar a cerca de sua propriedade e invadir, pouco a pouco, a fronteira do Espírito Santo. Sonhava, assim, chegar um dia ao oceano Atlântico. Sempre que as autoridades do estado vizinho reclamavam, ele dizia que era ordem de Juscelino, governador de Minas. Ficava por isso mesmo. Até que um dia a coisa ficou fora de controle com o confronto entre os capangas de Fernandinho e policiais do Espírito Santo. Houve tiroteio, morreu gente.

Ou seja, a impetuosidade do cabo eleitoral se transformou em conflito de divisas e se alastrou como "problema diplomático" entre dois governadores.

Juscelino resolveu à Juscelino. Chamou Fernandinho, enrolou, perguntou como iam as coisas, comentou como o dia estava quente, até mandar, com jeito, que ele recuasse a cerca até os limites da escritura e acabasse com aquele transtorno. Fernandinho ficou frustrado:

– Mas logo agora que a gente tá varando no lagoão?! (Ou, em livre tradução: chegando ao Atlântico.)

Juscelino sacou então uma contraproposta:

– Olha, Fernandinho, quando eu virar presidente, vou mandar você para os Estados Unidos.

A criatura ficou em êxtase:

– Para os *States*?

Era uma proposta irrecusável, e quando lhe cobraram que Fernandinho não ligava duas palavras nem em português, quanto mais em inglês, JK retrucou:

– E daí? Quem vai perceber isso lá em Washington?

Resultado: quando JK foi eleito, em 1955, Fernandinho foi bater à porta dele cobrando o cumprimento da promessa. JK – no "causo" repetido pela enésima vez por Alencar – não se aperreou. Mandou Fernandinho direto do mato para ser adido comercial brasileiro na superpotência.

Quando Alencar acabou de contar a história, com a plateia se deliciando, Juscelino pegou o microfone e concluiu:

– E ele foi o melhor adido comercial que o Brasil já teve. O único problema é que vivia tentando anexar os Estados Unidos ao Brasil!

Era ou não coisa de craque? Ou melhor, de craques?

Quase um quarto de século depois do encontro com Juscelino, quando já tinha criado um império empresarial, dirigido associações, sindicatos, câmaras comerciais e presidido a poderosa Fiemg, Alencar decidiu que estava na hora do pulo do gato.

Em 1993, perto de completar 62 anos, o empresário e líder patronal José Alencar Gomes da Silva filiou-se ao PMDB. O sonho que o movia, Alencar não confessa, mas a família bem sabe: ser um dia presidente do Brasil.

Josué já estava formado, casado e atuando a todo vapor como principal executivo do grupo Coteminas, pronto para assumir o cargo de superintendente geral do grupo em 1996. Alencar finalmente se sentia liberado para seguir em frente na política, e foi assim que acabou cedendo aos apelos de Joaquim de Melo Freire, um bom companheiro de almoços, jantares e "golos".

Melo Freire, oito mandatos consecutivos, quatro deles como deputado federal, era presidente do PMDB de Minas havia mais de 10 anos e estava incomodado com a estagnação do partido, nas mãos de Newton Cardoso, o Newtão. Freire queria sangue novo, ideias novas, um sacolejo nos quadros, na imagem e nas práticas. É ele quem narra:

"Alencar teve uma atuação muito boa na presidência da Fiemg, um órgão empresarial com bastante dinheiro. Ele começou a aplicar grande parte desse dinheiro nos municípios, criando os CATs, que eram os Centros de Aprendizado do Trabalhador e traziam uma série de vantagens para as cidades e para as famílias. Foi ficando muito conhecido e muito respeitado em todo o estado.

"Comecei a ter contato com ele nessa fase. Passamos a conversar muito, e eu percebi que, além de empresário vitorioso no setor têxtil, um dos maiores do Brasil, e líder empresarial arrojado, que estava revolucionando a Fiemg, ele tinha também muita sensibilidade política."

Melo Freire se revelaria decisivo para a entrada do grande empresário naquele mundo de campanhas, eleições e mandatos.

Alencar custou a se decidir. Sempre arranjava um jeito de "enrolar" Melo Freire e deixar a filiação para depois. Seu primeiro aceno favorável à política aconteceu em almoço no Wembley, entre um e outro "golo". Assim como quem não quer nada, Alencar comentou:

– Eu não penso mesmo em entrar para a política, mas, se um dia mudar de ideia, sou muito simpático ao PMDB.

A decisão foi amadurecendo em almoços e jantares no próprio Wembley, no restaurante da Coteminas e no apartamento de Melo Freire. Ali, a mulher do amigo, Maria Helena, de origem árabe, cativava Alencar não apenas com seus quibes, mas também com linguiças fritas consideradas imbatíveis. Nem Orestes Quércia, que se preparava para disputar a presidência pelo PMDB em 1994, resistia.

Até que Alencar se rendeu aos apelos do amigo e à velha vontade, quase oculta, de participar da vida partidária e subir nos palanques. A maioria da família achou uma loucura. Mas quem iria segurar a fera? E todos acabaram mergulhando de cabeça, e até com muito prazer, na nova empreitada.

Melo Freire deixaria a presidência do partido com o deputado Armando Costa. Alencar, neófito, recém-chegado, assumiria a vice-presidência. Ao lado de Melo Freire e Costa, organizou os diretórios e conheceu as lideranças do interior. Trocava ideias sobre o futuro, surfando no invejável *know how* adquirido nas viagens em que distribuía pelo interior do estado os "sacos de bondade" de Sesi e Senai.

"Começamos a trabalhar todo sábado, todo domingo. A gente fazia quatro cidades de carro, uma no sábado de manhã, outra de tarde; depois uma no domingo de manhã, outra de tarde", conta Alencar, lembrando da sua entrada para valer no PMDB e na vida itinerante partidária.

Uma das primeiras viagens – que eles faziam no automóvel Monza de Alencar – foi a Sete Lagoas, a 70km de Belo Horizonte, grande polo industrial de Minas e 11º maior eleitorado do estado. Estavam ali todos os nomes de peso do PMDB no estado: o ex-governador Newton Cardoso, os senadores Ronan Tito e Alfredo Campos, o deputado federal Tarcísio Delgado e o próprio presidente, Armando Costa. Afora Costa, todos os demais eram candidatos potenciais ao governo.

Alencar era ainda peixe fora d'água naquele ambiente, mas não na região, nem em Sete Lagoas, que frequentou muito na condição de presidente da Fiemg – uma posição tão ou mais importante do que cargo político.

A surpresa foi grande quando Armando Costa abriu a palavra ao primeiro orador, um médico e vereador apelidado de Balu, e ele não fez nenhum meandro para anunciar em alto e bom som:

– Nós queremos que o candidato a governador seja o Zé Alencar, que foi presidente da Fiemg, fez um trabalho bonito no Sesi, no Senai e vai ser um ótimo governador.

No almoço, todo mundo já olhava de banda para esse novo concorrente interno. E aquilo seria apenas o começo. A próxima cidade era Abaeté, bem diferente e menor do que Sete Lagoas, 23 mil habitantes, próxima à barragem de Três Marias. Lá pelas tantas, um vereador de cidade próxima, Itamar Brasinha, empunha o microfone e grita, sem nada combinado:

– O nosso candidato é o Zé Alencar!

Dali, o ex-governador Newton Cardoso foi para a fazenda dele e Alencar seguiu com os demais para dormir em Diamantina, terra de JK. O prefeito Iraval Pires era do PMDB e abriu a reunião lançando novamente o nome de Alencar para o governo.

"Terceira reunião, terceiro lançamento. Aí, o pessoal já ficou ouriçado", conta Alencar.

Na quarta cidade, Curvelo, o ritual se repetiu. O deputado estadual Dalton Canabrava, amigo do deputado Tarcísio Delgado, então candidatíssimo, seguiu na mesma linha. Na hora de falar, colocou a mão no ombro de Delgado, falou, falou, mas, ao concluir, deixou claro que o nome preferido para o governo era outro: José Alencar.

Newton Cardoso percebeu para onde os ventos sopravam e articulou a reação, fechando os roteiros das viagens com mais cautela e com aliados mais fiéis a ele no partido.

Não adiantou, porque Alencar continuou a viajar pelo estado de cabo a rabo, colhendo apoios.

"Fui crescendo, crescendo e, diante disso, comuniquei ao Newton que seria candidato ao governo", conta ele. Naquele momento, Alencar queimava etapas, pois jamais tinha sido candidato a vereador, deputado estadual, deputado federal, senador ou prefeito.

A lista de pré-candidatos à convenção do PMDB afunilou para três nomes: além dele, Newton Cardoso e Tarcísio Delgado, dois políticos tradicionais, com muita cancha e inegável liderança no PMDB. Mas Alencar estava acostumado desde muito cedo a enfrentar adversidades e adversários poderosos.

Duas semanas antes da convenção, Newton percebeu que perderia. Tratou então de isolar Alencar com uma declaração de apoio a Tarcísio. Eram dois contra um. E pior: dois experientes contra um inexperiente. Dos 14 deputados federais do partido no estado, 13 ficaram com a dupla Newton-Tarcísio. O único que optou por Alencar foi Aloísio Vasconcelos.

Mas o neófito Alencar, mais do que ter o senador Alfredo Campos como vice, tinha o principal: as bases. E ganhou a convenção, contra todas as apostas. "Foi uma convenção muito renhida, mas eu ganhei. E ganhei bem demais, com 51 votos de vantagem", conta o azarão. Para um iniciante, um feito de bom tamanho, com enorme repercussão em Minas.

Alencar relembra, porém, o ceticismo com que foi tratado pela imprensa mineira: "Não pode, ele não é conhecido, não é político, não tem chance nenhuma." E a imprensa estava certa. O partido rachou e a campanha foi uma bagunça. O material sumia, o pessoal fazia corpo mole; tudo errado.

Uma indagação permanente rondava a aventura de Alencar: por que um homem tão rico, que nunca havia disputado nada e já passava dos 60 anos tinha resolvido entrar para a política?

Numa entrevista gravada em Ituiutaba, Triângulo Mineiro, a 683 km de Belo Horizonte, o já candidato Alencar explicou o porquê da guinada: "*Militei 43 anos na empresa, sou um homem realizado na vida empresarial e acho que o nosso país precisa de todos nós. Entrei na vida política para dar minha contribuição.*"

E tome de críticas ao analfabetismo, à falta de saneamento, ao déficit de moradias. O discurso embicava então para educação, tecnologia e pesquisa científica. Alertava para a "*concentração (de pessoas e de investimentos) nas grandes metrópoles*", coerente com as suas origens de menino criado em pequenos municípios e de pequeno comerciante da Zona da Mata. E pregava: "*A maior potencialidade está no interior, onde até a qualidade de vida é muito superior à das capitais.*"

Defendia estímulos e incentivos a empresas e regiões, mas com ressalvas: "*Não indistintamente. É preciso detectar a vocação natural de cada região para aquela indústria específica. Aí, sim, estímulo e incentivo, inclusive creditício.*" E combatia os impostos: "*Não adianta aumentar a alíquota dos impostos, mas sim crescer a base (de contribuintes), com desenvolvimento.*"

Fazia questão de se diferenciar na selva empresarial brasileira: "*Nunca atrasei um dia de imposto, nem federal, nem estadual, nem municipal. Nunca vendi para o Estado, nunca participei de cartel nem de oligopólio. Minhas empresas são administradas profissionalmente.*"

E prosseguia: "*Não tenho índice de rejeição e não vou transigir com questões de princípio. Àquele delegado que vende voto, eu peço que não venha me procurar, porque não estou comprando voto. Ou ganho a eleição limpamente, ou volto para casa inteiro, como cheguei. Não abro mão da ética e da moral.*"

Ainda quanto à ética, denunciava "*os desvios, a corrupção, o superfaturamento das obras públicas*". Quando necessário, elevava o tom: "*Até recurso da filantropia está sendo desviado no Brasil! Nosso país é rico, mas é preciso merecê-lo! As administrações têm sido infelizes, irresponsáveis."*

Citava Ulysses Guimarães e bradava em tom de palanque: "*Vamos expurgar os maus! O Brasil não precisa dos maus, precisa dos bons. Os maus, que sejam alijados.*"

E seguiam-se referências a Abraham Lincoln, Peter Brook, Alvin Toffler, Hélio Jaguaribe e, em grande estilo, a Guimarães Rosa: "*Minas são muitas!*"

Alencar fechou aquela entrevista com uma espécie de grito de guerra eleitoral: "*Vou entregar minha terceira idade à política. Deixar como está não é comigo!*"

Mas ganhar a convenção do PMDB foi uma coisa, disputar a eleição foi outra, bem diferente. O PMDB contava com a fortuna de Alencar para angariar votos. Alencar contava com a estrutura e a ramificação do partido para vencer. O PMDB acertou só em parte, porque ele despejou seu dinheiro na campanha do partido, mas não na candidatura de um ou de outro especificamente. E ele errou, porque o partido praticamente o abandonou à própria sorte.

Na prática, Alencar não financiou ninguém diretamente e teve de bancar a própria campanha. Contava mesmo era com dois "comitês" improvisados: a sede da Coteminas, onde Mariza, filhos, irmãos e sobrinhos eram os grandes cabos eleitorais e os maiores quebra-galhos; e o Hotel Wembley, onde políticos, amigos, funcionários e companheiros da Fiemg iam dar força. O PMDB, que é bom, necas.

"O partido boicotou a candidatura dele", conta Joaquim de Melo Freire. "Eles achavam que, por ser um grande empresário, ia financiar a campanha de todo mundo. Muitos estavam pensando no dinheiro dele", conclui.

Alencar admite que os candidatos queriam tirar uma casquinha: "Pedindo dinheiro, pedindo material, pedindo camiseta, pedindo combustível, pedindo tudo. Então, o que era possível a gente dava.

O que não era, não dava. Mas não brigava com ninguém, não xingava a mãe de ninguém."

Indagado sobre o comportamento de Newton Cardoso, admite sem meias palavras: "O Newton só atrapalhou." E Tarcísio Delgado? "Ele foi candidato ao Senado e estava no meu palanque, mas demorou um mês, um mês e meio para conversar comigo depois da convenção."

Alencar ganhou bonito na convenção do partido, mas perdeu feio nas urnas de 1994. Aliás, perdeu duplamente: ele próprio foi derrotado nas eleições para o governo de Minas e seu candidato a presidente, Orestes Quércia, passou vexame nas eleições nacionais.

Por lealdade ao PMDB, dividiu o palanque com Quércia, que ficou em quarto lugar na eleição presidencial, com 4,4% dos votos, atrás do "cacareco" Enéas Carneiro (aquele do "Meu nome é Enéas!"), que teve 7,4% e ficou em terceiro, e de Lula, que ficou com 27%, em segundo.

Quem ganhou foi Fernando Henrique Cardoso, do PSDB, que tinha sido ministro da Fazenda do governo de transição de Itamar Franco e, nessa condição, o comandante do bem-sucedido Plano Real, de estabilização da economia. Embalado pelo Real, FHC teve 54,3% dos votos e venceu já no primeiro turno.

Em Minas, no primeiro turno, Hélio Costa (PP) angariou 2.893.594 votos, 48,3% dos votos válidos. Eduardo Azeredo (PSDB) ficou em segundo lugar, com 1.629.711 (27,2%). Alencar (PMDB) chegou em terceiro, com 641.887 (10,7%).

A força do Real e a vertiginosa candidatura de FHC puxaram a eleição em todo o país. Não foi diferente em Minas. No segundo turno, disputado entre Costa e Azeredo, a situação se inverteu: Azeredo venceu com 58,6% contra 41,3% de Hélio Costa.

Já fora da disputa, Alencar apoiou Azeredo e o que se verificou foi uma transferência direta de votos de um para outro, de forma a ressaltar a importância do então peemedebista para a vitória tucana.

Alencar tirou lições da estreia eleitoral e da derrota: "Aprendi que deveria voltar para casa e cuidar da minha obrigação. E fui fazer fábrica. Se você chegar a Campina Grande (PB), vai falar assim: 'Poxa! Graças àquela derrota do Alencar, Campina Grande tem as fábricas mais belas, mais modernas e maiores do mundo no ramo de fiação e tecelagem!"

A explicação é ainda reflexo da dor de cotovelo. Na realidade, Alencar já tinha sido picado pela mosca azul da política, estava gostando da história de ser vice-presidente do maior partido do país em Minas e sentiu falta do gostinho dos palanques. Não abandonaria aquela vida tão facilmente.

Às vésperas do Natal de 1997, operado pela primeira vez de câncer, perdeu o rim direito e três quartos do estômago. Ficou "muito magro, branco como mármore". Mas já chegou a 1998 sonhando com a campanha daquele ano.

O nome natural ao governo do estado pelo partido era o do ex-presidente da República Itamar Franco, e o candidato já certo ao Senado pela coligação era o ex-governador Hélio Garcia, do PTB.

Garcia logo anunciou que se lançaria como "suprapartidário", sem oferecer apoio a nenhum dos concorrentes ao governo. Nem mesmo a Itamar, cuja campanha ficaria muito enfraquecida sem dobradinha com candidato majoritário para puxar votos. Na undécima hora, já no dia do prazo final de inscrição da chapa, ele teve um daqueles chiliques bem conhecidos na classe política e ameaçou renunciar à candidatura:

– Sem um candidato ao Senado, eu não disputo! – bradava Itamar para desespero da cúpula do partido.

O então senador Arlindo Porto sacou uma saída de emergência: convidou Alencar a registrar de qualquer jeito sua candidatura ao Senado para fechar a chapa e ver o que fazer ao longo da campanha. Em outras palavras, o PMDB pedia a Alencar que esquentasse a cadeira enquanto articulava solução melhor.

Independentemente do acordo e da candidatura meio provisória, meio para valer, Alencar passou a carregar Itamar no seu próprio avião, um Citation Bravo. A cada cidade, Alencar se surpreendia com uma coisa esquisita: o material de campanha (faixas, cartazes e "santinhos") só tinha o nome de Itamar. Nenhuma referência ao dele. Era como se todos estivessem à espera de Hélio Garcia.

Mais uma vez, pesaram o trabalho e as viagens de Alencar como presidente da Fiemg. Repetindo o que ocorrera em 1994, as bases atropelaram as lideranças. Na versão do próprio Alencar, alguém sempre se encarregava de lançar seu nome nos palanques.

Já na primeira cidade visitada, Patos de Minas, terra de Arlindo Porto, o nome de Alencar era um grande ausente do material da campanha. Ainda assim, a filha adolescente de um cabo eleitoral do PMDB, destacada para o discurso, tascou: "O nosso candidato ao Senado é o José Alencar!" Ela se chamava Talita e tinha 12 anos.

Ao mesmo tempo, chegavam à sede do partido, aos gabinetes dos líderes e aos comitês de campanha telefonemas, telegramas, cartas e variadas manifestações. Alencar era conclamado a assumir a candidatura de fato, não só de mentirinha.

"Eu perdi muito tempo, demorei a firmar a candidatura. Só depois foi que entrei com tudo e passei a trabalhar firme", conta.

Seu slogan de campanha, popularizado no horário eleitoral gratuito, era: *"O 15 de Zé Alencar é o 15 de Itamar. É com o 15 que eu vou!"*

Quem definia o *slogan*, os *jingles* e as peças de campanha era Daniel Freitas, filho de Célia, que era publicitário, dono da agência de propaganda DNA e considerado o sobrinho predileto de Alencar. Morreu de câncer no cérebro pouco antes da vitória de Lula e do tio e companheiro de farras e "golos".

Quando adoeceu, Daniel já tinha vendido a DNA para o também publicitário mineiro Marcos Valério, que se tornaria pivô do maior escândalo do governo Lula, o "mensalão". Mais adiante, descobriu-

-se que Valério e a DNA estavam também por trás de histórias mal contadas da campanha de Eduardo Azeredo ao governo de Minas, no que veio a ser apelidado de "mensalão tucano".

Um dos que ajudavam a imprimir a preço de custo os cartazes e os milhões de "santinhos" bolados por Daniel para as campanhas de Alencar ao governo de Minas e ao Senado era Ildeu da Silveira e Silva.

Novamente, como quatro anos antes, Alencar voltou a explicar na disputa ao Senado o porquê, já tendo colecionado tantas vitórias e tanto dinheiro na vida, de insistir em entrar para a política partidária.

Num dos programas da propaganda de TV e rádio, ele falava, como quem conversa com o telespectador: "*Muitos me perguntam: 'Por que você é candidato a senador?' De fato, sou um homem muito realizado como empresário, mas, como brasileiro, confesso que não estou satisfeito.*"

Citou o sucesso de suas empresas, com milhares de empregados, e enfatizou: "*E nunca tivemos uma só greve!*" Defendeu, então, crescimento e emprego, além de "*patriotismo, seriedade, trabalho, solidariedade e amor ao país*".

Os 81 senadores, três por estado, mais três pelo Distrito Federal, são eleitos para oito anos de mandato, mas há renovação da Casa de quatro em quatro anos, alternando-se 1/3 de cadeiras de uma vez e 2/3 na outra. Numa eleição, elegem-se dois senadores por unidade da Federação. Na seguinte, apenas um. Naquele ano, havia uma única vaga. Uma disputa acirradíssima.

Hélio Garcia se manteve independente do início ao fim da campanha, sem declarar apoio a Itamar. Começou como favorito, mas foi perdendo terreno.

"Ele estava muito na nossa frente, mas nós fomos crescendo, crescendo, crescendo", conta Alencar, repetindo as mesmas palavras para descrever seu desempenho até ganhar a convenção do PMDB quatro anos antes.

Na disputa pelo Senado, ele saiu de 2% nas pesquisas no início do processo eleitoral e foi ultrapassando todos os oponentes, um por um, inclusive nomes bem conhecidos e consolidados no estado, como o próprio Garcia, o ex-senador Murilo Badaró (PPB) e um candidato muito votado para vereador em Belo Horizonte, Newton Mahmed (PRN).

Uns 15 dias antes da eleição, o jornalista mineiro Adriano Silva, principal assessor de Alencar, entra esbaforido no gabinete, todo alegre, para dar uma grande notícia:

– O Hélio Garcia desistiu! O Hélio Garcia desistiu!

Adriano levou uma bronca do chefe candidato. Alencar se deliciava naquele momento com uma pesquisa do Instituto Vox Populi que o flagrava em primeiro lugar. Alencar registrava 23% de intenções de votos em trajetória ascendente, e Hélio Garcia, 21,5%, em linha descendente. E, lembre-se, era uma vaga só!

Por isso Garcia jogou a toalha. E não se limitou a isso. Simultaneamente, declarou apoio à terceira colocada, Júnia Marise, do PDT, uma das duas primeiras mulheres eleitas senadoras pelo voto direto no Brasil (a outra foi Marluce Pinto, de Roraima) e que concorria à reeleição.

Daí a bronca em Adriano: não havia motivo para comemorações. O melhor cenário para Alencar era disputar e vencer Garcia, não enfrentar a união dos dois adversários.

Mas a aliança de Garcia e Júnia não deu em nada. José Alencar Gomes da Silva venceu a eleição com um total de 2.902.158 votos, 48,1% do total. Conquistou a única vaga de Minas e se tornou um ilustre senador da República. Júnia Marise, com 2.493.240 votos (41,4%), não voltou.

Naquela eleição, foi a primeira vez que presidentes, governadores e prefeitos puderam disputar a reeleição a seus respectivos cargos por conta da emenda constitucional aprovada pelo Senado em 4 de junho de 1997. O objetivo claro e direto fora permitir a manutenção de Fernando Henrique Cardoso no Palácio do Planalto por mais quatro anos.

Eduardo Azeredo (PSDB) candidatou-se à reeleição em Minas, mas perdeu para Itamar Franco (PMDB). Por uma questão partidária, Alencar apoiou e ajudou muitíssimo a candidatura de Itamar, apesar de ter apoiado o tucano no segundo turno de 1994 e de ser amigo do pai dele, Renato Azeredo.

Renato Azeredo foi um conhecido político mineiro, leal aliado de Ulysses Guimarães na Câmara dos Deputados e na melhor fase do PMDB. Quando jovens, os casais Gomes da Silva e Azeredo frequentavam o Automóvel Clube de Belo Horizonte, dividiam mesas, eram carinhosos com os filhos uns dos outros. Eduardo era um rapaz. Mas, sabe como é, amizade, amizade, política e negócios à parte...

Ao contrário de Eduardo Azeredo em Minas, o presidente Fernando Henrique foi reeleito com folga, vencendo em primeiro turno, com 53% dos votos, em 4 de outubro de 1998. Lula ficou em segundo lugar. Foi sua terceira derrota consecutiva para a Presidência.

Alencar votou em FHC?

"Não, eu nunca votei no presidente Fernando Henrique, ainda que tenha por ele o maior respeito."

Então, em quem votou?

"Não me lembro..."

Numa outra longa entrevista para este livro, Alencar ofereceu versão diferente. Disse que, em 1998, na disputa entre Fernando Henrique Cardoso e Luiz Inácio Lula da Silva, ele optou por Lula.

Por quê?

"Porque já tinha votado nele em 1989, no segundo turno", respondeu. "Sabe qual a tese que eu defendia para o meu pessoal, para os empresários das entidades onde eu atuava? A tese de que o Lula era uma liderança sindical representativa dos trabalhadores e que nós éramos lideranças sindicais também, com verba paraestatal, só que da classe empregadora. Então, não posso concordar, de forma nenhuma, que os empregadores tenham ojeriza dos seus empregados e que os empregados tenham ojeriza de seus empregadores", explica.

"Penso que, na empresa, o empregado se realiza com o sucesso dela. Ele fica orgulhoso em ver que a instituição onde trabalha vai bem. Ele é nosso aliado, não é nosso adversário", dizia, revendo a teoria da "luta de classes".

Tudo isso para concluir, como repetiria a seus pares durante toda a campanha de 2002 e pelo resto da vida: "Assim, o Lula é meu aliado, um aliado que é líder sindical e representante dos trabalhadores, enquanto eu sou um líder sindical e representante dos empregadores."

Há controvérsias sobre a versão e sobre esse tal voto em Lula em 1998, que ora Alencar admite, ora não admite. Como o voto é secreto e a cabine, dita indevassável, não se sabe qual das versões é a correta.

Apesar disso, Alencar e Fernando Henrique sempre manifestaram simpatia e apreço mútuos. Quando presidente, FHC chegou a convidar Alencar para ministro. Ofereceu o Ministério do Desenvolvimento, responsável pelo setor produtivo. Alencar não aceitou.

Já fora da Presidência, Fernando Henrique foi mais de uma vez ao Hospital Sírio-Libanês para visitar Alencar, com quem batia longos e animados papos. Numa das visitas, no primeiro semestre de 2010, FHC se preparava para deixar o quarto quando ouviu de Alencar:

– Olha, presidente, quero que o senhor saiba que estou não apenas muito agradecido como muito honrado pela sua visita.

Lá da porta, Fernando Henrique devolveu:

– Eu gosto muito do senhor.

Fernando Henrique tomou posse para o segundo mandato em 1º de janeiro de 1999. Alencar assumiu a cadeira de senador no dia dois do mês seguinte para a 51ª Legislatura do Senado. Tinha 67 anos.

Quando foi se apresentar ao presidente da Casa, o senador baiano Antonio Carlos Magalhães, do PFL (depois rebatizado de DEM), um dos personagens mais influentes da República, a questão abordada foi burocrática: escolha do gabinete.

– Eu quero ficar no mesmo gabinete da senadora Júnia Marise – pediu Alencar.

Era trocar uma mineira por um mineiro, o que tornava tudo mais fácil. O gabinete, apesar de simples, tinha uma boa localização. Ficava perto do plenário, entre os gabinetes de duas senadoras, a alagoana Heloísa Helena, então filiada ao PT, e a gaúcha Emília Fernandes, que migrara do PDT para o PT .

Depois de escolher o gabinete, Alencar foi se apresentar ao presidente nacional do PMDB, senador Jader Barbalho, para definir de que comissões temáticas iria participar. Quando Jader perguntou sobre preferências, ele não titubeou:

– A Comissão de Assuntos Econômicos e a Comissão de Assuntos Sociais.

Participou das duas.

"Sempre tive o social como fim e o econômico como meio. Você quer uma economia próspera, forte, independente para quê? Para que se alcancem os objetivos sociais, que culminam no bem comum."

Na festa de diplomação, havia cinco lugares no plenário para cada senador eleito. Josué abriu mão de sua vaga para tia Dorinha, que se tratava de um câncer já avançado e era tida como paciente terminal. Foram Alencar, Mariza, Maria da Graça, Patrícia e Dorinha. Um momento inesquecível, até porque Alencar estava estourando de alegria.

O Senador Alencar

Alencar e Mariza ficaram instalados em dois apartamentos conjugados do Hotel Nacional. Eram custeados em parte com o auxílio-moradia do Senado, de R$ 3.000 por mês. Além disso, Alencar fazia jus a uma remuneração de R$ 8.000 por 13 meses. Nas contas do Congresso, os meses podiam chegar a 19, contando-se as convocações extraordinárias.

Senadores têm, ainda, direito a três secretários parlamentares, três assessores técnicos, carro com motorista e gasolina, ligações telefônicas ilimitadas e quatro passagens aéreas por mês para seus estados.

O casal passou a realizar incursões pela vida de Brasília. Alencar gostava especialmente do restaurante Francisco, na Academia de Tênis, que serve um ótimo bacalhau e boas carnes, e do Piantella, que prima pelas massas. Seu proprietário é um mineiro muito popular na cidade, Marco Aurélio Costa. Ali foi o principal reduto do PMDB e do deputado Ulysses Guimarães na resistência democrática.

Mais do que desbravar a capital, Alencar gostava de ser senador.

"Tenho muita saudade do Senado. Cada estado tem três senadores, e todos eles têm o mesmo peso, o mesmo poder. Então, há uma igualdade de poder e, ao mesmo tempo, uma heterogeneidade muito grande nas representações. Isso tudo é muito bom."

Alencar fez bons amigos no Senado. Cita, apesar do medo de esquecer alguém: Jefferson Peres (PDT-AM), Saturnino Braga (PT--RJ), Roberto Requião (PMDB-PR), Pedro Simon (PMDB-RS), Tião Viana (PT-AC), Marina Silva (PT-AC, à época) e Heloísa Helena (PT-AL, à época). Heloísa foi candidata a presidente pelo PSOL em 2006, e Marina, pelo PV, em 2010. Ambas foram derrotadas no primeiro turno.

"Os amigos mesmo eram esses, o pessoal mais à esquerda, porque somos mais à esquerda...", afirma, com convicção.

Todo dia, Alencar passava por trás do gabinete da arretada Heloísa Helena, batia no vidro e brincava:

– Ei, vizinha, você tem aí um pó de café ou um punhado de açúcar pra me emprestar?

Em que pese a vizinhança, quando Lula pinçou o rico empresário para compor sua chapa, Heloísa Helena foi dos petistas que mais resistiram. A ponto de se esgoelar contra a escolha até chorar copiosamente na convenção de 2002:

– Não foi pra isso que eu lutei tanto no PT!

Alencar diz que não guarda mágoa, finge que nem sabe, deixa pra lá e até dedica bons adjetivos para a senadora alagoana: "Minha relação com a Heloísa é muito boa. Ela não tem nada de boba, é inteligente, inteligentíssima."

Ao assumir a vaga no Congresso Nacional, Alencar não era nenhuma criança. Tinha pressa de aprender, de assumir papéis importantes, de ascender rapidamente na carreira política. A relação com o PMDB, porém, foi se deteriorando. Logo no primeiro ano de mandato, em 1999, o partido estava rachado entre apoiar ou não o segundo mandato de Fernando Henrique. O vice de FHC era o ex-senador Marco Maciel, de Pernambuco, então do PFL (atual DEM).

Um dos principais articuladores contra a aliança formal com FHC era o deputado cearense Paes de Andrade, que ficou conhecido como "Mombaça", por ter extrapolado ao assumir a Presidência da República em interinidade fugaz. Ele teve destacada atuação na resistência parlamentar à ditadura, angariara reconhecimento e acabou eleito presidente da Câmara – era, portanto, o terceiro na linha sucessória. Um belo dia, o presidente foi para o exterior, o vice também viajou e Paes de Andrade assumiu interinamente. Para comemorar, encheu o Boeing presidencial de amigos e correligionários e foi fazer uma festinha em Mombaça, sua cidade natal. Daí o apelido, do qual jamais se livraria.

Já nos primeiros meses do segundo mandato de FHC, Paes de Andrade passou a colher assinaturas no PMDB para a convocação de convenção nacional que votasse contra a aliança formal com o governo. Os esforços se concentravam nos estados onde os peemedebistas defendiam majoritariamente a mesma tese. Era o caso de Minas.

Itamar Franco tomara posse em 1º de janeiro no governo do estado de Minas Gerais e andava às turras com o partido. Dizia-se à época que ele boicotava os peemedebistas e colocava os amigos nos principais cargos. Alencar era um que não andava lá muito satisfeito. Para acalmar a turma, Itamar nomeou o então presidente do PMDB de Minas, Armando Costa, que era médico, para a Secretaria de Saúde. Costa foi obrigado a abandonar a função partidária, porque a lei não permitia acumular as duas coisas. Alencar, vice e senador – neste caso, não havia incompatibilidade –, foi parar na presidência do partido no estado.

Paes de Andrade havia alcançado seis assinaturas para convocar a convenção e impedir o acordo com FHC. Ficaram faltando duas, e ele contava com Minas e com seu próprio estado, o Ceará, onde o presidente era o deputado Eunício Oliveira, seu genro. E lá se foi para Belo Horizonte, atrás do apoio decisivo.

O governador Itamar Franco era favorável. A reunião aconteceu no próprio Palácio da Liberdade, sede do governo. Alencar, convidado sem saber do que se tratava, chegou, olhou em volta, achou tudo muito esquisito. Quando leu o texto que Paes apresentou, foi taxativo:

– Não assino.

Ainda houve uma tentativa de convencê-lo, uma derradeira argumentação, mas não adiantou. Ele não iria assinar e pronto. A reação dos demais, então, foi ainda mais esquisita, como se tudo já estivesse combinado de véspera.

O vice-governador, Newton Cardoso, também do PMDB, estava confortavelmente aboletado na cadeira e na mesa do governador. Pegou o telefone e ligou dali para Armando Costa, secretário de Saúde e ex-presidente do partido no estado. Foram apenas três palavras:

– Armando, pode vir.

Ele estava de férias com a família em Porto Seguro, Bahia. O avião de Newtão, já preparado e com piloto de prontidão, decolou de Belo Horizonte para buscar Armando Costa.

No dia seguinte, ele se exonerou da Secretaria de Saúde, reassumiu a presidência do PMDB e assinou o papelucho que Alencar recusara. Acabou de assinar e rebobinou o filme: deixou a presidência e reassumiu o cargo no Executivo.

"Tudo armado", conta Adriano Silva, assessor de Alencar que não apenas acompanhou boa parte disso como apurou os detalhes para o chefe. Alencar nunca mais voltou a assumir coisa nenhuma no PMDB de Minas e rompeu para sempre com Itamar Franco, que, no seu entendimento, "esqueceu" todos os compromissos assumidos com ele durante a campanha. Incluía-se aí uma lista de nomeações de aliados.

Recusando-se a dar sua versão para este livro, Itamar limitou-se a confirmar o rompimento com uma única frase, sem maiores comentários: "O Alencar não foi correto comigo."

Já Alencar foi duro com o ex-aliado: "O problema do Itamar não é que ele seja difícil, como todo mundo diz. O problema dele é que ele é um péssimo caráter. Não tem a mínima condição de ostentar essa posição que ele ostenta (de ético, correto, confiável)", afirmou, abrindo uma exceção ao falar abertamente contra alguém ao longo das dezenas de horas de depoimento para este livro, em que foi pródigo em elogios e econômico em críticas.

Sentindo-se ludibriado, alvo de uma armadilha, aproveitou para manifestar arrependimento por ter oferecido apoio e até emprestado seu avião para a campanha de Itamar ao governo de Minas: "Devia ter apoiado o Eduardo Azeredo, grande amigo meu de família."

Apesar do esforço de Paes de Andrade, de Itamar Franco e de Newton Cardoso, a tese do distanciamento do PMDB não vingou. O partido fechou acordo com o Planalto e manteve polpudos cargos federais no governo FHC. Como voltou a fazer nos governos seguintes, de Lula. Mas com uma diferença: se antes estava rachado, com Lula uniu-se e foi inteiro apoiar o governo e dividir as vagas. As dissidências foram esparsas.

Depois de romper com o PMDB de Minas, Alencar também se afastou de vez do PMDB nacional. Aconteceu quando, um ano e meio depois de levar a rasteira dos correligionários mineiros, tentou dar um passo maior do que as pernas: concorrer, ainda no início do primeiro mandato, à presidência do Senado, então disputada a tapas e xingamentos pelos grandes caciques.

Tanto ACM quanto Jader Barbalho presidiram o Senado até entrarem numa guerra de vida e morte política e caírem estrondosamente do cavalo em 2001.

ACM concluiu sua segunda presidência do Senado em fevereiro daquele ano e renunciou ao mandato de senador em maio, acusado de violação do voto secreto dos colegas na sessão que decidiu pela cassação de Luiz Estevão (DF), primeiro senador da República cassado por corrupção depois da redemocratização do país em 1985. Ele, Estevão, era acusado de envolvimento no desvio de verbas para a construção da nova sede do Tribunal Regional do Trabalho em São Paulo, no mesmo escândalo que levou à cadeia o juiz Nicolau dos Santos Neto – que ficou conhecido como "juiz Lalau".

Jader foi eleito para suceder ACM na presidência em 14 de fevereiro de 2001, mas renunciaria ao cargo em 19 de setembro e ao próprio mandato de senador em 5 de outubro. Tudo isso depois de uma avalanche de acusações, investigadas pela Polícia Federal e propagandeadas por ACM, de enriquecimento ilícito e desvios de verbas na Sudam (Superintendência do Desenvolvimento da Amazônia).

Diante do vácuo de poder, Alencar foi se informar como era o processo para eleger o sucessor de Jader. Ouviu que, pela tradição, o presidente era sempre do partido com maior bancada na Casa. O PMDB era o maior partido, e ele era do PMDB, logo... meio caminho andado. O problema estava no resto do caminho.

Os caciques foram dando corda, até porque política não é exatamente a arte de falar a verdade, mas a de falar o que o interlocutor quer ouvir. Alencar foi se animando, começou a fazer contas. Andava para cima e para baixo com uma listinha dos correligionários que votariam nele para a presidência. Lá pelas tantas, eram 11 dos 21 senadores peemedebistas – contando, claro, com seu próprio voto.

O articulador de sua candidatura era o velho senador Alberto Silva, do Piauí, que ligava de manhã, de tarde e de noite contabilizando novos apoios para Alencar. Cheio de animação, só dava boas notícias.

"Saí candidato porque eles diziam que o PMDB era o maior partido e que eu tinha de me apresentar para ser presidente do Senado. Era só ser aprovado no PMDB e a eleição estava garantida, pronto. Eu sou de muito boa-fé. Acreditei naquilo tudo", conta.

Foi um tombo e tanto.

O governo FHC não queria amadores no comando das duas Casas do Congresso em meio a uma crise que derrubara raposas como ACM e Jader Barbalho. Era preciso sacar um candidato e elegê-lo.

E ele não seria um empresário boa-praça mas inexperiente e sem maldade do interior de Minas.

Como os nomes elegíveis no PMDB eram poucos (o que se tornaria dramático nos anos seguintes), FHC buscou de volta o senador Ramez Tebet, ex-governador de Mato Grosso do Sul nomeado três meses antes ministro da Integração Nacional. Ministro qualquer um podia e pode ser, presidente do Senado é uma pedreira encontrar.

Alencar estava todo prosa com suas promessas de voto na bancada peemedebista até que, na última hora, houve uma multiplicação de pré-candidaturas. Eram ele, o maranhense José Sarney e o gaúcho José Fogaça, além do matogrossense do sul Ramez Tebet.

Quem conhecia um mínimo de Senado sabia que era tudo um jogo de cartas marcadas. No final, ganharia o candidato do Planalto. Alencar não sabia nada, engatinhava naqueles salões, corredores e gabinetes que cheiravam a conspiração. Não entendeu patavina e entrou de gaiato.

Sarney e Fogaça retiraram o nome ao saber que o escolhido era outro. Alencar foi alegre e saltitante bater chapa com Ramez Tebet, levando com ele a ilusão de que tinha 11 votos. Resultado final: 20 a 1. Como assim?! Isso mesmo: Alencar teve um único voto – o dele mesmo.

E o de Alberto Silva, articulador do seu nome? Na última hora, sob orientação do Planalto, mudou de lado também. A partir de então, fingia que não via ao cruzar com Alencar pelos corredores. Tebet foi eleito presidente e ficou no cargo, sem brilho, até fevereiro de 2003. Morreu em 2006.

"Foi um rolo compressor, um negócio que não me agradou, até porque o Ramez Tebet estava licenciado, nem podia votar, quanto mais concorrer. Os presidentes ficam com essa obsessão da governabilidade, governabilidade, governabilidade. E isso é um problema", reclama, tentando inutilmente disfarçar a mágoa e um sentimento que detesta demonstrar: raiva.

E foi possivelmente com raiva, sentindo-se enganado pelos companheiros de PMDB, que tomou a decisão de deixar o partido no dia seguinte à derrota acachapante. Adeus, PMDB.

Alencar abandonou o PMDB mas permaneceu antenado, pronto a participar, aprender e ganhar voz entre todos aqueles caciques do Senado, que tinham sido deputados, prefeitos, governadores.

Toda essa disposição de participar e firmar uma voz se fez sentir num jantar que Fernando Bezerra, senador do PMDB do Rio Grande do Norte e ex-presidente da CNI, ofereceu para reunir o então presidente FHC com senadores.

Os grupos foram distribuídos em diversas mesas, e Alencar foi chamado para a principal, onde estava Fernando Henrique. Ali passou a criticar duramente a autorização para o Tesouro Nacional vender em bolsa ações ordinárias da Petrobras, com direito a voto. O Estado manteria o controle da empresa, mas venderia o que excedesse 50% de participação. Para Alencar, aquilo era o fim do mundo, caracterizava "uma doação".

– Se a Petrobras precisa de recursos, que vá ao mercado lançando ações preferenciais, sem direito a voto, sem prejuízo da participação no controle acionário!

Era um assunto muito técnico, e Fernando Henrique preferia conversar sobre política e amenidades. Disse que quem cuidava disso era o ministro Pedro Parente, que tinha sido secretário-executivo da Fazenda, depois titular do Planejamento e, enfim, chefe da Casa Civil.

– O Pedro vai procurá-lo, e o senhor explica tudo para ele – prometeu FHC.

No dia seguinte, Parente foi pessoalmente ao gabinete de Alencar no Senado ouvir suas ponderações. Valeu pelo gesto, pela deferência, mas não produziu resultado prático. Logo depois, o Senado aprovou exatamente a proposta que Alencar, mais do que questionar, condenava com veemência.

O próprio Alencar divagava sobre como os colegas, tanto senadores quanto empresários, deviam olhar para ele e para essas reações um tanto nacionalistas: "Acho que eles devem pensar assim: 'Eu não entendo o Zé Alencar, que é um empresário até bem-sucedido, mas de vez em quando dá uma de comunista, de socialista.'"

Alencar desiludiu-se com o PMDB e abandonou a ideia de presidir o Senado. Sua real inserção na história política do país ainda estava por acontecer.

O Câncer

Pouco antes do Natal de 1997, Mariza estava deitada na suíte do apartamento do casal em Belo Horizonte, vendo televisão e aguardando o resultado do *check-up* a que o marido se submetia naquele dia. Do lado esquerdo da cama, ficava o telefone dela. Do lado direito, o exclusivo dele. Os dois aparelhos tocaram quase ao mesmo tempo. As notícias não eram nada boas.

Mariza e Alencar estavam com tudo pronto para passar as festas natalinas em Natal, Rio Grande do Norte, cidade encantadora, com belas praias e dunas, que sedia fábricas da Coteminas. Os filhos tinham seus próprios programas, Mariza andava triste pela morte da mãe, dona Carmem, no ano anterior, e o casal não queria passar o Natal sozinho em casa. Preferira um lugar diferente e aprazível.

"Queria um pouco de paz, não queria lembranças tristes", relata Mariza, que saboreava a ideia de sair da rotina e respirar um pouco longe dos problemas.

O destino não quis. Ao atender o telefone da esquerda, Mariza ouviu a voz do marido:

– Temos de ir para São Paulo.

– O quê?! Nós não estamos indo para Natal?

Nisso, o outro telefone toca. Ela pede um minuto. Era a filha mais velha, Maria da Graça:

– Mamãe, estou com três nódulos no seio. Vou para São Paulo me internar no Einstein.

Mariza ficou meio zonza, confusa. Pediu para a filha esperar um pouco antes de tomar uma decisão. Ligaria de volta o mais rápido possível. Desligou e voltou a falar com Alencar. O marido, assim como faria nos 13 anos seguintes, foi direto ao assunto, sem subterfúgios:

– Tudo indica que estou com um tumor no rim.

Resultado: Alencar foi operado no Sírio-Libanês no dia 23 de dezembro, e Maria da Graça, no Albert Einstein, no dia 24. Um na antevéspera, outro na véspera do Natal. Mariza corria de um para outro. Na hora H, ficou com Alencar. Patrícia, filha do meio, fazia companhia à irmã. Ninguém teve Natal naquele ano de 1997.

Os nódulos no seio de Maria da Graça eram benignos. Alencar não teve a mesma sorte. Começou aí uma saga que durou muitos anos, sensibilizou todo o país e converteu Alencar num exemplo para milhões de pessoas com câncer ou que tenham filhos, mulheres, maridos, amores e amigos na mesma situação.

Alencar sofreu desesperadamente em particular. Demonstrou fé, força, confiança e até alegria em público. Para alguns dos mais reconhecidos médicos do país, aprendeu, ensinou, surpreendeu. Foi assim que se tornou uma espécie de símbolo, ícone, na luta contra o câncer.

Alencar era desses que nunca sentem nada, têm saúde para dar e vender, sem tempo ou disposição para *check-ups*, exames, essas chatices. É dos que prometem que vão marcar, mas sempre aparece uma coisa, outra, e no final adiam. Até que, um dia, a casa cai.

A dele caiu quando começou aquela azia, aquela dorzinha incômoda no abdômen que era um trauma para ele desde a morte do irmão Geraldo em 1959. Um trauma que só piorou quando a mãe de Mariza morreu em 1996 de um câncer de estômago diagnosticado tardiamente.

No início de dezembro, o mês das festas e das comilanças, Alencar chegou um dia em casa e perguntou a Mariza:

– O que dá dor de estômago?

– Pode ser gastrite, úlcera ou só um estresse nervoso – respondeu ela, que vivia reclamando dos "golos", do cigarro, dos torresmos do marido glutão.

Por coincidência ou não, foi na mesma época que um sobrinho de Alencar que é médico, Manoel Luiz Cataldo, determinou um belo *check-up*. E não por causa do estômago, porque aquilo, afinal, era uma dorzinha que todo mundo tinha. Era porque estava mesmo na hora.

Além dos excessos, Alencar tinha resistência a médicos, hospitais, exames. Sempre que podia, empurrava com a barriga.

– Deus me livre de fazer *check-up*! A gente perde um tempo enorme. Marca um exame daqui, outro dali...

Alencar era excelente nas negociações comerciais, mas em casa a boa negociadora era outra. Foi assim que, conversa vai, conversa vem, Mariza convenceu o marido a acatar a determinação do Dr. Cataldo. Ele era o segundo filho de Elza, a irmã pouco mais velha que foi "chefe" do menino Zezé nas lojas do pai. Elza permanece como uma das referências da família e dele próprio. Todos os seus cinco filhos têm curso superior.

Otorrinolaringologista e cirurgião de cabeça e pescoço, com formação na Alemanha, onde trabalhou e deu aulas, Dr. Cataldo passou a vida acompanhando e tratando pacientes com câncer. Era mais um da família que considerava o tio "um touro" e estava tranquilo quando marcou os exames na clínica Ecoar, na avenida do Contorno, a alguns quarteirões do seu consultório em Belo Horizonte.

O procedimento seria de rotina, pura cautela. De dois em dois anos, Alencar fazia um exame daqui, outro dali. Mas apenas agora, aos 66 anos, realizaria o primeiro *check-up* completo.

Cataldo ligou antes para o escritório da Coteminas. Mandou cancelar toda a agenda do tio na sexta-feira seguinte. Depois telefonou para Alencar, comunicou a hora, o endereço, o tempo necessário de jejum e o nome do médico responsável, Fernando Santana. Avisou ao tio que perderia pelo menos a manhã inteira. Os exames incluíam hematologia, ultrassom abdominal e tomografia de tórax, porque ele fumava, além de toda a parte cardiovascular e do diagnóstico de patologia tumoral.

Na véspera à noite, estava programada uma homenagem a Alencar organizada pelas "Amigas da Cultura", entidade da qual Mariza fazia e continua fazendo parte. O evento aconteceu numa choperia nova no bairro de Belvedere. E foi um suplício para Alencar.

"Ele adora um 'golo', elas marcaram justamente numa choperia. Pensa bem numa máquina de chope, salaminho, queijo, tudo na frente dele, e ele só podendo beber água por causa dos exames no dia seguinte. Foi difícil segurar o José", conta Mariza.

– Um só pode? – implorou Alencar.

– José! Pelo amor de Deus!

Na sexta-feira, ele amanheceu na clínica, obediente. Eram mais ou menos 10h quando Fernando Santana ligou para o sobrinho de Alencar, que se preparava para uma cirurgia:

– Cataldo, tem um achado aqui no ultrassom abdominal. Um achado pequeno, uma lesão bem pequena, mas nossa suspeita é que seja uma lesão tumoral. O que a gente faz?

– Já fez a tomografia de tórax? Já? Então põe ele na máquina de novo, quero uma tomografia de abdômen. Se ele perguntar, você fala que a imagem não ficou boa, arranja uma conversa qualquer, diz que precisa repetir e pronto.

Depois, uma determinação expressa para o colega:

– Faça os exames e libere o titio. Eu passo aí assim que terminar a cirurgia aqui e não quero me encontrar com ele antes de ver tudo, discutir os resultados com vocês e me organizar. Não dê resultado de exame nenhum para ele.

Os médicos tiveram certeza desde o início: tratava-se de um câncer de rim, um hipernefroma, ou adenocarcinoma renal. Tinha um centímetro e meio de diâmetro, era encapsulado (ou seja, sem metástase) e assintomático. Um tipo razoavelmente comum de tumor maligno, cujo tratamento é, inevitavelmente, uma nefrectomia – retirada do rim.

"Conhecendo o José Alencar como conheço, ele iria me fazer uma batelada de perguntas e a mais importante seria: 'O que eu faço com isso? Resolvo aqui em Belo Horizonte, em São Paulo ou nos Estados Unidos?' Então, eu já tinha de ir com algumas posições bem definidas porque ele não aceita vacilo", lembra o sobrinho médico.

Ao longo da própria sexta-feira, disparou uma série de telefonemas para levantar opções de hospitais e médicos. Respirou fundo e foi falar com o tio Zezé. Antes, teve o cuidado de chamar outro personagem-chave, o tio Toninho, irmão pouco mais novo que passou a vida muito próximo ao paciente.

Era final de tarde, lá pelas 18h, quando se reuniram os três, Alencar, Cataldo e Toninho, no escritório central da Coteminas na rua Aymorés. Foi ali que o sobrinho deu a notícia. O impacto foi muito forte. Alencar chorou. A primeira reação foi de incredulidade, duvidando que aquilo estivesse realmente acontecendo com ele.

"Foi uma situação difícil, confusa, muito emotiva para todos nós. Eu me lembro que ele chorou muito na hora, como a maioria das pessoas faz. 'Não, não é comigo. Não tenho nada, não sinto nada'", relata Cataldo.

Realmente, afora aquela azia que todo mundo tem de vez em quando, principalmente com o avanço da idade, ele não tinha sintoma nenhum, nem dor forte, nem enjoo, porque tumor de rim não dá nada disso quando está no início. "Nada, zero", explica o médico no seu consultório de Belo Horizonte.

Todos os médicos e psicólogos que convivem com aqueles momentos dramáticos de comunicar a seus pacientes que eles têm doenças graves – como câncer, Alzheimer, Aids, ELA (esclerose lateral amiotrófica) – conhecem, ou deveriam conhecer, a obra *Sobre a morte e o morrer*, da psiquiatra suíça Elisabeth Kübler-Ross, radicada nos Estados Unidos.

Segundo ela, pessoas que recebem um diagnóstico dramático, ou sofrem perdas catastróficas, desde a morte de um ente querido até um divórcio mal resolvido, passam por todos ou alguns de cinco estágios, não necessariamente vivenciados nesta ordem: negação, ira, barganha, depressão e, finalmente, aceitação.

Alencar viveu dolorosamente o da negação, que a Dra. Kübler-Ross descreve assim: "Sinto-me bem, isso não pode estar me acontecendo, não a mim." Segundo ela, "é uma defesa temporária do indivíduo".

Passado o momento mais dramático da notícia, o pragmatismo de Alencar entrou em ação, como previra o sobrinho. Quis ser prático, estudar alternativas, tomar decisões.

Os três acharam que ficar em Belo Horizonte seria atrair multidões de amigos e curiosos, o que atrapalharia o tratamento. Também não havia necessidade de seguir para o exterior. Aquilo seria um exagero. Cataldo sugeria o Hospital Sírio-Libanês, em São Paulo.

Alencar ligou para Josué, que lembrou do câncer de próstata de Paulo Maluf, operado no ano anterior. Maluf fora prefeito de São Paulo até janeiro daquele ano e estava já a mil para disputar pelo voto o governo do estado, que ocupara ainda na época do governo militar por nomeação. Também era um empresário bem-sucedido e foi nessa condição que se aproximou de Alencar e, sobretudo, de Josué.

Josué telefonou para Maluf, perguntando sobre a cirurgia de próstata: onde? Quem? Como? Foi assim, com orientação de Cataldo, administração de Josué e apoio de Maluf, que Alencar se fixou em São Paulo, no Hospital Sírio-Libanês e no nome do prestigiado Miguel Srougi, urologista de renome internacional.

Os hospitais de São Paulo têm uma história curiosa. Os principais foram idealizados e viabilizados pelas colônias de imigrantes. Os ingleses criaram o Samaritano; os italianos, o Matarazzo; os portugueses, a Beneficência Portuguesa; os alemães, o Oswaldo Cruz; os judeus, o Albert Einstein; os libaneses, o Sírio-Libanês.

O Sírio foi criado por mulheres de empresários, coletando dinheiro entre maridos e amigos em festas beneficentes, até construir o primeiro prédio, aquele prediozinho que hoje fica em frente ao principal, na rua Dona Adma Jafet, no bairro de Bela Vista, próximo à avenida Paulista.

Quando ficou pronto, a Segunda Guerra Mundial já tinha começado. O governo brasileiro então expropriou o Hospital Santa Cruz, dos "inimigos" japoneses, e requisitou o prediozinho do Sírio para virar escola de cadetes. Assim permaneceu o imóvel por 20 anos, até ser devolvido quase em escombros para a Sociedade de Senhoras lá pelo início dos anos 60. Elas pediram socorro a um grupo de médicos e levantaram recursos mais uma vez.

Miguel Srougi, o médico escolhido para operar o primeiro câncer de Alencar, praticamente dispensa apresentação. Formado pela USP (Universidade de São Paulo), com pós-graduação em Urologia na Harvard Medical School, em Boston, Estados Unidos, é titular de Urologia na USP e pesquisador na área de tumores urológicos e de doenças da próstata. Em 2010, já havia assinado cinco livros, mais de 40 artigos em revistas estrangeiras e 200 estudos originais publicados no Brasil. É um dos mais respeitados cirurgiões brasileiros dentro e fora do país.

Srougi estava fora de São Paulo quando recebeu a ligação de Paulo Maluf. Pedia que avaliasse os exames e o quadro de "um grande amigo" que acabara de descobrir tumor no rim. O médico não titubeou. Dispôs-se a voltar e olhar o caso já no dia seguinte.

Tudo pronto para a ida a São Paulo, o problema foi convencer Alencar da urgência. A primeira consulta e os primeiros exames com Srougi estavam marcados já para o dia seguinte, sábado. E qual não foi a reação do paciente? Disse que seria homenageado pela Fiemg no mesmo sábado à noite e não iria faltar de jeito nenhum. E tem mais: não queria saber de operação antes do Natal, pois já tinha se comprometido com Mariza a viajar para o Nordeste. Não iria fazer uma desfeita com ela. Por que não deixar o raio da cirurgia para depois do Ano Novo?

Negocia daqui, negocia dali, chegou-se a um meio termo: a consulta com Miguel Srougi no Sírio-Libanês não seria no sábado nem depois do Natal. Ficou marcada para a segunda-feira seguinte. Alencar estava liberado para a festa da Fiemg, não para passar o Natal no Nordeste.

Na homenagem da Fiemg, ele se esforçou para mostrar que estava bem, como se nada tivesse acontecido. Mas, lá pelas tantas, puxou pelo braço o então governador Eduardo Azeredo e confidenciou:

– Estou com câncer e vou para São Paulo me operar.

Desde a notícia do tumor no rim, uma coisa ficava martelando na cabeça de Alencar: a história do câncer de estômago da sogra. Afinal, ele nunca sentira nada nos rins, mas e aquela ardência no estômago?

Ao chegar a São Paulo, como de praxe, teve de repetir todos os exames que já fizera na capital mineira. Na hora da ultrassonografia abdominal, perguntou à jovem médica do Sírio-Libanês:

– Isso aí pega o estômago?

– Não. Não pega vísceras ocas.

– E o que pega vísceras ocas?

– A endoscopia.

Alencar decidiu que não iria para a mesa de operação sem antes dar uma checada preventiva no estômago. Não sossegou nem deu mais sossego aos médicos, que diziam que a dor no estômago não era nada, devia ser apenas "reflexa", resultado lateral do câncer no rim.

Numa reunião com os médicos e com o filho Josué, Alencar pediu para fazer a tal endoscopia. Eles diziam que era desnecessário, não havia nenhuma indicação. Alencar insistia: já que ia mesmo tomar anestesia, não custava nada...

Josué ficou constrangido:

– Pai, os médicos sabem o que fazem!

Alencar é mineiro em vários sentidos. Tem aquela cara de bonzinho e cordato, mas é teimoso feito mula, como dizem os próprios parentes, e só faz o que quer.

José Bonifácio, "o Patriarca da Independência", já reforçava o mito do mineiro astucioso numa carta ao então regente D. Pedro nos primórdios da História brasileira, ao pedir prudência no trato com aquela gente e classificar os mineiros como "os mais finos trapaceiros do Universo".

O "fino trapaceiro" Alencar sempre foi daqueles mineiros desconfiadíssimos. Repete amiúde: "Lá na minha terra, atrás de uma montanha, tem sempre outra montanha..."

Alencar desafiou:

– Se não fizerem a endoscopia, não me opero!

No dia 23 de dezembro, a dois dias do Natal, ele tomou os sedativos, fez a endoscopia e só então ficou pronto para a cirurgia de rim. O médico responsável desceu o endoscópio, procurou, procurou e nada. Mas teve um estalo e, antes de encerrar o procedimento, decidiu introduzir o aparelho mais uma vez para ter aquela última certeza. "Quem procura acha", e ele avistou um sinalzinho. Avisou a Srougi:

– Miguel, tem alguma coisa aqui!

Retirou e fez imediatamente a biópsia por congelamento, exame patológico rápido, próprio para definir como encaminhar operações em pacientes que já estão no centro cirúrgico. Se não der nada, fecha-se. Se der alguma coisa, aproveita-se o corte para expandir o procedimento e fazer o que precisa ser feito. Este era o caso de Alencar.

Ele estava pronto para ser operado dos rins quando Miguel Srougi foi comunicar a novidade à família e discutir o que fazer:

– Deu positivo. Então, há três opções. Operamos o rim agora e o estômago em outra ocasião; suspendemos e fazemos os dois depois; ou tentamos fazer tudo agora.

Mariza se apavorou, começou a chorar e acabou perdendo o terço em que rezava freneticamente. Josué, mais pragmático, queria decidir o que fazer. Srougi recomendou algo que combinava muito com a personalidade do paciente: a dupla cirurgia imediata. Assim foi feito.

O cirurgião e gastroenterologista Raul Cutait, que operava numa sala ao lado, foi chamado para dar uma olhada nos exames e emitir mais uma opinião. Ele concordou com a solução. Foi a primeira de incontáveis reuniões das quais tomaria parte nos 13 anos seguintes para discutir o caso Alencar.

Paulistano nascido em 1950, Raul Cutait é filho do também médico Daher Cutait, que assumiu a direção do Sírio desde que o hospital voltou a funcionar, em 1965, até morrer, em 2001. Raul formou-se na USP e fez residência médica no Hospital das Clínicas de São Paulo. Especializou-se em cirurgia geral e digestiva, gastroenterologia, proctologia e endoscopia digestiva. Fez mestrado, doutorado e livre-docência e foi *fellow* da Universidade de Maryland, em Baltimore (Estados Unidos) e do Memorial Sloan-Kettering Center, de Nova York – que teria papel de destaque na luta de Alencar contra o câncer.

Na volta, tornou-se uma das peças-chave numa engrenagem que elevou o Sírio à condição de um dos mais importantes e respeitados hospitais não apenas do Brasil, mas da América Latina. Foi um dos criadores do Centro de Oncologia, reconhecido pela excelência dos profissionais e pelos equipamentos mais modernos do mundo. Antes, os pacientes iam ao consultório do oncologista, ao consultório do cardiologista, ao consultório do urologista... Era uma *via crucis* para quem já se sentia fragilizado e sofrido. A partir de então, uma equipe integrada estava apta a tratar o paciente com câncer no mesmo espaço físico.

Alencar já tinha passado por todos os exames e procedimentos para uma cirurgia programada, por causa do tumor do rim. Quando foi confirmado o novo câncer, já estava anestesiado, entubado e na posição para operar o rim, ou seja, deitado de lado para que o corte ocorresse nas costas. Foi virado de barriga para cima, e os dois médicos entraram em ação. Primeiro, Srougi fez um corte transversal e retirou o rim. Depois, Cutait ampliou o corte cirúrgico na parte abdominal dianteira e retirou ¾ do estômago.

O impacto na família foi enorme. Já estavam traumatizados pela descoberta de um tumor. Agora eram dois! Mas o resultado foi um sucesso. Alencar não precisou se submeter a quimioterapia ou radioterapia. Foi considerado totalmente curado.

O segundo câncer era também muito pequeno e encapsulado, mas tinha o risco de atravessar a terceira parede do estômago, bastante vascularizada, e entrar na corrente sanguínea. Se não tivesse sido descoberto na última hora, a história seria outra. Ele poderia ter morrido poucos anos depois, e todos atribuiriam ao câncer de rim.

A teimosia salvou Alencar. Ou "premonição", segundo Cutait. "Tem gente que não acredita, mas eu vejo isso de vez em quando."

A mãe, o irmão mais velho, uma irmã e um sobrinho de Alencar tinham morrido de câncer. O próprio Alencar era portador de dois tumores. Cutait e o geneticista Bernardo Garicochea, diretor da Unidade de Prevenção do Câncer do Laboratório de Genética Molecular do Sírio-Libanês, passaram a analisar um pedaço do tumor para estudar o aspecto hereditário e elaborar uma espécie de árvore genealógica da doença.

Anos mais tarde, o oncologista Paulo Hoff aprofundou a pesquisa nessa direção e suspeitou de que Alencar tinha a "Síndrome de Li-Fraumeni", hereditária e responsável pela multiplicação de tumores no organismo. Numa explicação leiga, trata-se de uma mutação do gene P53, responsável pelo controle do crescimento celular. Ele não tinha exatamente isso, mas algo aproximado, conhecido como "Li-Fraumeni light", com incidência mais alta em descendentes de famílias do norte da Península Ibérica, justamente de onde veio o avô galego de Alencar.

"A gente procura algumas mutações genéticas relacionadas com hereditariedade. Às vezes acha, às vezes não acha. É uma área ainda em evolução, tem muita coisa que não se sabe. Mas aí fica prestando atenção na família, orienta a família sobre os principais tumores que podem acontecer e pede para as pessoas realizarem exames de prevenção e diagnóstico precoce", ensina Raul Cutait.

A hereditariedade é particularmente importante na família de Alencar, não apenas para o tratamento dele, mas porque pode se revelar muito útil para seus três filhos e para seus netos e bisnetos. Afinal, eles vêm de uma família com histórico de câncer não apenas do lado do pai mas igualmente do lado da mãe – o câncer de próstata do avô materno, o tumor no estômago que vitimou a avó e o nódulo maligno no seio, que Mariza viria a descobrir anos depois de Alencar.

Todo cuidado é pouco.

Sem Trégua

A história dos dois primeiros tumores de Alencar acabou. Foi-se um rim, foi-se boa parte do estômago, mas tudo corria bem. Alencar, primeiro, fazia exames de três em três meses, depois foi espaçando mais e já era considerado curado. Fez até campanha para o Senado em 1998, foi eleito e tomou posse do mandato em 1999. Até que em 2002, num exame de rotina, os médicos descobriram o terceiro tumor maligno: um câncer de próstata.

Alencar foi operado mais uma vez por Miguel Srougi, também no Sírio-Libanês. O sobrinho Cataldo participou e relata: "Foram três tumores primários, o do rim, o do estômago e o da próstata, todos distintos. Um não tinha nada a ver com o outro. E ele se saiu muito bem disso. Tirou de letra. Nenhum desses tumores deu problema para ele, a não ser, claro, o natural, o esperado nesses casos."

José Alencar já era "cantado" para vice na chapa de Lula para 2002 desde o final do ano anterior. Ao ser operado de mais um câncer, o terceiro, pensou que a candidatura era coisa do passado. Não era. Quando se recuperava, ainda no hospital, recebeu a visita de Lula e de um novo personagem de sua vida: Antonio Palocci Filho. Médico de carreira, Palocci seria o coordenador da campanha e, depois, ministro da Fazenda no primeiro mandato de Lula.

Mais uma batalha estava vencida, agora a do câncer de próstata. Alencar recuperou-se depressa e logo retomou o mandato no Senado. Mais do que isso, prosseguiu em sua trajetória pessoal e política até a histórica campanha eleitoral que colocou o ex-metalúrgico Luiz Inácio Lula da Silva e o grande empresário José Alencar Gomes da Silva nos píncaros do poder.

Eles assumiram em 1º de janeiro de 2003, numa festa que marcou época e repercutiu mundo afora, sob o signo da "esperança" e da "mudança". Alencar estava mais preocupado com os juros altos e em marcar posição forte na Vice-Presidência do que com doença. Submetia-se a exames sistemáticos para monitoramento do câncer, mas na verdade mal se lembrava dele. A vida seguia numa boa e assim permaneceu por dois anos sem interrupção.

Até que em 22 de fevereiro de 2004, uma sexta-feira de Carnaval, Alencar ligou do Rio para Raul Cutait no meio da tarde. Estava a caminho do Hospital Copa D'Or, com uma dor insuportável no abdômen. Sentia-se tão mal que não conseguiria embarcar para São Paulo.

Feitos os exames, Cutait telefonou depois para o médico responsável. Ficou mais tranquilo, porque aparentemente não havia nada. Como era Carnaval, possivelmente tinha exagerado na comida, ou nos "golos". Pelo sim, pelo não, Alencar permaneceu internado no Rio sob os cuidados de Mariza. Cutait ficou matutando em São Paulo.

"Fiquei preocupado, porque ele já tinha 70 e poucos anos e, pela idade e pelo que ele me contou, achei que poderiam ser duas coisas, ou uma vesícula inflamada ou uma isquemia do intestino", relata o médico.

Como explicou em linguagem leiga, a pessoa pode, com a idade, obstruir a coronária e ter um infarto. Ou obstruir uma artéria do intestino, como se fosse um infarto do intestino. Se pegar um pedaço pequeno, opera-se e tira-se. Se for um pedaço extenso, a vítima pode morrer.

Cutait terminou a cirurgia que estava fazendo e embarcou na mesma noite para o Rio, com Josué, no jato da família. Foram direto para o Copa D'Or, conversaram com os médicos, olharam os exames, não pareceram muito satisfeitos. Cutait então mandou repetir ali mesmo, na hora.

Como Alencar era vice-presidente e empresário, ou empresário e vice-presidente, houve logo uma mobilização para levar o aparelho para o quarto, oferecer mais conforto e paparicar o paciente ilustre – e rico. Cutait não estava pensando no conforto e sim na eficácia:

– Qual é a melhor máquina de ultrassom? E onde ela fica?

Ficava lá embaixo, no subsolo, e a decisão foi levá-lo até lá. Em vez de um aparelhinho qualquer vir até Alencar, Alencar foi até o melhor aparelho. Fez o ultrassom e ficou confirmado que a vesícula estava muito inflamada.

Decisão rápida: voltar para São Paulo imediatamente e operar o mais cedo possível no Sírio-Libanês. Mariza ficou no Rio. Embarcaram o pai, o filho e o médico no jato da família por volta das 2h da madrugada. Chegaram ao hospital lá pelas 4h ou 5h. Às 11h de um sábado de Carnaval Alencar entrava mais uma vez na faca.

"Foi em cima da hora, porque, quando chegamos a São Paulo, a pressão dele já estava caindo por causa da infecção. Ele já começava a entrar num quadro de septicemia. Foi tudo muito rápido", relembra Cutait, que chama tanto Alencar quanto Mariza pelo nome, dispensando "o senhor" e "senhora".

Roberto Kalil Filho, paulistano nascido em 1959, detesta Carnaval. Conhecido no país inteiro pela competência profissional e por tratar de presidentes, governadores, ministros e poderosos em geral, inclusive de um certo operário e líder sindical famoso, estava em casa naquele sábado. Dormia, quando o celular tocou no fim da madrugada. Era Raul Cutait.

– Kalil, corre pro hospital, porque vou operar a vesícula do vice-presidente e quero que você dê uma olhada e acompanhe. É uma emergência.

Foi assim que Kalil entrou para o time e nunca mais saiu. Além de virar o cardiologista clínico de Alencar, passou a ter outra função: manter o presidente da República informado, *pari passu*, sobre as cirurgias, os riscos, as idas e vindas do estado de saúde de seu vice. Antes, pediu o aval de Alencar, que respondeu como sempre:

– Perfeitamente. Conte tudo, não esconda nada.

Kalil foi afilhado de casamento do general João Figueiredo, último presidente militar durante a ditadura. Tornou-se médico do governador e depois prefeito e deputado Paulo Maluf. Com o tempo, foi engordando o portfólio de pacientes com presidentes, ministros, governadores, grandes empresários e... Lula.

Compadre de Lula, o advogado paulista Roberto Teixeira telefonou para Kalil pedindo que atendesse aquele sindicalista já então famoso. O pedido foi acompanhado de uma provocação:

– Kalil, você, que é malufista, tem alguma coisa contra atender o Lula?

Ele não se fez de rogado:

– O que você quer dizer com isso? Médico não tem partido!

Aí, vieram Lula, depois a mulher dele, Marisa Letícia, e enfim os filhos. Kalil se tornou médico de todos eles e amigo do futuro presidente, a quem destina imponentes elogios: "Lula não é só um amigo, é um ser especial. Para quem acredita em reencarnação, acho que, em 200 mil encarnações, aparece um sujeito como ele."

Antes da operação de vesícula, Kalil deu uma olhada em Alencar e nos exames. Conferiu as condições gerais e cardíacas, enquanto Cutait entrava com soro e antibiótico para debelar o risco de septicemia. Quando ele recuperou a pressão e deu uma melhorada, foi para a cirurgia.

"Não operei por laparoscopia, que é como a gente sempre faz nesses casos, porque a outra cirurgia (dos tumores no estômago e no rim) tinha sido na mesma região. Achei que seria mais seguro fazer aberto. Fiz uma cirurgia aberta, grande e difícil, porque estava tudo grudado", relata Cutait. E explica: "Os órgãos grudam. É como se tivessem sido cimentados. Aí, você precisa ir separando com o maior cuidado, porque o risco é perfurar."

Mas não havia sinal de novos tumores, a vesícula foi retirada e tudo tornou a entrar nos eixos. Alencar voltou para Brasília e continuou martelando a questão dos juros altos, os mais altos do planeta, que asfixiam as empresas, os empregos, o próprio país. Antes de ser político, ele era empresário, um grande empresário.

Uma nova cirurgia, dessa vez pequena e rápida, aconteceu em 4 de maio de 2004. Na verdade, uma microcirurgia na clínica de Ivo Pitanguy, no Rio de Janeiro, para a retirada de um tumor benigno na base das narinas. Foi o próprio Pitanguy, papa da cirurgia plástica, quem operou o vice. O procedimento durou 30 minutos, com anestesia local e sem necessidade de internação.

Os sustos, porém, não pararam. Já acumulando a Vice-Presidência com o Ministério da Defesa, Alencar se submeteu a exame de rotina no Sírio-Libanês no dia 17 de agosto de 2005, quando foi detectada uma isquemia no coração, ou seja, uma insuficiência de irrigação sanguínea. Foram necessários então um cateterismo e uma angioplastia para colocação de um *stent*, aparelho que dilata a artéria e facilita o fluxo de sangue. Ele não precisou tomar anestesia geral, disse que assistiu a tudo pelo monitor (que chamou de "televisão") e saiu da sala de cirurgia como se nada tivesse acontecido.

De volta ao quarto do hospital, atendeu uma ligação da autora deste livro com voz firme, bem disposto. Alencar se dizia conformado: "É da vida. A estrada tem descida, subida, curvas, obstáculos. Eu enfrento com serenidade e firmeza."

Só pensava em convencer os médicos a antecipar a alta:

– Eles falam em 48 horas, mas eu acho que em 24 horas eu saio daqui, não é, Adriano?

A seu lado, o assessor respondeu em tom audível:

– Um pouquinho mais...

E ele, rindo:

– Ah! Então, umas 25 horas!

Era uma quarta-feira. Alencar se esforçava para mostrar que estava forte e sentindo-se bem. Informou que pretendia participar na sexta-feira de um jantar em homenagem a Josué, que assumiria a presidência do Iedi (Instituto de Estudos para o Desenvolvimento Industrial).

Dois dias depois da colocação do *stent*, Alencar deixou o Sírio-Libanês à tarde. À noite, deu uma passada no jantar para Josué. Foi na casa do empresário Ivoncy Ioschpe, nos Jardins, em São Paulo, com a presença de Lula, do governador Geraldo Alckmin (PSDB) e de boa parte do PIB nacional: Jorge Gerdau (Gerdau), Roger Agnelli (Vale do Rio Doce), Benjamin Steinbruch (CSN), David Feffer (Suzano), José Roberto Ermírio de Moraes (Votorantim) e Paulo Setubal (Itaú).

Só se falava numa coisa: a crise que envolvia o poderoso ministro da Fazenda, Antonio Palocci, acusado de tomar parte na quebra de sigilo do caseiro Francenildo Costa.

Palocci cairia em 27 de março de 2006. Já Alencar continuaria de pé, firme, a vencer as adversidades e superar os obstáculos. Nem o câncer do rim, nem o do estômago, nem o da próstata, muito menos aquele *stent*, seriam capazes de derrubá-lo. Seu lema sempre foi: a luta continua!

Mais ou menos na mesma época, Alencar teria retirado uma hérnia. Vira e mexe aparece uma referência lateral a ela, mas ninguém sabe explicar do que se trata. Alencar, com sua admirável e invejável sinceridade, explica: "Hérnia? Não tem isso, não. É que eu coloquei uma prótese (peniana) e, quando perguntei ao médico como ia explicar isso, ele falou: 'Diz que foi uma hérnia e pronto!'"

Lula e o PT

Quando recebeu o convite para a comemoração dos 50 anos de atividades empresariais do senador José Alencar Gomes da Silva, o ex-retirante nordestino, ex-torneiro mecânico, ex-líder metalúrgico Luiz Inácio Lula da Silva, presidente de honra do PT, já tinha perdido três eleições para a Presidência da República. E não se animou.

– Será que devo ir? Para quê?

O deputado José Dirceu, presidente do PT, não tinha dúvida:

– O empresariado de Minas vai em peso, e você precisa conhecer o Zé Alencar, que foi da CNI, da Fiemg, é um grande empresário e um senador nacionalista, progressista.

Lula resistia:

– Vai você, que é mineiro e presidente do PT.

E Dirceu, que fez carreira política em São Paulo, mas nasceu em Passa Quatro, no sul do estado:

– Olha, sem Minas e sem parte do empresariado, a gente não ganha eleição nenhuma.

Depois de muita insistência, Dirceu convenceu Lula, que devia ser eternamente grato por essa pressão.

Dirceu tinha decidido que o PT ganharia a eleição custasse o que custasse e achava importante Lula ver, ser visto e circular naquele ambiente do grande capital produtivo, sutilmente hostil.

A decisão mudaria os rumos da candidatura e, possivelmente, da História brasileira. Num discurso na Fiesp em 2009, seu sétimo ano de governo, Lula admitiu:

– Se eu tivesse conhecido o Zé Alencar antes, não tinha perdido tantas eleições.

O questionamento sobre a inflexibilidade do PT em se abrir para alianças e coligações vinha de muito antes, quando o partido acabou obrigado a assistir, em 1985, à parceria do PMDB com a dissidência do PDS, que daria origem ao PFL, depois DEM, para mudar o país via colégio eleitoral. Os dois assumiram o comando da transição e capitalizaram a alegria nacional. O PT nem sequer admitiu votar em Tancredo, pagando um alto preço por isso.

O MDB (depois PMDB) tinha sido o carro-chefe da resistência parlamentar à ditadura e, com a derrota das "Diretas já", em 1984, passou a capitanear o movimento pró-Tancredo, como forma possível de virar a página da ditadura militar. Todos os partidos aderiram, mas o PT ficou de fora. Não admitiu reconhecer legitimidade ao colégio eleitoral formado pela Câmara e pelo Senado.

O debate interno sobre a flexibilização fervia, mas o radicalismo contra alianças prevalecia contra tudo e contra todos. O PT foi oposição ao governo Sarney, que assumiu com a doença e morte de Tancredo, e disputou a primeira eleição presidencial direta depois da ditadura, em 1989, com Lula para presidente e o gaúcho José Paulo Bisol, que era do PSDB e passou para o PSB, como vice. Eles chegaram ao segundo turno, mas perderam para Fernando Collor de Melo, do inexpressivo e fugaz PRN.

Depois de fazer oposição a Sarney, o PT se manteve ferozmente na oposição a Collor. Lançou o "Fora Collor" e liderou o movimento dos "caras pintadas" que foram às ruas derrubar o presidente. Uma vez concretizado o *impeachment*, o PT se recusou também a aderir ao processo de união nacional para dar sustentação política ao vice e sucessor de Collor, Itamar Franco (que, aliás, chegou a convidar José Alencar para ser ministro da Indústria e do Comércio, cargo que ele não aceitou).

"Era o Fora Collor, virou o Fora Itamar", lamenta o ex-deputado José Dirceu, um dos mais importantes comandantes da história do partido. A decisão de virar as costas a Itamar e à maioria da opinião pública foi tomada pelo Diretório Nacional numa tumultuada reunião em Belo Horizonte, em 1993. Quando foi proclamada, o derrotado Dirceu lembra que virou para Lula e previu:

– Você acaba de perder a eleição de 1994.

É verdade que o Plano Real foi ainda mais decisivo. Estabilizou a economia, controlou a inflação, protegeu os salários, deixou o país em êxtase e alavancou a candidatura do tucano Fernando Henrique Cardoso, ministro da Fazenda que avalizou o plano do governo Itamar. Mas o radicalismo e o isolamento do PT, que encarou a eleição com chapa puro-sangue – o vice foi o então deputado Aloizio Mercadante (SP) –, tiveram um bom peso no desfecho.

"Afora outras injunções, como o Real, ficou evidente que o PT não estava preparado", diz José Dirceu, convicto havia tempos de que o partido precisava mudar, firmar alianças, defender propostas assimiláveis por ampla parcela da população. Foi por inspiração dele e do deputado José Genoino que a tendência "Articulação", moderada, evoluiu para se tornar "Campo Majoritário". O próprio nome era sugestivo.

Na eleição de 1989, Leonel Brizola havia transferido parcela expressiva de votos para Lula no segundo turno contra Collor, em especial no Rio, terceiro maior colégio eleitoral. Na de 1998, o PT se aliou ao PDT, cedendo a vaga de vice para Brizola, que dispunha de eleitorado cativo entre 8% e 10% da população.

"Não era o vice dos sonhos do Lula, que já visualizava um vice como o que acabou se concretizando numa figura como o Zé Alencar, mas já era uma aliança", comenta Dirceu, que viajou o país, estado por estado, doutrinando as lideranças e os militantes. A pregação era que, sem aliança, babau Presidência. E que aliança não é apenas para eleições, mas para governar.

Apesar dos esforços, a chapa Lula-Brizola perdeu em 1998, quando FHC se reelegeu já no primeiro turno.

"Nós perdemos a eleição, e eu já saí com a convicção de que tínhamos de fazer uma mudança maior no PT para aprofundar a política de alianças e pensar num governo de coalizão, num governo de centro-esquerda", explica Dirceu. Era preciso "alargar o perfil da candidatura".

Depois de amargar aquela terceira derrota, a segunda novamente em primeiro turno, Lula comunicou em alto e bom som aos companheiros:

– É a última vez que entro para marcar posição e fazer bancada. Agora, só entro de novo com chances reais de ganhar. Ou o partido garante as condições ou podem ir procurando outro nome.

De fato, Tarso Genro (RS), Eduardo Suplicy (SP) e Cristovam Buarque (DF) até que se assanharam. Mas era sonho de verão. Pragmáticos, Dirceu e Genoino entraram em campo para "garantir as condições", resumidas em cinco pontos: ampliar o leque de alianças, multiplicar o número de interlocutores no Congresso, vencer as resistências do centro e dos empresários, conquistar grandes financiadores de campanha e contratar "um puta marqueteiro".

"Tudo isso desembocava na necessidade de um programa que dialogasse com o setor produtivo e com a classe média e num vice que não fosse do campo da esquerda", relata Genoino.

Um dos passos seguintes foi "segurar os radicais" do partido, o que ocorreu já em 1999, quando a cúpula moderada impediu a aprovação do "Fora FHC" num congresso em Belo Horizonte. Assim rompeu-se o isolamento.

No Senado e na Câmara, os petistas também trataram de intensificar as negociações e suavizar posições nas discussões sobre economia, salário mínimo e tudo o mais que pudesse aumentar as resistências contra Lula.

O PT teve bom desempenho nas eleições municipais de 2000, consolidando-se como o maior partido da oposição e das esquerdas. Obteve já no primeiro turno 11.938.753 votos, crescimento de 51,2% em relação a 1996. Venceu em seis capitais (Porto Alegre, Belém, São Paulo, Recife, Aracaju e Goiânia), além de conquistar a vaga de vice em Belo Horizonte.

No total, elegeu 187 prefeitos, que passaram a comandar os destinos de 28,8 milhões de habitantes. Foram ainda 131 vice-prefeitos e 2.485 vereadores. A presença do partido, porém, se restringia a menos de 25% dos mais de 5.500 municípios brasileiros, face ao registro de "apenas" 1.316 candidaturas majoritárias no pleito daquele ano.

José Dirceu entendia que as coisas caminhavam bem e passou a ruminar uma certeza: a de que "alargar o perfil da candidatura" incluía Minas Gerais. Foi quando surgiu o convite para a festa dos 50 anos de vida empresarial de Alencar.

Dirceu esfregou as mãos: aquilo era juntar o útil ao agradável. Além de mineiro, Alencar era respeitado no meio empresarial e tinha influência na CNI. Ao testemunhar a performance do homenageado, constatar seu prestígio com aquele monte de governadores e empresários e se surpreender "com o carisma, a personalidade e o excelente orador que ele era", segundo Dirceu, uma nova perspectiva se abriu para Lula e o PT.

Depois dos discursos, Dirceu convenceu Lula a ir trocar umas palavrinhas e cumprimentar Alencar, enquanto a cerimônia migrava para uma festa mais informal e os garçons ofereciam bebidas e salgadinhos.

Os dois se deram muito bem de cara. Lula comentou os filmes

exibidos e elogiou a modernidade das fábricas, e Alencar já aproveitou ali, naquela primeira conversa, para convidar Lula e Dirceu a visitar as unidades de Minas, Paraíba, Rio Grande do Norte e Santa Catarina. A Coteminas, claro, colocaria um avião à disposição.

"O Zé Alencar e o Lula têm histórias parecidas. Alencar é um autodidata, uma pessoa que começou a vida muito simples, trabalhou ali no balcão como comerciário, estudou como pôde, dormiu num estrado quase embaixo da escada. Eles são como os sertanejos, atarracados e fortes, e se identificaram muito, inclusive no modo de ser, nos gostos", avalia Genoino. E prossegue, ao relacionar os tais "gostos": "Eles são muito bons de boca, gostam de uma cachaça, de uma linguiça, de um torresmo. Se deixar, passam dias e noites conversando e contando 'causos'. O Alencar adora contar a vida dele, contar um 'causo'."

José Genoino, ex-líder do PT na Câmara e com atuação parlamentar de destaque, chama atenção para um detalhe interessante: o *feeling* de Lula: "O Lula tem uma percepção impressionante, saca as coisas à primeira vista. A política está no sangue dele, e ele ficou muito impactado com o Alencar, gostou do perfil e do jeitão e começou a falar dele. Dizia 'tem de sondar', 'tem de ver como ele é no Senado'."

Aliás, repetiu-se essa "percepção" quando Lula escolheu a própria Dilma Rousseff, primeiro para ministra de Minas e Energia, depois para chefe da Casa Civil e enfim para candidata à Presidência. "Foi o Lula quem sacou desde o início o potencial do Alencar e da Dilma", prossegue Genoino.

Dirceu se reelegeu presidente do PT nas primeiras eleições diretas para o cargo, em 2001. Sua vitória foi também a vitória da política de alianças, legitimada pelo XI Encontro do PT, realizado em Recife em dezembro do mesmo ano e que iria mudar o destino do partido, criando as bases para a eleição de Lula e Alencar.

O programa pregava "a ruptura necessária" (com a política classificada de "neoliberal" de FHC, mas também com o radicalismo e o isolacionismo internos). Foi redigido pelo prefeito de Santo André (ABC paulista), Celso Daniel, já considerado o virtual coordenador da campanha de Lula à Presidência.

Outros dois fatos decisivos para a campanha de Lula se verificaram no ano seguinte. Um foi a "Carta ao Povo Brasileiro", manifesto do PT que oferecia garantias ao setor produtivo e aos parceiros internacionais do Brasil de que não haveria quebra de contratos nem extravagâncias na política econômica. O segundo foi o assassinato de Celso Daniel, em janeiro de 2002, em circunstâncias ainda não devidamente esclarecidas. Ele foi substituído como coordenador da campanha por outro prefeito petista, Antônio Palocci, de Ribeirão Preto (SP), futuro ministro da Fazenda no primeiro mandato de Lula e que se tornaria "queridinho" do grande capital.

Fortalecido pelo voto direto, Dirceu já tinha conversado com PCdoB, PL, PSB, PDT e principalmente com setores do PMDB. Aproximou-se do governador de Minas, o ex-presidente Itamar, obtendo uma importante vitória para Lula: Itamar desistiu de disputar a reeleição e deflagrou o voto "Lulécio" – em Lula para a Presidência e no tucano Aécio Neves para o governo do estado, contra o candidato do PSDB, José Serra.

"Minas era o segundo maior colégio eleitoral do país e era simbólico. Nós sabíamos que dificilmente o Lula perderia no Rio, onde o PT e o brizolismo tinham ainda um eleitorado expressivo, e os brizolistas iam ficar com a gente. Também tínhamos força no Rio Grande do Sul e no Paraná, por exemplo, mas, sem Minas, ficaria muito difícil", disse Dirceu.

Pitada de maldade dele: "Seria um risco o Aécio apoiar de fato o Serra. Depois não foi bem assim, porque o Aécio, como em 2010, só apoiou o Serra formalmente, para constar. Ele não estava empenhado." Aécio sempre negou peremptoriamente essa versão.

Dirceu, Genoino e o ex-deputado e futuro ministro Luiz Gushiken passaram a trabalhar com a possibilidade concreta de transformar o dono da Coteminas em candidato a vice nas eleições de 2002. O cálculo, segundo Dirceu: "Nós ganhamos a eleição se, além de Minas, vencermos o preconceito não só da CNI e dos grandes empresários, onde ele vai ajudar muito também, mas dos milhares de pequenos e médios empresários deste país afora. Se o Lula tiver um empresário como seu vice, tenho certeza de que isso muda."

Iniciaram sondagens no PT sobre a possibilidade de o partido assimilar uma alternativa tão ousada quanto Alencar e passaram a discretamente investigar o passivo dele na área trabalhista, tudo para avaliar a relação custo-benefício (ônus e bônus) de ter alguém com aquele perfil na campanha. Não foi preciso muito esforço para realizar a investigação nas fábricas da Coteminas, porque o PT estava bem enraizado em cada cidade onde o grupo estava instalado. Tinha gente dentro dos sindicatos, dentro das próprias empresas, e sabia de cor e salteado as pelejas sindicais entre patrões e empregados.

A conclusão era que não havia nada grave. Uma ação trabalhista aqui, um atraso na Previdência Social ali, nada que não fizesse parte da rotina da maioria das empresas nacionais e que pudesse representar desgaste numa campanha eleitoral – o que ocorreria na hipótese extrema, por exemplo, de denúncia de trabalho escravo ou algo similar. Não era o caso na Coteminas. Alencar passou facilmente não pela "devassa" (seria um exagero), mas pela "investigação" informal.

A bancada petista no Senado também entrou em ação. Ela passou a dar uma espiada melhor no colega Alencar, até comprovar que se tratava de alguém de bom trato, gentil com a esquerda, muito atuante e que gozava de boa reputação. O líder petista de então, o jeitoso senador José Eduardo Dutra (SE), foi de grande serventia ao ficar de olho, informar Lula, Dirceu e Genoino e se tornar interlocutor frequente do vice em potencial.

O ano de 2001 foi o do namoro, da aproximação, enquanto o "centralismo democrático" baixava no PT e seus principais quadros se preparavam "para o sacrifício" de candidaturas inglórias aos governos estaduais. As chances reais eram pequenas, mas os palanques de Lula estariam garantidos. Tudo pelo objetivo maior.

"Nós estávamos no fio da navalha, depois de três derrotas. Na quarta, iríamos viver uma crise profunda, virar um PCI (Partido Comunista Italiano), com Lula desistindo e vários candidatos levantando a cabeça, mas nenhum unindo o partido", afirma Genoino, resumindo o clima de "agora ou nunca".

O próprio Genoino concorreu em São Paulo, Benedita da Silva no Rio, Nilmário Miranda em Minas, Jacques Wagner na Bahia, e Tarso Genro no Rio Grande do Sul. Todos seriam derrotados nas eleições majoritárias, desfalcando perigosamente a bancada no Congresso.

Era armar os palanques e fechar uma boa chapa. Alencar estava um belo dia no Senado quando José Eduardo Dutra telefonou, perguntando se ele se disporia a receber a visita de Lula, Dirceu e Genoino. Cruzando os salões entre a Câmara e o Senado, a caminho do gabinete de Alencar, Lula avisou a Dirceu e a Genoino que não tomaria nenhuma iniciativa. A intenção era ouvir, sondar, sentir o clima. Caberia a eles a abordagem mais direta para saber se havia abertura suficiente para que Alencar aceitasse a vice. Em caso afirmativo, eles estariam autorizados a trabalhar a ideia abertamente no PT.

– Se fosse o Lula quem falasse, isso poderia causar um constrangimento. Acho que ele não queria ouvir um 'não' – conta Genoino.

Os três sentaram-se com Alencar e seu principal assessor, Adriano Silva, ao redor de uma mesa. O clima não era de um bate-papo qualquer, mas de conversa séria. E longa, porque durou praticamente uma manhã inteira, com os petistas falando de suas ideias sobre o Brasil e sobre como governar o país. Ao mesmo tempo, sondavam o que Alencar achava do PT, que imagem tinha da esquerda, até que ponto iria seu preconceito tanto contra o partido quanto contra o próprio Lula.

Alencar falou da própria vida, de suas experiências empresariais, da construção da Coteminas. Elogiou Lula, mencionou a admiração por sua trajetória, pela determinação em melhorar o Brasil.

– Eu te respeito muito, Lula. Você veio lá de baixo, foi candidato, quase ganhou, quer ser presidente da República. Isso é muito bonito.

Jogada a rede, coube a Dirceu dar o passo adiante. Ao abordar a candidatura e a campanha de Lula, explicou que teriam como objetivos um programa de governo mais flexível e um vice que rompesse o espectro eleitoral mais restrito da esquerda.

– E a nossa ideia é que seja um empresário, alguém ligado ao setor produtivo – disse, enfim.

Alencar captou a mensagem, mas falou genericamente:

– Essa aliança que vocês estão propondo com o empresariado é muito importante, eu sempre defendi isso.

Dado esse sinal, mais um passo de Dirceu:

– O senhor tem ainda mais quatro anos no Senado; será que teria interesse em participar dessa aliança conosco?

O ponto era delicado, como confessaria Alencar muitos anos depois: "Eu não tinha muito entusiasmo, porque estava na metade do primeiro mandato de senador e não queria perder a outra metade do mandato nem queria entrar numa eleição para perder."

Mas admitiu a possibilidade, ao explicar que tinha de conversar com a família, perguntar o que Josué achava, assuntar a reação das pessoas mais próximas. José Dirceu e Genoino deixaram muito claro que aquilo era apenas uma sondagem, até para saber se deveriam começar a "aparar arestas" no PT ou se nem valia a pena começar. E não enganaram Alencar ao deixar claro que seria difícil amansar o partido.

Na despedida, Alencar foi formal mas deixou a porta bem aberta:

– Esta conversa com vocês é uma honra. Nunca tinha pensado

numa coisa dessas na vida. Estou surpreso, mas considero a proposta tentadora.

Genoino define aquela conversa no Senado: "Não foi propriamente um convite, mas revelamos com clareza a vontade de tê-lo na vice e pedimos que pensasse no assunto. Ele não bateu o martelo, mas disse que iria pensar."

Lula se comportou exatamente como avisara: elogiou a festa em que conheceu Alencar, mostrou-se afável, falou pouco e ouviu muito. Ele não queria se precipitar. Queria ter margem até para voltar atrás adiante, se algo desse errado.

Nesse caso, Lula, Dirceu e Genoino já tinham o chamado "Plano B": o ex-prefeito de Belo Horizonte Patrus Ananias, também mineiro. Apesar de petista, "era '*light*', não tinha uma militância tão engajada e tinha boa relação com a Igreja", segundo Genoino.

Falava-se ainda no empresário Oded Grajew, israelense naturalizado brasileiro, ex-presidente da Associação Brasileira dos Fabricantes de Brinquedos (Abrinq) e que participou da fundação do PNBE (Pensamento Nacional das Bases Empresariais) em 1989. Seria preciso, porém, analisar a legislação. Afinal, ele não era brasileiro nato.

Os planos B's foram apenas isso, planos. Depois da conversa no Senado, o namoro e o noivado foram de vento em popa. Alencar foi convidado para a festa de Natal de 2001 do Instituto da Cidadania, órgão do PT presidido por Lula. Foi ali que ele conheceu o advogado e futuro ministro da Justiça Márcio Thomaz Bastos, então encarregado da carne para o churrasco. Deram-se bem desde o início.

Depois, já em 2002, Alencar e Josué foram convidados para uma reunião de economistas ligados ao PT – Aloizio Mercadante, Guido Mantega e Luciano Coutinho. O objetivo era preparar Lula para uma palestra na CNI sobre temas diversos, inclusive a polêmica reforma tributária (que, frise-se, não saiu nos oito anos de Lula na Presidência).

O convite de um ano antes para visitar as fábricas da Coteminas foi aceito. Lula, Alencar e Dirceu, entre outros, embarcaram no jato da Coteminas para conhecer as unidades de Minas, Rio Grande do Norte e Paraíba, entre 13 e 15 de fevereiro de 2002, em pleno Carnaval.

A impressão foi a melhor possível, conforme relata José Dirceu: "Acho que ele tinha muito interesse em mostrar para nós que tinha fábricas onde os trabalhadores eram bem tratados, onde a tecnologia era de ponta, que ele era bom gestor, competente, capaz; que, mais do que uma empresa, ele tinha uma corporação, com valores, com objetivos estratégicos."

Josué, que integrou aquele voo de reconhecimento, também causou boa impressão: "Um quadro empresarial *top*, com cabeça política boa, desenvolvimentista, nacionalista."

O fecho de ouro da caravana foi na Fazenda Cantagalo, numa bela varanda de frente para o rio São Francisco e regado a bons "golos" da cachaça Maria da Cruz.

A partir da conversa no Senado e daquela viagem, Lula começou a visitar Alencar, sondá-lo, ouvi-lo sobre a política e a vida. Quando ia a Brasília, passava no Senado para tomar um café. Quando ia a Belo Horizonte, ia almoçar no restaurante *privé* da Coteminas. O forte ali é a comidinha mineira – carne de panela, carne moída, frango caipira, arroz, feijão, angu, taioba, quiabo, salada. Um menu bem apropriado para os dois.

"E pra quem fosse do ramo da Maria da Cruz, essa nunca faltava", ri Adriano Silva, assessor de Alencar.

Lula e Dirceu também descobriram que aquele hotel onde sempre se hospedavam em Belo Horizonte, o Wembley, no centro da cidade, era de propriedade de Alencar. Vez ou outra, passaram a jantar ou a tomar um uísque com ele, ouvindo música, batendo papo.

No meio do processo de aproximação, houve uma reunião grande ali. Estiveram presentes Lula, Alencar, José Dirceu, os petistas

Nilmário Miranda e Maria do Carmo Lara e o aliado de Alencar Anderson Adauto, então presidente da Assembleia Legislativa de Minas e futuro primeiro ministro dos Transportes do governo Lula.

A essa altura, Lula não era o único presidenciável de olho naquele senador boa-praça, cheio da grana e com um discurso muito popular. Ciro Gomes, então no PPS, gostava de filar uma boia na rua Aimorés, 981, onde funciona a Coteminas em Belo Horizonte. Anthony Garotinho, que era do PMDB, também passou por ali. O *maître* Augusto Geronimo Pedroza já conhecia até o gosto deles. Nem Ciro nem Garotinho tinham como competir com Lula, como se ele e Alencar tivessem vivido uma espécie de amor à primeira vista. E assim foram selados a chapa e o destino de ambos.

Amansando as Feras

Formalizado o convite, era preciso arranjar uma sigla para Alencar, que se desligara do PMDB e estava sem partido. E não podia ser uma sigla qualquer, era preciso uma disposta a firmar aliança nacional e reproduzi-la em todos os estados. Naquele momento, estava em vigor o instituto da "verticalização" – a Justiça Eleitoral havia decidido que as alianças se dariam entre os mesmos partidos, de cabo a rabo, desde a eleição presidencial até a estadual.

Alencar não podia então voltar ao PMDB, como Lula, Dirceu e Genoino gostariam. O partido não aceitou se coligar com o PT nacionalmente porque isso implicaria que os candidatos peemedebistas se coligassem com velhos adversários petistas na totalidade dos estados. O PMDB já era um saco de gatos, e seria impossível alcançar a uniformidade.

Procura daqui, procura dali, sobrou o PL, partido sob o comando do deputado Valdemar Costa Neto, de São Paulo.

"Não conseguimos fazer a aliança com o PMDB, mas o PL concordou. Aliás, concordou depois de muita luta", conta Alencar, anos depois de ter saído também desse partido e se filiado ao PRB, ligado à Igreja Universal do Reino de Deus.

O PL não chegava a ser um partido de esquerda, muitíssimo pelo contrário. Daí porque foi preciso "muita luta", como admite Alencar, para convencer a todos de se coligar logo com o PT, um dos partidos mais à esquerda. Os descontentes alegavam que, se aceitassem coisa assim, ficariam falando sozinhos nos seus estados, onde suas turmas eram todas contra o PT.

Lula já tinha metido na cabeça que não havia alternativa, era Alencar ou Alencar na vice. E, quando a coisa começou a enrolar, tomou uma decisão e comunicou a seu futuro companheiro de chapa:

– Alencar, você vai para o PT!

Alencar sabia que não seria assim tão simples e declinou do convite:

– Olha, Lula, fico muito honrado, mas não adianta. Vai ser uma confusão danada no PT, e o pior é que isso não soma. Não vale a pena.

Ele queria dizer que PT mais PT não cumpriria sua função na chapa, que era tornar a candidatura do sindicalista Lula mais palatável para setores conservadores em geral e para o empresariado em particular. O projeto era ampliar horizontes, e não se fechar dentro do PT.

Os dois continuaram trabalhando a aliança com o PL, cada um pelo seu lado. Quando tudo parecia fechado e amarrado, Alencar assinou a ficha no partido. Mas...

"Ficou fechado de araque, porque na última hora ainda houve problema e quase deu tudo errado", conta ele. José Dirceu e Valdemar Costa Neto chegaram a redigir nota oficial em que comunicavam a desistência da coligação. O impasse era sobre a divisão dos recursos arrecadados entre os partidos coligados. Além de PT e PL, havia o PCdoB.

Alencar foi chamado no gabinete do deputado petista João Paulo Cunha (que cairia na rede do "mensalão" junto com Dirceu, Genoino e Costa Neto, entre outros). A ideia era apenas mostrar a nota a Alencar, obter sua aprovação, distribuir na internet e avisar as redações de rádios, televisões, jornais e revistas. Eles, porém, não conheciam Alencar e cometeram o erro de citar seu nome na nota. O nome aparecia "umas duas ou três vezes", e o conteúdo deixava meio no ar a insinuação de que a desistência se devia a ele. Alencar reagiu, como fizera antes com o PMDB de Minas:

– Tudo bem, vocês sabem o que estão fazendo, mas tirem o meu nome. Eu não autorizei ninguém a botar meu nome aí.

Criado o impasse, só havia uma coisa a fazer: ligar para Lula. Foi Dirceu quem se incumbiu da missão. Lula estava em São Paulo e deu a ordem de comando:

– Estou indo para Brasília já. Ninguém faz nada até eu chegar.

Chegou no dia seguinte. Reuniram-se todos no apartamento que os deputados petistas Paulo Rocha e Jair Meneguelli dividiam no final da Asa Sul de Brasília, a 15 minutos do aeroporto. Lula tinha avisado que a viagem era vapt-vupt.

A casa ficou lotada, todo mundo tomando "uns golos". Participaram Lula, Alencar, Dirceu, Costa Neto, a presidente do PT de Minas, Maria do Carmo Lara, o deputado e futuro secretário de Direitos Humanos Nilmário Miranda, também do PT de Minas, e os anfitriões, entre outros.

O PT já havia registrado na Justiça Eleitoral uma previsão de gastos de R$ 40 milhões, o que era considerado insuficiente para enfrentar a campanha, que imaginavam bilionária, do adversário PSDB. A questão não implicava apenas o financiamento dos candidatos a presidente e a vice, mas também dos que disputavam o Senado, a Câmara, as assembleias legislativas.

A pergunta era: como distribuir os recursos? Curiosamente, como conta Alencar, quem sugeriu o critério finalmente aceito não foi nenhum dos políticos. Foi seu assessor Adriano. E era simples: os dois partidos trabalhariam para levantar os recursos e depois dividiriam toda a verba de campanha proporcionalmente ao número de deputados de cada um.

Com seu decantado gosto pela matemática, Alencar fez uma conta rápida, de cabeça:

– A bancada do PL tem um número redondo, 20. A do PT também tem um número redondo, 60. Soma 20 e 60, dá 80, e 20 de 80 dá 0,25. Então, o PL fica com 25%, e o PT, com 75%.

Para simplificar, o PT ficaria com três quartos da verba, enquanto o PL ficaria com o quarto restante. E o PCdoB? Não perguntem, porque nem os envolvidos sabem. Aparentemente, os velhos comunistas ficaram fora do "rachuncho". E, talvez por isso, ficaram fora também do "mensalão" que desabaria já no primeiro mandato na cabeça do PT e do PL, entre outros menos cotados.

Lula acatou sem discutir, ficou com os louros da pacificação, voltou dali para o aeroporto e foi embora. Na versão de todos eles, nem Lula nem Alencar participaram da reunião que viria a dar rolo depois, sobre coleta, contabilização e distribuição de fundos. Eles estavam numa sala ao lado, já se aprontando para ir embora.

Zé Dirceu e Valdemar Costa Neto rasgaram a nota da desistência, que jamais chegou à imprensa. E todos mergulharam na campanha. Alencar tinha uma dupla missão: ajudar a eliminar "os preconceitos" das classes produtoras em relação a Lula e a superar os do PT e do resto da esquerda contra si próprio.

Ao menos na relação com o PT, já era gato escaldado. Tinha vivido pouco antes, como senador, episódios desagradáveis com o partido. Um deles foi em Ubá, onde a militância petista é – ou era, antes de Lula chegar ao poder – muito aguerrida e briguenta. Numa solenidade qualquer, Alencar subiu ao palanque e elogiou seu velho amigo Ozanan Coelho, antigo quadro do PSD e considerado "de direita". Para quê? Levou uma bruta vaia.

Quando a campanha da chapa Lula-Alencar começou, o ambiente estava carregado. E a memória da vaia em Ubá era recente.

"Você precisava ver como foi no início... Não foi fácil", confessa Alencar, que teve a inestimável e decisiva ajuda de Lula, de José Dirceu, de José Genoino e de Luiz Gushiken para vencer aquela corrida de obstáculos na raia do PT.

As bancadas na Câmara e no Senado até que o aceitavam bem, e ele contava também com a simpatia de uma parte mais polida do partido. Um bom exemplo era o professor Marco Aurélio Garcia, assessor internacional do candidato e depois presidente Lula.

O pior foco de resistência era justamente o diretório de Minas Gerais. Luiz Dulci defendia, mas Nilmário Miranda era contra e Carlão Pereira, um opositor ferrenho da coligação com o PL e, por extensão, com Alencar.

A escola stalinista de Dirceu pesou e não teve conversa: ele formalizou a intervenção no diretório mineiro, com ata e tudo, no Tribunal Regional Eleitoral (TRE) do estado.

As batalhas eram vencidas assim, caso a caso, o que não impediu a aliança entre os partidos de correr risco poucas horas antes de formalizada. Foi quando o diretório nacional do PT se reuniu, em 28 de junho de 2002, e aprovou a coligação num verdadeiro clima de guerra. Patrus Ananias chegou a ficar de *stand-by* para ser o vice.

Havia uma dissidência residual ao PL e a Alencar no Campo Majoritário, o grupo moderado e então no comando do partido, bem como resistências das forças mais à esquerda, como a Democracia Socialista (DS) e a Força Socialista. Sem contar uma verdadeira rebeldia de três diretórios, os de Alagoas, Rio Grande do Norte e Santa Catarina, ainda impregnados pelas teorias antiburguesas: partido de trabalhador é inimigo de empresário.

O resultado da votação foi apertado: 34 votos a favor, 30 contra e 7 abstenções. Ou seja, por pouco Lula não fica sem o PL e sem Alencar.

Houve momentos dramáticos na reunião. Valter Pomar era radicalmente contra. Raul Pont tratava como se fosse um escândalo. Joaquim Soriano reagia bravamente. Mas quem "aprontou um escarcéu monumental", segundo Genoino, foi a senadora Heloisa Helena, pré-candidata ao governo de Alagoas. Aos prantos e aos berros, sustentava que se aliar ao PL seria o mesmo que se juntar "aos *colloridos*, aos usineiros e aos assassinos". José Dirceu estava convencido de que a reação era ao PL, não a Alencar, e depois cochichou: "A Heloísa sempre arranja um jeito de gritar, de chorar, de sapatear."

Aquela reunião proporcionou a Alencar a exata noção da pedreira que iria enfrentar no dia seguinte, 29 de junho, em São Paulo. O Palácio das Convenções do Anhembi sediaria então a convenção nacional de lançamento da chapa e da coligação PT-PL-PCdoB-PMN.

As mulheres dos candidatos fizeram um jogo com o vermelho, cor do PT: Marisa Letícia, mulher de Lula, foi com um terninho branco com camisa vermelha; Mariza Gomes da Silva, com um terninho vermelho e camisa branca.

Elas entraram com os maridos e logo atrás chegou José Dirceu, pisando firme, disposto a enfrentar as feras. Lula era o grande líder, mas Dirceu tinha o comando objetivo, prático, da turma. Um era marechal, o outro era o que dava a ordem de comando à tropa.

A superprodução do publicitário baiano Duda Mendonça (ex-marqueteiro de Paulo Maluf) incluiu show de capoeira, chuva de estrelas e Bandeira Nacional "caindo" do teto. Tudo isso contrastava com o clima de enfrentamento. Na galeria, militantes do PT com narizes de palhaço vaiaram Alencar e, por alguns minutos, os gritos de "Lula sim, PL não" abafaram o discurso do vice.

Lula recorreu à sua condição de líder máximo do partido e deu um "pito": "*É preciso acabar com o preconceito, porque ele é como o vírus da gripe: pega se a gente estiver enfraquecido. Se tiver fragilidade ideológica, pega também, e espero que essa campanha seja a vacina*", discursou.

Como já acontecera outras vezes na sua vida, Alencar levou o discurso todo escrito, estudado, bonitinho, mas, diante do ambiente hostil, rasgou o texto escrito, recorreu ao talento inato de orador e mandou ficha, cumprimentando "*os novos e bons companheiros do PT, que eu aprendi a admirar*".

Sem perder a calma, falou com voz pausada e em tom amistoso: "*Vocês não me conhecem e têm razão em não conhecer, porque é a primeira vez que participo de uma convenção desse glorioso partido brasileiro. Como ninguém é obrigado a gostar do que não conhece, vou contar um pouco da minha vida para vocês.*"

Contou sua história emocionante, relatou as dificuldades da infância, a luta para vencer na vida, a falta de estudo. Os aplausos foram pingando daqui, pingando dali, até que tomaram conta da cerimônia. Quando se deu conta, Adriano estava com os olhos marejados.

Na opinião de José Dirceu, Alencar "começou a conquistar o PT quando passou a falar em público, e o partido levou um choque ao descobrir que ele não era um vice postiço, um vice pró-forma, que tinha vindo pra gente só porque era senador e tinha um punhado de deputados, e sim um vice que ia ocupar espaço, ter presença política".

Ainda de acordo com Dirceu, "quando ele falava, ficava claro que ia transmitir para o eleitor, para o pequeno e médio empresário, uma segurança diante do governo Lula, e uma segurança reformista, não conservadora".

Toninho, irmão de Alencar, estava ali no meio da "petezada" e viu que havia um grupinho com umas latas, uns tambores, pronto para infernizar a vida do futuro vice de Lula. Constatou que ameaçaram, fizeram um barulhinho e depois recolheram "as armas". Ele presenciou o recuo do que seria uma manifestação anti-Alencar.

"Acho que alguns deles me reconheceram", imagina.

Para dar a volta por cima da má vontade petista, Alencar se valeu de uma dose de compreensão do que acontecia: "Não era uma coisa pessoal contra mim, contra o José Alencar, era uma manifestação contra a figura, contra o que eu representava. Então, era uma questão de convencimento."

Concluída a aliança, formalizada a convenção, Lula e Alencar entraram animadamente em campanha.

Afora São Paulo, a recepção em outros estados, como Tocantins, Acre e Rondônia, era até bastante razoável. De acordo com Genoino, ele próprio, Dirceu, Gushiken e outros, como Marco Aurélio Garcia, atuaram "como batedores, abrindo o caminho, dizendo que Alencar era gente boa, falava coisa com coisa, estava com a gente pra valer e era mais petista do que muito petista".

E completa: "Mas foi ele que conquistou legitimidade e espaço, pela sua capacidade, pelo seu discurso, pela disposição. Ia a todos os eventos, topava qualquer coisa, falava com desembaraço. Não era um candidato nem seria um vice só para enfeitar, não."

Ricardo Kotscho, então assessor de imprensa de Lula, se encarregava de propagandear o candidato a vice onde quer que fossem. Puxava um jornalista daqui, outro dali e falava em tom de confidência:

– Olha, você vai se surpreender com o Zé Alencar, ele é o maior palanqueiro que eu já vi, só perde pro Lula. E vai ser um grande vice-presidente.

Depois que Alencar ganhava a multidão – e os petistas locais – ao narrar a própria vida de menino pobre, lutador, o mesmo Kotscho dava a volta no palanque e ia até os repórteres:

– Viram? Eu não disse?

A programação de viagens e eventos era definida pelo Comitê Central, liderado pelo PT e integrado pelos três outros partidos. Lula e Alencar chegaram a fazer algumas viagens juntos, no avião da Coteminas, que Josué cedia com prazer. Era um Citation Excel, jato executivo bimotor de porte médio produzido nos Estados Unidos.

O piloto André Gazolla se lembra de olhar para trás e dar de cara com a maior fumaceira na cabine. Tanto Lula quanto Alencar fumavam cigarrilhas para acompanhar os "golos" de uísque no "seu" avião. A fim de reprimir a fumaceira, combinou uma estratégia com Josué, que nunca fumou, nem sabe tragar: ele dava uma sacudida no avião e acionava automaticamente os avisos luminosos para apertar cintos e... o alarme contra o cigarro!

Mais de uma vez o discreto Gazolla testemunhou a empatia do candidato a presidente com seu vice, os dois cantando, contando histórias, disputando a melhor piada.

"Eles se divertiam, foi uma fase ótima", relata Gazolla, lembrando que algumas das passagens de "Entreatos", documentário de João Moreira Salles sobre a campanha de 2002, foram gravadas a bordo do Citation.

Lula e Alencar, entre uma cidade e outra, entre um comício e outro, soltavam a voz. O repertório era composto por músicas brasileiras. E Noel Rosa ("Três apitos", "Último desejo", "Com que roupa?", "Palpite infeliz") era o compositor favorito da dupla, às vezes acompanhada do assessor Ricardo Kotscho.

Josué participou de algumas dessas viagens. Gilberto Carvalho, que vinha da ala igrejeira do PT e se tornaria braço direito de Lula no governo, apenas ouvia, assistia e ria da farra. Aproveitava então para estudar a agenda, checando nomes dos aliados nos pousos seguintes. O clima era já de vitória em terra firme e no ar naqueles voos país afora.

Mas a farra durou pouco. Logo o Comitê Central concluiu que Lula e Alencar deviam se dividir para multiplicar esforços e aproveitar os dotes de palanque do vice. Enquanto um cobria o Sul, o outro seguia para o Nordeste. Enquanto um estava no Centro-Oeste, o outro voava para o Sudeste, e assim por diante.

"Eles faziam a programação e eu cumpria", diz Alencar, resumindo o seu "trabalho": catequizar empresários, comerciantes, produtores rurais.

Chegava de manhã na cidade e ia primeiro papear com os líderes das entidades patronais. Reunia a Federação da Indústria, a Federação do Comércio, a Federação da Agricultura e as associações comerciais. Depois, cuidava do "público externo": concedia entrevista coletiva à imprensa local e deixava os comícios, cada vez mais concorridos, para a noite.

Percorreu assim o país inteiro três vezes, com exceção do Maranhão e do Amapá, estados sob influência do ex-presidente José Sarney.

O balanço é de Adriano Silva, que relata: "Mal dava para dormir; a gente acordava cada dia num lugar. Algumas vezes, eu acordei, olhei em volta e me perguntei: 'Onde é que estou?' Não tinha noção..."

A estratégia de atuar em separado não valia para os comícios mais significativos e de maior repercussão: Rio de Janeiro, São Paulo, Belo Horizonte, Porto Alegre e Brasília. Nesses, eles iam juntos.

Alencar revela como foi a adaptação do discurso para agradar a militância de esquerda dos comícios: "Primeiro, explicava didaticamente o que é sindicato, mostrando que não é uma entidade representativa só dos trabalhadores, mas da classe empregadora também. Depois, perguntava se as duas classes tinham de ser inimigas." E seguia em frente:

– Os empregadores são inimigos dos empregados? São adversários dos empregados? Como você fica na empresa se você é o dono, tem mil empregados e acha que todos eles são seus inimigos? Ao contrário, eles se realizam com o progresso da sua empresa, assim como você. E a empresa é um bem da comunidade! – pregava do alto do palanque, com os líderes petistas conduzindo as palmas (e, no início, contendo as vaias).

Segundo o irmão Toninho, "Lula teve a inteligência de encontrar o Zé como candidato a vice, mas o PT demorou a aceitar". Ao que a irmã Célia, aquela que diz tudo o que vem à cabeça, questiona: "E será que eles chegaram algum dia a aceitar mesmo, de verdade?"

Em agosto do ano seguinte à eleição, 2003, já no governo Lula, Duda Mendonça foi a estrela de um seminário de comunicação do PT. Chamava todo mundo de "companheiro", até o presidente do Ibope, Carlos Augusto Montenegro. Segundo a coluna "Painel" da *Folha de S.Paulo*, o secretário de Comunicação do partido, Oséas Duarte, observou a cena e ironizou:

– Depois que o Lula chamou o José Alencar de companheiro, tudo está perdoado.

No último ano do segundo mandato, em 2010, Alencar finalmente se considerou assimilado. Aconteceu em 8 de fevereiro de 2010, ocasião em que se tornou "militante honorário" do PT de Minas por inspiração de Fernando Pimentel, prefeito de Belo Horizonte.

Furar o Bloqueio do Capital

Lula, Alencar, Dirceu e Genoino venciam aos poucos as resistências no PT, mas era preciso amenizar as caras enviesadas nas entidades patronais e furar o bloqueio dos endinheirados do país. Aí, a estratégia e a conversa eram outras.

No segundo semestre de 2002, Josué Gomes da Silva ofereceu um jantar para aproximar Lula de um dos homens mais ricos do país: Olavo Setubal, ex-prefeito de São Paulo e ministro das Relações Exteriores no governo José Sarney. Setubal, que morreria em 2008, era dono do Itaú, hoje o maior banco do país.

O jantar, *en petit comité*, foi articulado por Roberto Teixeira da Costa, que integrava o Conselho de Administração do Itaú. Participaram, além do próprio Teixeira da Costa, Lula, Marisa Letícia, Alencar, Josué, o velho Setubal e seu filho, Roberto Setubal. Cristina, mulher de Josué, presenciou parte da conversa, ainda que entrasse e saísse da cozinha, aflita.

Olavo Setubal estava no ataque:

– O que vocês pretendem fazer com a reforma agrária?

Lula respondia que pretendiam fazer isso, aquilo, aquilo outro. E ele balançava a cabeça:

– O império não vai deixar.

Em seguida, nova pergunta:

– E com a reforma tributária?

Lula respondia, ele voltava a balançar a cabeça e decretava:

– O império não vai deixar.

Na terceira ou quarta vez, Alencar, que já tinha tomado uns "golos", não aguentou. Jogou o guardanapo na mesa e saiu do sério:

– Espera aí! Que porra é essa de império? Se tiver um império querendo mandar assim no Brasil, eu pego em armas!

Seu tom não era de brincadeira, e o clima pesou. Entrou a turma do deixa-disso, mudou-se de assunto e o jantar acabou rapidinho. Na saída, Roberto Setubal pediu desculpas a Lula pela inconveniência do pai. Josué desculpou-se com Olavo Setubal pelo destempero de seu próprio pai.

Lá entre eles, Lula adorou. Tanto que, passados os anos, em novembro de 2009, contou a história, sob risadas gerais, durante a entrega do título de presidente honorário da Fiesp a Alencar. Só omitiu, claro, o "porra".

Segundo Alencar, a reação intempestiva naquele jantar foi "para mostrar a eles que não estávamos ali querendo saber o que ele queria que fizéssemos na Presidência, que não admitíamos o camarada dizer como devíamos agir".

Muitos dos amigos de Alencar na Fiemg, na Associação Comercial de Minas e na Câmara de Dirigentes Lojistas ficaram sabendo pelos jornais que ele seria candidato a vice de Lula. E, claro, levaram um susto.

"Fiquei assustado, com toda a sinceridade. Nós temíamos o Lula, tínhamos pavor do Lula", admite Charles Lotfi, presidente da ACMinas. "Era um homem que só andava cercado daquelas bandeiras vermelhas, dava um medo danado do comunismo", explica ele, que convive com Alencar desde a década de 70 e conferiu ao amigo a presidência de honra da entidade, com direito a foto na galeria dos presidentes.

Epitacio Pessoa / Agência O Globo

Givaldo Barbosa / Agência O Globo

No alto: Convenção do PT, em junho de 2002, que consagrou a chapa Lula-Alencar.

Embaixo: José Dirceu foi o maior responsável pela aproximação com Lula. Na foto, a intimidade entre os dois companheiros de primeiro mandato, em 2003.

Lula Marques / Folhapress

Acima: Posse para o primeiro mandato, 1º de janeiro de 2003.

Página ao lado: Com Fernando Henrique em primeiro plano, Alencar e Lula sobem a rampa do Planalto para a cerimônia de transmissão da faixa presidencial.

Página dupla seguinte: Alencar e Lula se preparam para o início da caminhada de oito anos no comando do país.

Alan Marques / Folhapress

Ailton de Freitas / Agência O Globo

Os Parentes e
Lula Presentes

Sérgio Lima / Folhapress

Acima: Gabinete da Vice-Presidência.

Ao lado: Diploma concedido ao vice-presidente para o exercício do primeiro mandato.

República Federativa do Brasil
Tribunal Superior Eleitoral

Pela vontade do povo brasileiro,
expressa nas urnas em 27 de outubro de 2002,

José Alencar Gomes da Silva

foi eleito
Vice-Presidente da República.

Em testemunho desse fato, a Justiça Eleitoral expediu-lhe o presente diploma que o habilita à investidura no cargo perante o Congresso Nacional em 1º de janeiro de 2003, nos termos da Constituição.

Brasília, aos 14 de dezembro de 2002,
181º da Independência e 114º da República.

Ministro Nelson Jobim
Presidente

Ministro Sepúlveda Pertence

Ministra Ellen Gracie

Ministro Sálvio de Figueiredo

Ministro Barros Monteiro

Ministro Fernando Neves

Ministro Luiz Carlos Madeira

Geraldo Brindeiro
Procurador-Geral Eleitoral

Miguel Augusto Fonseca de Campos
Diretor-Geral

Gustavo Miranda / Agência O Globo

Rafael Andrade / Folhapress

Aluizio Gomes de Assis

A dobradinha com Lula esteve ameaçada na campanha pela reeleição, mas o presidente não abriu mão do amigo e companheiro a despeito dos problemas de saúde agravados em 2006.

Lula Marques / Folhapress

Sérgio Lima / Folhapress

No alto: A campanha de Alencar contra os juros altos não impediu a convivência harmoniosa com o então ministro da Fazenda Antonio Palocci, colega de primeiro mandato.

Embaixo: Jogo de futebol no Jaburu. Alencar está entre Lula e Ciro Gomes. Olívio Dutra, primeiro à esquerda, e Tarso Genro, terceiro à esquerda, ambos de pé, são as estrelas dos dois times.

Aluizio Gomes de Assis

Aluizio Gomes de Assis

A passagem pelo Ministério da Defesa foi pautada pelo bom relacionamento com os círculos militares. No alto, em Quito, com os ministros da Defesa dos países das Américas e Caribe. Embaixo, na abertura da LAAD 2005.

Roberto Stuckert Filho / Agência O Globo

Os casais Lula-Marisa e Alencar-Mariza no desfile em carro aberto por ocasião da posse para o segundo mandato, 1º de janeiro de 2007.

Gustavo Miranda / Agência O Globo

Alan Marques / Folhapress

Alencar e Dilma Rousseff foram companheiros nos oito anos de governo. No alto, numa das interinidades, o então presidente em exercício assina lei que quebra o monopólio do mercado de resseguros em 2007. Embaixo, uma semana depois, em reunião com governadores para apresentação do PAC, os dois estão acompanhados por Lula e pelos ministros Guido Mantega e Tarso Genro. A pedido de Lula, Alencar reuniu forças para fazer campanha por Dilma, eleita presidente em outubro de 2010.

Eduardo Knapp / Folhapress

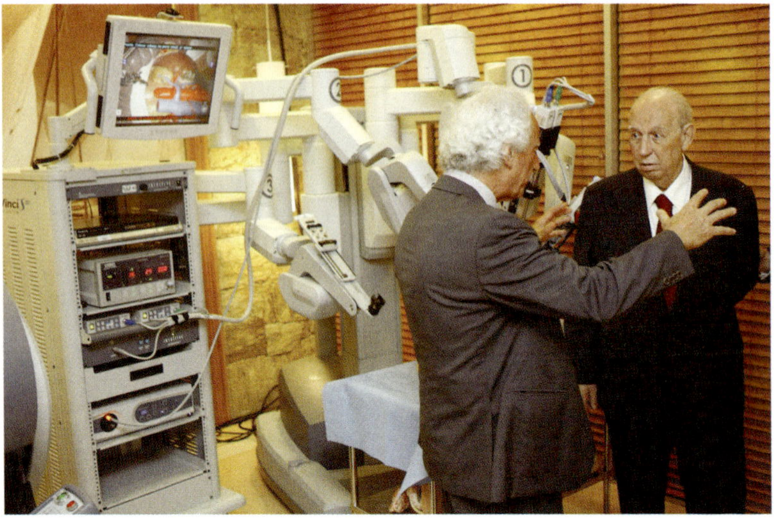

Moacyr Lopes Junior / Folhapress

A saúde foi o grande desafio por mais de 10 anos. No alto, com o urologista Miguel Srougi. Embaixo, o cardiologista Roberto Kalil Filho, acompanhado de Lula, em 2010.

Jefferson Coppola / Folhapress

Sérgio Lima / Folhapress

No alto: O gastroenterologista Raul Cutait concede entrevista sobre mais uma internação do vice-presidente, neste caso para a retirada da vesícula, em 2004.

Embaixo: Alencar e o oncologista Paulo Hoff, a quem o vice-presidente entregou o título de Cidadão Honorário de Brasília em 2009.

J. Batista / SEFOT-SECOM

Gustavo Miranda / Agência O Globo

No alto: Alencar foi muito aplaudido na abertura dos trabalhos legislativos em fevereiro de 2010. Dilma Rousseff e Michel Temer, eleitos presidente e vice-presidente da República em outubro do mesmo ano, estiveram presentes.

Embaixo: A emoção vem à tona em sessão solene em homenagem a Alencar no Plenário da Câmara em abril de 2010.

Arquivo pessoal

Retratado como super-homem pelo traço de uma adolescente, numa das milhares de correspondências que chegaram ao Jaburu nos oito anos de governo.

Aluizio Gomes de Assis

Ao lado de Mariza, acena para a multidão num gesto que bem poderia simbolizar o agradecimento pela torcida dos brasileiros por sua saúde.

Lotfi conta que não votou na chapa, apesar da grande amizade com Alencar. Escolheu o candidato do PSDB, José Serra, "até por uma questão de pele". Apenas com o passar dos anos, já no final do segundo mandato de Lula, deu o braço a torcer: "Cheguei à conclusão de que o Lula deu ao Alencar a garantia de que não havia esse perigo de vermelhidão, de comunismo, de marxismo. Ele iria seguir a política do Fernando Henrique Cardoso, como de fato seguiu."

E elogia a decisão do amigo empresário: "Alencar é um homem de visão. É muito inteligente, uma inteligência acima do normal, um QI fantástico. Sabia que daria certo e deu muita credibilidade ao Lula."

Quando Alencar foi escolhido para compor a chapa, a dedução foi que seria o grande financiador da campanha e um chamariz para que os grandes empresários se mostrassem mais generosos com o PT. A cúpula petista da época rebate e sustenta que a versão é puro "mito". O clima no país era de mudança e os financiadores já vinham cacifando, mesmo que doando três para um e um para outro. De mais a mais, aquele não era o estilo de Alencar. Sem contar uma característica pessoal famosa na família e em toda parte: Alencar é unha de fome, pão-duro mesmo.

É claro que ele contribuiu e que a sua presença foi fundamental para abrir mentes e bolsos do grande capital. Mas Alencar não se envolveu diretamente com coleta de recursos e foi o mais discreto possível nessa seara pantanosa de uma campanha. Até porque ele e Lula sabiam muito bem o quanto seria visado. Qualquer deslize viraria tombo.

Um pequeno deslize, aliás, foi resultado da inexperiência. Numa entrevista para o badalado jornalista Boris Casoy, na TV Record, Alencar foi se meter a falar sobre o que não entendia e deu opinião meio enviesada a respeito de Israel e da comunidade judaica. Ao responder uma pergunta, argumentou que o estado de Israel deveria ser sediado em outra região para diminuir o potencial de conflito no Oriente Médio. E eles é que deveriam sair, porque os palestinos são uma comunidade muito grande.

Foi trabalhoso contornar a situação. A então prefeita de São Paulo, Marta Suplicy, ajudou. Marcou um jantar no elegante apartamento do amigo Ivo Rosset, empresário e ativo membro da comunidade judaica brasileira. Havia o temor de uma reunião tensa, desagradável. Alencar já chegou sorridente, corrigindo diplomaticamente o erro e desmontando o pessoal. Ficaram todos encantados com a figura.

Para Alencar, aquela campanha "foi um colosso": "Eles (os petistas) são muito organizados, preparam as coisas com muita segurança, tudo é bem feito. O PT é um grande partido."

E, para Lula, aquele vice "nada a ver" acabou se mostrando um – ou "o" – fator decisivo para a vitória. Numa entrevista para o *Correio Braziliense*, publicada no cinquentenário de Brasília, em 21 de abril de 2010, Lula deixou registrado o reconhecimento. Um reconhecimento cabal.

Ao ser indagado sobre a disputa para o governo de São Paulo (o senador petista Aloizio Mercadante levando poeira do ex-governador tucano Geraldo Alckmin), Lula respondeu que *"o PT não precisa provar para ninguém que tem 30% dos votos em São Paulo, precisamos é arrumar os outros 20%"*. E ofereceu a saída: *"Eu disse ao Mercadante: 'É preciso que você arrume o teu Zé Alencar. O Alencar teve importância pra mim que não é a da quantidade de votos, mas a da quantidade de preconceito que quebrou. Se um cara com 15 mil trabalhadores na fábrica, a maior indústria têxtil do país, estava sendo o meu vice, um cidadão que tinha dois empregados e tinha medo do Lula perdia o argumento. O discurso do Zé Alencar quebrou uma barragem maior do que a de Itaipu. O PT de São Paulo precisa arrumar esse Alencar.'"*

Quando bateu o olho em Alencar na festa decisiva, José Dirceu constatou que, além de mineiro e empresário, ele dispunha de outro trunfo: não ia fazer só de conta, ia fazer campanha de verdade.

"Depois que ouvi Alencar na cerimônia, disse comigo mesmo que era um tremendo palanqueiro, desses que sobe em caminhão, sobe em caixote, faz carreata, passeata, entra de casa em casa, toma café, bebe uma pinga, come pastel e dorme em qualquer lugar", comenta com um sorriso.

Dirceu acertou em cheio.

Ao ler aquele trecho da entrevista de Lula ao *Correio*, que Mariza guardara com especial cuidado, Alencar lembra a campanha de 2002, recorda os palanques e as carreatas. Seus olhos se enchem de lágrimas.

Já muito doente e depois de ter desistido de disputar as eleições de 2010, comenta com voz embargada: "Foi uma época muito boa na minha vida. Eu gosto muito de campanha. É muito triste não poder mais ser candidato agora."

Um Vice do Barulho

No dia 9 de fevereiro de 2003, com 40 dias de governo, o jornalista Elio Gaspari encerrou sua coluna, publicada simultaneamente nos jornais *Folha de S.Paulo* e *O Globo*, com uma notinha premonitória:

> Psicanálise
>
> *"Um atento psicanalista de palácio assegura: antes do fim do ano, o vice-presidente José Alencar será um dos principais personagens do governo."*

Gaspari não podia prever a heróica luta contra o câncer, que faria Alencar ficar tão conhecido, admirado e de certa forma amado pelo país inteiro. Estava, sim, antecipando que ele seria um vice incomum.

Na véspera da posse, Lula e Marisa Letícia passaram o réveillon numa festa organizada por Alencar e sua Mariza no Hotel Nacional de Brasília. Foi na boate "Belle Epoque", decorada em branco e vermelho, com pétalas vermelhas sobre as mesas. De mãos dadas com Alencar, Lula discursou:

– Duas pessoas humildes, que tiveram vidas diferentes, se encontraram na hora certa para melhorar o país. Não é à toa que somos Silva e casamos com "Marisas" – disse. (Uma é com s, a de Lula, e a outra com z, a de Alencar.)

A festa não foi nada protocolar. Lula e Alencar tomaram bons "golos" e soltaram a voz, cantando músicas brasileiras, sobretudo nordestinas. Um dos *hits* foi "Último pau de arara", composição de Venâncio, Corumba e J. Guimarães, eternizada por Luiz Gonzaga, o "rei do baião":

"A vida aqui só é ruim
Quando não chove no chão
Mas se chover dá de tudo
Fartura tem de montão
Tomara que chova logo
Tomara meu Deus tomara
Só deixo o meu Cariri
No último pau de arara (bis)
Enquanto a minha vaquinha
Tiver o couro e o osso
E puder com o chocalho
Pendurado no pescoço
Eu vou ficando por aqui
Que Deus do céu me ajude
Quem sai da terra natal
Em outros cantos não para
Só deixo o meu Cariri
No último pau de arara (bis)"

Eram cinco os Silva na posse do primeiro mandato de Lula, em 1º de janeiro de 2003. Além do presidente e do vice, havia o então todo-poderoso José Dirceu de Oliveira e Silva, chefe da Casa Civil, e duas ministras, ambas com uma forte simbologia para aquele momento e aquele governo: a do Meio Ambiente era a cabocla Marina Silva, que andou descalça toda a infância no Acre e se alfabetizou aos 16 anos; e a da Secretaria de Promoção Social, a ex-empregada doméstica Benedita da Silva.

No artigo "República dos Silva", publicado no domingo, 5 de janeiro de 2003, no então caderno "Mais" da *Folha de S.Paulo*, o professor Laymert Garcia dos Santos, do Departamento de Sociologia da Universidade Estadual de Campinas, sustentava que os "Silva" substituíam "as velhas figuras manjadas da oligarquia e da burguesia". E indagava: "O que compartilham, inscrito no nome comum, a cabocla amazonense (sic), a negra carioca e o nordestino emigrado para o Sul, senão a matriz de um povo brasileiro que parece querer assumir as rédeas do seu próprio destino?"

O professor excluía de sua análise o vice-presidente da República, o empresário, o homem rico, o *self-made man*. Como se Alencar não fizesse parte daquela "família" que assumia o comando político do Brasil com a ambição de mudar o país.

Era mais ou menos isso que as esquerdas e o PT pensavam naquele momento: Alencar ainda era "à parte". O tempo se encarregaria de provar que estavam errados. O vice-presidente não apenas integrou os dois mandatos de Lula, vindo a se reeleger em 2006, como se tornou um dos maiores amigos e fiel aliado do presidente no governo.

Benedita caiu logo na primeira crise política do governo, ainda em 2003, acusada de viajar com dinheiro público para uma reunião evangélica na Argentina. José Dirceu foi atingido pela crise do "mensalão", pediu demissão em junho de 2005, teve o mandato de deputado cassado em dezembro do mesmo ano, foi citado pelo procurador-geral da República, Antonio Fernando de Souza, como "chefe de quadrilha" e processado pelo Supremo Tribunal Federal. Marina Silva, aborrecida com as constantes derrotas da sua pasta para a Casa Civil de Dilma Rousseff, deixou o governo em maio de 2008 e o próprio PT, em agosto do ano seguinte, para se candidatar à Presidência pelo PV.

Além de tantos "Silva", o novo governo que se instalava em 1º de janeiro de 2003 apresentava outra característica: a falta de curso superior e de títulos universitários em toda a linha sucessória. Nem o presidente da República, nem o vice-presidente, nem o presidente da Câmara – que, pela Constituição, assume na ausência de ambos – tinham diploma. Lula fez o curso técnico de torneiro mecânico, Alencar só estudou até o primeiro ano do antigo ginásio e o deputado paulista João Paulo Cunha, do PT, só tinha o ensino médio.

A posse desse governo dos Silva e dos "sem diploma" foi histórica, com 150 mil pessoas aglomeradas numa Esplanada dos Ministérios convertida em grande praça vermelha. Lula e Alencar desfilaram em carro aberto, um Rolls-Royce preto 1953, até o Palácio do Planalto. O discurso foi no parlatório, um volume ovalado em mármore branco na frente do Palácio. E tudo com transmissão ao vivo para um país em êxtase com a chegada do primeiro migrante nordestino e operário ao poder.

Os "milhares de Silva" saudavam o novo governo com o hino da campanha petista: "Olê, olê, olê, olá, Lulaaaa, Lulaaaa". Empolgado, o ditador cubano Fidel Castro fazia um "L" (de "Lula") com os dedos das mãos.

A expectativa do PT e de muitos era que Alencar assumisse o papel de vice discreto, meio arredio, satisfeito em participar de uma cerimônia protocolar aqui, outra ali. Porém essa não era a intenção do próprio Alencar, que nunca brincou em serviço e não passaria a brincar agora.

Os vices mineiros, aliás, costumam ser mesmo do barulho. São exemplos Pedro Aleixo, vice do marechal Arthur da Costa e Silva (1967-1969); Aureliano Chaves, do general João Baptista de Figueiredo (março de 1979 a março de 1985); e Itamar Franco (que nasceu na Bahia, mas se fez em Minas), de Fernando Collor de Mello (março de 1990 a dezembro de 1992).

O jornalista Fábio P. Doyle, da Academia Mineira de Letras, registrou no artigo "Minas e seus vice-presidentes", publicado no *Diário da Tarde* de 2 de junho de 2003, que os mineiros "*jamais deixam de dizer o que pensam, às vezes, usando construções verbais menos diretas, menos chocantes, mas sempre baseadas na autenticidade do que desejam expressar*". Ainda segundo Doyle, eles "*nunca se calam, nunca se omitem, jamais deixam de pelo menos tentar consertar o que julgam errado, nem silenciam diante da injustiça e do erro que possa gerar consequências graves para o país e para o seu povo*".

Pedro Aleixo, mineiro de Mariana, vice civil de um governo militar, destacou-se por discordar da edição do AI-5 (o ato institucional que suspendeu várias garantias constitucionais e determinou os rumos da ditadura militar no Brasil pós-1964) e por tentar articular a redemocratização. Tanto que, quando Costa e Silva se afastou em 31 de agosto de 1969, por problemas de saúde, Aleixo foi impedido de assumir.

Aureliano Chaves, mineiro de Três Pontas, foi igualmente vice civil de um governo militar. Destacou-se por enfrentar mais de uma vez o presidente, condenar desmandos e a desorganização do governo e defender a volta da normalidade democrática. Era muito mais alinhado com o general Ernesto Geisel, iniciador do processo de abertura, do que com Figueiredo, inepto ao conduzi-lo. Na interinidade, Aureliano apoiou ostensivamente o movimento das "Diretas Já" e tentou sem sucesso se candidatar a presidente.

Itamar Franco fez questão de se diferenciar desde o início tanto do governo de Collor quanto de sua turma. Quando Collor caiu, Itamar assumiu interinamente em 2 de outubro de 1992 e foi oficializado no cargo em 29 de dezembro daquele ano. Tudo se passou sem trauma, com o apoio de praticamente todos os partidos. O PT foi uma das exceções.

Alencar honrou o exemplo de seus antecessores mineiros na Vice-Presidência, ocupando espaço, dando um grito de independência e falando tudo o que queria falar. A diferença é que foi leve no cargo, muitas vezes até divertido, e jamais bateu de frente com Lula, ao contrário dos conterrâneos.

Quando Lula fez sua primeira viagem internacional, em 16 de janeiro de 2003, para o Equador, Alencar estreou em grande estilo. Grande estilo mineiro, diga-se. Madrugou, chegou bem cedo na Base Aérea de Brasília para se despedir de Lula e receber o governo e, ao voltar ao Palácio, inovou. Em vez de permanecer na sala da Vice, como era praxe, aboletou-se no gabinete presidencial. E transformou o Planalto numa festa.

O primeiro ato assinado como presidente interino determinava que o Ministério da Cultura coordenasse os eventos oficiais do centenário de nascimento de Ary Barroso, maior nome do samba exaltação brasileiro, nascido em Ubá, em 7 de novembro de 1903.

Na solenidade, arrancou risos contando um dos seus muitos "causos": numa viagem à Ásia, como empresário, ficou danado da vida com o hotel porque havia uma listinha com os códigos de vários países e de suas principais cidades. No caso do Brasil, só havia o DDD do Rio e de São Paulo.

Na hora de ir embora, reclamou na recepção:

– E Ubá?

O gerente não entendeu nada e deve ter pensado: "Que raio será isso?" Alencar jurou naquele discurso, e passou o resto da vida garantindo, que um amigo seu se hospedou no mesmo hotel tempos depois e voltou entusiasmado: pois não é que o código de Ubá (032) integrava a lista do DDI e do DDD nos quartos?

Além de conceder audiência ao presidente do PL, deputado Valdemar Costa Neto, Alencar recebeu o então ministro da Cultura, o compositor e cantor Gilberto Gil, duas duplas de cantores mineiros, Célio e Marcos e Célia e Celma, e o cartunista Ziraldo, mineiro de Caratinga.

Numa nota de jornal sobre o conterrâneo, Ziraldo tinha escrito que Alencar casara com "a moça mais bonita de Caratinga". Mariza é irmã de seu amigo Luiz de Oliveira Campos, o Luizinho.

"Vim para ver o Zé sentado na cadeira", declarou Ziraldo aos jornalistas, lembrando que um professor da cidade, Armando Silva, costumava provocar os alunos dizendo:

– Um de vocês, bobocas, poderia até ser presidente da República.

Pois é. Um virou vice, com centenas de interinidades.

Naquele clima, Gilberto Gil puxou o clássico "Aquarela do Brasil", de Ary Barroso, eternizado por dezenas de intérpretes:

"Brasil
Meu Brasil brasileiro
Meu mulato inzoneiro
Vou cantar-te nos meus versos
Ô Brasil, samba que dá
Bamboleio que faz gingar
Ô Brasil, do meu amor
Terra de Nosso Senhor
Brasil, Brasil
Pra mim, pra mim

Ah, abre a cortina do passado
Tira a Mãe Preta do serrado
Bota o Rei Congo no congado
Brasil, Brasil
Pra mim, pra mim"

A cerimônia descambou para uma verdadeira cantoria, com o presidente interino soltando o vozeirão e se divertindo com o ministro da Cultura e as duplas mineiras. Nem parecia o Palácio do Planalto. Nem parecia solenidade oficial.

Juros, Juros, Juros

Nem tudo eram flores ou cantorias. Já na primeira semana de governo, o ministro dos Transportes, Anderson Adauto, indicado pelo vice-presidente e igualmente do PL mineiro, era alvo de denúncias de corrupção. Elas se referiam aos tempos de prefeito de Iturama, em Minas. Antes do final do primeiro mês, o próprio Alencar foi acusado por contratar parentes para trabalhar em seu gabinete na Vice-Presidência. Eram eles o irmão Toninho, o cunhado Ronaldo Dornellas e a sobrinha Dolores Abrahão.

No dia 9 de fevereiro, o jornal *O Globo* publicava reportagem unindo as duas coisas sob o título: "Casamento PT-PL causa dor de cabeça para o governo em plena lua de mel". Era constrangedor até porque Alencar sempre zelou muito por sua imagem.

Anderson Adauto, alvo de intenso tiroteio, inclusive ou principalmente da ala esquerda do PT, conseguiu se sustentar. Só saiu do governo em 2004, para se candidatar a prefeito de Uberaba. Foi eleito e depois reeleito para o cargo.

Já os parentes de Alencar foram exonerados um dia depois de nomeados, a pedido de Lula. Em nota, Alencar justificava a exoneração como uma decisão "*para que nenhuma dúvida paire sobre a seriedade do governo*".

O início pode não ter sido com o pé direito, mas Alencar daria a volta por cima depressa. Sua bandeira de muitas décadas, a pregação contra os juros, foi logo desfraldada nos primeiros meses de Vice-

-Presidência. A diferença é que agora não pregava mais em campanhas para entidades classistas ou eleitorais. Agora ele pregava de dentro do governo, como segundo homem na hierarquia de poder do país. A imprensa passou a conceder espaços cada vez mais generosos para aquele vice sem meias palavras. Muito depressa Alencar conquistava manchetes e comentários de toda ordem.

Sob o título "O Brasil não aguenta esses juros, diz Alencar", o jornal econômico *Gazeta Mercantil*, que deixaria de circular em 29 de maio de 2009, publicou entrevista com o vice-presidente da República criticando o torniquete que impedia o crescimento econômico do país.

"*O Brasil não aguenta esses juros (...). Eles sacrificam muito a economia brasileira, não só pelo custo que eles representam na rolagem da dívida como também pelo entrave ao desenvolvimento interno, já que os juros hoje cobrados ao consumidor reduzem a capacidade de consumo*", declarou à época.

A entrevista foi veiculada no dia 11 de março de 2003, e a taxa básica de juros, a Selic, estava então em 26,5%. Alencar traduzia: "*Se uma dona de casa for comprar uma geladeira a prazo, vai pagar 8% de juros ao mês, o que dá mais de 150% ao ano. Isso é um despropósito, um verdadeiro assalto.*"

O assunto se transformou no *must* do vice-presidente da República, que sempre tomou o cuidado de preservar Lula ao criticar a política de juros.

O ex-presidente do PT José Dirceu, então chefe da Casa Civil e também não muito feliz com a ortodoxia da política econômica, observa que as críticas de Alencar, ao contrário do que se poderia esperar, nunca tiveram viés de direita.

"No fundo, o Zé Alencar tem uma grande identidade conosco, com o governo do Lula. Muitas vezes, ele discordava de nós, mas, sempre que discordava, discordava, vamos dizer assim, à esquerda. Ele discordava à esquerda, nunca discordou à direita."

José Genoino, que havia substituído Dirceu na presidência do PT, concorda: "No início do governo, o Zé Alencar até causou algum constrangimento, porque ele ficou à esquerda do PT, à esquerda da gente."

Rindo, ele conta, inclusive, que os deputados e alguns velhos dirigentes petistas vinham manifestar preocupação:

– E agora? A gente tem que ficar mudo, enquanto ele diz tudo o que a gente não pode falar.

O dia 31 de março do primeiro ano do governo amanheceu com os jornais entupidos de fotos e mais fotos de uma "pelada" no Palácio do Jaburu, residência oficial dos vice-presidentes.

A partida foi entre o time de Lula, com camisa amarela, e o de Alencar, de camisa verde, com vários assessores e então ministros presentes, como Ciro Gomes (Integração Nacional), Tarso Genro (Conselho de Desenvolvimento Econômico e Social) e Antonio Palocci (Fazenda) – ao lado de Alencar pelo menos naquele jogo...

O time de Alencar venceu por 6 a 3. De quebra, o vice obteve a promessa de Lula de que mandaria reformar a piscina, os banheiros da área externa e parte das varandas do Jaburu, que caíam aos pedaços. Marisa Letícia e Mariza estavam na plateia do jogo e adoraram as novidades. (Lula cumpriu o prometido. A piscina ficou nova em folha.)

Amigos, amigos, negócios à parte, porque Alencar continuou metendo o sarrafo na política de juros altos. No Fórum Nacional da Indústria, na CNI, da qual tinha sido vice-presidente, Alencar voltou à carga: "Isso não pode continuar, sob pena de transferirmos todos os nossos esforços para os bancos", disse.

No dia seguinte, 10 de abril de 2003, a *Folha de S.Paulo* reproduziu parte do discurso, sob o título: "Juros encabrestam país, afirma vice". E ele não parou mais, aumentando mais e mais o ritmo e o tom das críticas.

Atacou publicamente um projeto caro ao todo-poderoso ministro Palocci, que transferia a incidência da cobrança de ICMS (o imposto estadual) dos estados de origem para os de destino. Aquilo afetaria a arrecadação de produtores como Minas Gerais e São Paulo. À *Folha*, Alencar disse que Palocci "não sabia de tudo" e que a reforma tributária poderia virar "um arremedo".

Os jornais do primeiro mandato de Lula têm páginas e páginas de críticas do vice às taxas de juros sob os mais variados e ácidos adjetivos. O próprio Lula se encarregou de autorizar as manifestações do vice-presidente numa entrevista concedida em 13 de maio: "*Eu precisava do Zé Alencar e ele de mim, nossa história se juntou como um caso de amor profundo, como Romeu e Julieta, cada um respeitando a individualidade do outro.*" Ficava claro que Alencar podia falar o que bem entendesse, sem que isso abalasse a relação entre eles.

Numa das primeiras reuniões ministeriais de seu governo, Lula deu um puxão de orelhas nos ministros que se arrogavam o direito de falar em público sobre tudo. Arrematou com uma ressalva: só o vice-presidente, o ministro da Fazenda e o presidente do Banco Central estavam liberados para dar declarações sobre economia.

Ato contínuo, Alencar estendeu sua crítica da política econômica para a política financeira – ou seja, de Palocci para o presidente do Banco Central, Henrique Meirelles. No dia de uma das reuniões do Copom (Conselho de Política Monetária), órgão do BC que determina a taxa Selic, o vice declarou: "Estamos jogando dinheiro pela janela ao pagar esses juros. Não podemos ficar à mercê desse pessoal que nos colocou no cabresto. Nós precisamos ver a competência do Banco Central para negociar direito isso. Pagamos dez vezes mais juros do que países com os quais temos de competir."

Sem saber que orientação seguir, com o ministro da Fazenda e o presidente do BC falando uma coisa e o vice, outra, líderes políticos da base aliada ao governo foram se aconselhar com o então também poderoso chefe da Casa Civil, José Dirceu. Dirceu não ficou em cima do muro: "Nossa posição é a do Copom", falou em nome do governo. E esclareceu que Lula não podia falar em público, mas tinha um lado: o da equipe econômica.

Alencar falou, falou, falou em juros, mas aquilo entrou por um ouvido e saiu por outro no Palácio do Planalto. Nem por isso o vice se calou. Depois dos juros, vieram outras divergências e todas foram tratadas publicamente.

Uma delas se referia à manutenção do amigo e correligionário Anderson Adauto no cargo. Outra foi o apoio ao aumento do subteto salarial dos magistrados nos estados – de 85,5% para 90,25% do salário dos ministros do Supremo Tribunal Federal. Também foi e voltou diante do projeto do governo para liberalização dos transgênicos (sementes geneticamente modificadas).

Neste caso, o tema era delicado, porque contrapôs as áreas política e econômica à ministra Marina Silva, do Meio Ambiente, contrária à autorização para o plantio de soja modificada. Todo mundo sumiu e, como bem disse o deputado Fernando Gabeira ao trocar o PT pelo PV, Alencar "ficou com a batata quente". Primeiro, o vice foi contra. Depois, foi quem assinou a liberação no exercício da Presidência.

A atuação do primeiro ano no governo foi marcada pela crítica aos juros altos e suas consequências danosas ao país. Sempre encontrou tempo para a franqueza, por mais incômoda que se manifestasse. Um bom exemplo aconteceu em julho, numa reunião do PL em Goiânia, quando Alencar colocou então o dedo na ferida ao lembrar da promessa de campanha de Lula de que geraria 10 milhões de empregos.

– Ainda não fizemos nada, não geramos nenhum emprego!

A pregação contra os juros não era nem nunca foi a única manifestação daquele vice do barulho. De alguma forma, ele foi uma espécie de superego ou voz da consciência que ficava a vibrar nas cabeças dos colegas de governo e dos principais formadores de opinião do país.

"Vice não Manda Nada"

A questão dos limites do vice deixou o âmbito do Executivo e foi parar no Legislativo. O então presidente do Senado, José Sarney (PMDB-AP), tomou as dores do Planalto e de Lula e partiu para cima de Alencar. Em entrevista publicada no jornal O *Estado de S. Paulo* no dia 5 de junho, Sarney acusava Alencar: "*Não pode o vice-presidente começar a atirar numa direção e o presidente decidir noutra. Isso ameaça a governabilidade. O vice não pode achar que tem autonomia*", declarava. Segundo ele, as divergências "*prejudicam o Brasil, não o governo*".

Curiosamente, Alencar "apanhou" de um aliado importante do governo, caso de Sarney, e de um opositor ferrenho, o líder do PSDB no Senado, Arthur Virgílio (AM), que o classificou deselegantemente de "abilolado" – regionalismo brasileiro que significa "amalucado".

"*Ele (Alencar) fala olhando para o próprio umbigo do setor que representa. A conversa dele é abilolada. Ele está sendo insensato*", afirmou. O comentário, vindo do ninho tucano, reforçava o que a História registra com clareza: Lula seguiu a política econômica do antecessor Fernando Henrique Cardoso, acusada de conservadora e neoliberal.

Alencar respondeu à altura numa entrevista à revista *Veja*: "*Querem passar a impressão de que sou um idiota, um desequilibrado, por falar abertamente sobre o assunto. Não sou idiota nem desequilibrado, sou um homem de bem que paga os impostos em dia e não tenho um só centavo ou alfinete no exterior.*"

Nesse clima, o Congresso chegou a debater o fim da figura do vice-presidente, dos vice-governadores e dos vice-prefeitos, conforme propunha em projeto de emenda constitucional o senador Jefferson Peres (PDT-AM). Peres, morto em 2008, considerava o cargo desnecessário, oneroso e fonte de complicação. "Vice é inutilidade, é uma frustração para o eleitorado. Em uma democracia, só tem legitimidade quem tem voto. Temos que acabar com o carona", declarou à época.

Surpreendente como sempre, Alencar não discordava totalmente: "Vice não manda nada mesmo, quem manda é quem tem voto, e quem tem voto é o presidente", vivia dizendo.

De tanta confusão que aprontou, Lula decidiu nomeá-lo para um cargo, com o nítido objetivo de dar um "sossega-leão" no vice que falava demais. Foi assim que Alencar assumiu a coordenação da comissão que analisava a complicadíssima e polêmica transposição do rio São Francisco. Com isso, era obrigado a viajar pelos estados do Nordeste, a se reunir com governadores, secretários e empresários. A estratégia deu um descanso para o Planalto e para Lula.

Desenvolto, independente e afoito, Alencar chegou a sugerir a mudança da letra do Hino Nacional. Em vez de "deitado eternamente em berço esplêndido" (o que lhe parecia uma ode à preguiça e ao desleixo), propôs "desperto e vigilante em solo esplêndido" (em defesa do trabalho, do esforço).

A ideia foi exposta a integrantes da Comissão de Defesa do Consumidor, Meio Ambiente e Direitos das Minorias da Câmara dos Deputados, onde falaria sobre a transposição do São Francisco.

A despeito de manifestações públicas que deixavam o governo numa saia justa, Alencar não era inflexível como Aureliano Chaves ou Itamar Franco. Foi capaz de defender Lula enfaticamente quando o presidente recebeu uma comissão do MST (Movimento dos Trabalhadores Rurais Sem Terra) e se deixou fotografar com o boné do movimento.

A imprensa baixou o pau. Alencar amenizou: "O presidente Luiz Inácio Lula da Silva recebe todos os segmentos da sociedade brasileira com carinho, com atenção, com amor ao Brasil, especialmente os menos favorecidos. Tem recebido todos os empresários, representantes de todos os segmentos da sociedade brasileira, tanto industriais como comerciantes, produtores rurais... Ele não poderia deixar de receber os representantes do Movimento dos Sem Terra."

Mesmo na questão crucial, a dos juros, Alencar se mostrou aberto ao diálogo. Depois de receber uma visita de Palocci no seu gabinete, marcada por longa e amigável conversa, baixou o tom, elogiando a política econômica "austera" e dizendo que o ministro da Fazenda era "um craque".

O que não evitou que, mais adiante, próximo do fim do ano, sentenciasse: "(O ano de) 2003 já está perdido."

Acertou em cheio, porque o PIB teve um resultado de doer. Pela primeira versão divulgada, havia caído 0,2%. Recalculado, registrou 0,5% positivos. Apenas em 2007 foi apontado o índice definitivo, com a mudança da metodologia: 1,15%. Ou seja: o crescimento do Brasil em 2003, como advertira Alencar, foi vexaminoso. Só não foi pior nas Américas do que os da conflagrada Venezuela e do miserável Haiti, país mais pobre da região.

Em 1º de fevereiro de 2004, o trabalho de transposição do rio São Francisco já ganhara asas e as críticas de Alencar se tornavam repetitivas, perdendo graça e espaço na imprensa. Foi quando o jornalista Lourival Sant'Anna publicou em *O Estado de S. Paulo* uma reportagem apropriadamente intitulada: "Procura-se uma função para o vice".

É verdade que Alencar não ficava exatamente sem ter o que fazer. Até ali, segundo a reportagem, já tinha recebido 169 autoridades estrangeiras, inclusive o poderoso representante de Comércio dos Estados Unidos de George W. Bush, Robert Zoellick. E com um detalhe: a pedido do próprio Zoellick.

Naqueles 13 primeiros meses de governo, Alencar tinha conquistado bons contatos nas embaixadas e, vez ou outra, proferia palestras para estrangeiros. Foi dele o discurso para os 10 embaixadores da Associação das Nações do Sudeste Asiático e logo depois para os representantes dos países da União Europeia.

Era pouco para aquela energia toda. E que presidente, em qualquer lugar do mundo, ficaria satisfeito com um vice solto por aí, falando poucas e boas contra a política econômica do governo? Em 10 de maio de 2004, Alencar concedeu entrevista bombástica. Criticava a política econômica, a política fiscal, a falta da reforma agrária e arriscava uma previsão catastrófica: a de aquilo tudo talvez desembocasse "na maior crise social da história", com possibilidade de evoluir para uma crise política.

Nove dias depois, o presidente do PL, Valdemar Costa Neto, entregava no Palácio do Planalto um ácido documento contra a política econômica. Batia na mesma tecla, a de que o Brasil atravessava "a maior crise social de sua história, determinada por taxas sem precedentes de desemprego, de subemprego e de marginalização social". O teor central do texto está resumido numa frase: "O principal sabotador é o presidente do Banco Central, Henrique Meirelles."

Por isso, para ver se conseguia acalmar um pouco seu vice, Lula tentou nomeá-lo em 2004 para o comando do "Conselhão", o Conselho de Desenvolvimento Econômico e Social (CDES). Alencar não aceitou. Achou que ficaria frente a frente com Palocci, e não queria briga.

No final daquele ano, o segundo de Lula no poder, o governo estava uma bagunça. Em outubro, Dirceu foi ao chefe presidente e entregou o cargo:

– Estou pensando seriamente em deixar o governo. Não fico mais com essa política econômica, porque vai acabar mal.

Ao mesmo tempo, Palocci também ameaçava arrumar as trouxas,

cansado de apanhar do vice-presidente, do chefe da Casa Civil, do presidente do BC e de boa parcela do próprio PT.

Em alguns momentos, como já se viu, houve petistas incomodados com o fato de Alencar defender abertamente tudo o que eles gostariam, seu discurso "à esquerda" do deles!

Genoino lembra o trabalho que foi impedir o PT de lançar uma nota contra a política econômica em termos próximos aos usados por Alencar e pelo PL. A discussão toda se deu numa reunião no início de 2004, na sede do partido, na rua Silveira Martins, praça da Sé, centro de São Paulo.

"Foi o maior rebu", conta o deputado, então presidente do partido e responsável por conter os ânimos beligerantes da "esquerda do PT". Os "incomodados" congregavam Heloísa Helena, Ivan Valente e Valter Pomar, todos desconfortáveis com a dianteira que o conservador Alencar tinha tomado no debate. Os dois primeiros romperam e fundaram o PSOL em junho de 2004. Pomar permaneceu no PT.

A dissidência abrangia um terço da Executiva Nacional e 15 a 20 deputados numa bancada de 80. "Foi um tranco para segurar", confidencia Genoino, lembrando a trabalheira que ele e o então líder na Câmara, Arlindo Chinaglia, tiveram para evitar que tudo degringolasse.

Nas reuniões internas do governo – algumas regadas a pinga e torresmo no Palácio do Jaburu –, Lula avisava que todo mundo podia dar palpite em tudo, mas não em público. E alertava:

– Quem foi eleito fomos eu e o Dr. José Alencar. Então, quem decide, quem manda, somos eu e o Dr. José Alencar.

E, quando tentavam reclamar da falta de cerimônia do vice ao criticar o próprio governo, reagia:

– Isso é assunto do vice, não se metam com o vice.

Genoino traduz: "Ele queria dizer que vice é vice, partido é partido." Em outras palavras, Lula dava um cala-boca no PT, mas não no seu vice. Ao longo dos oito anos de governo, Alencar se reportou diretamente ao presidente, jamais a qualquer dos ministros ou subordinados. A exceção era Gilberto Carvalho, que fazia a ponte de um encontro, de um telefonema, mas com quem também não discutia questões de fundo. Outra coisa que José Genoino e José Dirceu destacam é que, mesmo caindo o mundo no PT, com críticas generalizadas ao governo, dissidência e criação do PSOL, Alencar nunca se meteu nos assuntos internos do partido. Não tentou nenhuma articulação de bastidores, não deu uma só declaração sobre as brigas daqueles parceiros tão diferentes. Era mais ou menos assim: "Eles, que são vermelhos, que se entendam."

Coube a Lula pôr um freio de arrumação naquele início tenso e desconjuntado, mandando todo mundo parar com faniquito e principalmente de trocar desaforo via imprensa. A ordem era calar a boca.

Palocci, que não queria ir embora de verdade, gostou da solução. Assim ficaria em paz por um tempo. Dirceu, que veio de Cuba, da guerrilha, de partido clandestino, tinha aquela disciplina de militante e se recolheu. Só caiu em meados do ano seguinte, no rastro do escândalo do "mensalão".

Foi quando o procurador-geral da República, Antonio Fernando de Souza, analisou o escândalo da compra de votos dos partidos aliados ao governo no Congresso, inclusive o PT de Lula e o PL de Alencar, e denunciou Dirceu e outras 39 pessoas ao Supremo Tribunal Federal como participantes do esquema e suspeitos de crimes como corrupção ativa, formação de quadrilha e lavagem de dinheiro. Na lista, José Genoino, Delúbio Soares e Silvio Pereira, todos da cúpula do PT.

"Alencar foi de uma solidariedade total", revela Dirceu. Conta que o vice ia todos os anos à sua festa de aniversário. Numa delas, quando Dirceu estava muito por baixo, Alencar puxou o aniversariante e foi com ele até os repórteres e fotógrafos para registro da imprensa.

Armas e Bagagens para a Defesa

O vice teve sorte quando o mensalão tomou as manchetes dos jornais. Ele ocupava o Ministério da Defesa, bem distante da confusão. Quando trocou o ministro da área, Lula tomou a decisão da própria cabeça, sem consultar ninguém. A função era mesmo ideal para José Alencar, que tomou posse em 4 de novembro de 2004.

O titular anterior era o embaixador José Viegas, que se desentendera com a cúpula do Exército em diversos momentos. A gota d'água foi uma nota oficial respondendo a fotos publicadas pelo jornal *Correio Braziliense* que, de início, acreditava-se serem do jornalista Vladimir Herzog, em sessões de tortura. No entender de muitos, a nota justificava a tortura. Viegas reagiu duramente, enquadrando a Força e exigindo retratação pública, o que de fato aconteceu. Ainda assim, quem acabou caindo foi Viegas, evidentemente.

O convite de Lula a Alencar levou poucos minutos. Um convidou, o outro aceitou. Nenhum dos dois combinou estratégia, programas, prazos, nada. O importante era pacificar uma área tão sensível e para a qual Lula não tinha a menor paciência. Trocava piadas e tapinhas nas costas com os comandantes e ficava por isso mesmo.

Alencar tomou posse na Defesa com um discurso que soava feito música aos ouvidos da caserna:

– Os desafios são enormes, imensos. Os recursos são escassos diante da magnitude das tarefas que nos aguardam – disse ele, em tom de compromisso.

Menos de um ano depois, em agosto de 2005, Lula autorizou um aumento salarial de 23% para os militares das três Forças.

Alencar não teve problemas na nova área. Não entendia bulhufas de Forças Armadas, provavelmente não distinguia um jato da Aeronáutica de um tanque do Exército. Isso não tinha a menor importância. O que importava é que falava com os militares de igual para igual e que se deram muito bem. Tanto que Alencar e Mariza passaram a considerar seus melhores amigos em Brasília o então comandante do Exército, general Francisco Albuquerque, e sua mulher, Maria Antonieta.

Mais do que se ocupar de questões estritamente militares, Alencar preferiu se dedicar a uma área em que se locomovia com mais desenvoltura: a de negócios. E um dos pepinos que tinha caído na Defesa na gestão Viegas foi a crise da Varig, àquela altura já inviável economicamente. O passivo era imenso. Viegas havia deixado um plano pronto, que previa a fusão Varig-Gol. Era a forma de jogar o passivo fora e salvar a bandeira Varig, muito forte no país e internacionalmente. Alencar olhou, não gostou e decidiu começar tudo do zero, assumindo a posição nacionalista de que era preciso salvar a companhia.

O Ministério da Fazenda, o Ministério da Justiça e o mercado inteiro viam aquilo com ceticismo. Tinham motivos. E o pior era a urgência, porque a companhia praticamente deixara de voar por falta de dinheiro até para o combustível das aeronaves.

Alencar ainda conseguiu incluir as companhias aéreas no texto da nova Lei de Falências na véspera da divulgação, com o intuito de jogar a Varig lá dentro. Fez então a seguinte proposta: decretar a falência extrajudicial e financiar, via BNDES, US$ 380 milhões para as empresas que assumissem a "parte boa" da Varig. Foram idas e vindas, a Fazenda era contra, a Justiça apresentava resistência e, naquele clima, a crise aterrissou na Casa Civil.

No final, uma solução capenga: fingir que a Varig ganhava sobrevida, quando, na verdade, era finalmente enterrada com sua gigantesca dívida. A Gol, já então a segunda companhia aérea nacional, desembolsou R$ 660 milhões pela "nova Varig" (como se já liberta da "parte podre", ou seja, das dívidas) em março de 2007. A Varig acabou cumprindo sua sina com a falência finalmente decretada em agosto de 2010.

Apesar de não se envolver com questões estritamente militares nem com disputas ideológicas ou políticas afetas às Forças Armadas, Alencar não escapou de uma frase infeliz ao se referir à pressão de boa parte da opinião pública para abrir os arquivos da ditadura: "É claro que os arquivos não serão carregados e abertos na praça da Sé (símbolo do combate à ditadura em São Paulo)", declarou numa entrevista a jornalistas em dezembro de 2004. Uma grande polêmica se estabeleceu, por conta de um tema delicado durante os dois mandatos de Lula.

Sem a Varig para se preocupar e sem arquivos a escancarar, Alencar se tornou um ministro da Defesa vocacionado para cerimônias militares, viagens internacionais, coquetéis e formalidades burocráticas. Para Lula, estava de bom tamanho. Para ele próprio, mal não fazia. E foi assim que Alencar assumiu um ministério com previsão de curta interinidade e acabou ficando de 4 de novembro de 2004 a 31 de março de 2006, ano da sucessão presidencial.

Alencar saiu na hora certa. Foi sucedido pelo octogenário Waldir Pires, ministro-chefe da Controladoria Geral da União, que conviveu passivamente com o chamado "caos aéreo", uma crise envolvendo motim de sargentos controladores de voo, insubordinação das companhias aéreas e passageiros aboletados meses a fio nos bancos e chãos dos principais aeroportos.

A gestão de Pires ficou marcada ainda pelos dois maiores acidentes da história da aviação brasileira: o choque do Boeing da Gol com o jato Legacy em pleno voo, com 154 mortos, em setembro de 2006, e a explosão de um Airbus da TAM no aeroporto de Congonhas, em julho de 2007, com 199 mortos, incluídos aqueles dois altos funcionários da Coteminas.

A Reeleição a Vice

A posição independente de Alencar angariou inimigos e ironias no governo; e simpatias e elogios fora dele. Os empresários gostavam daquele discurso. Os homens éticos do Congresso, também. A opinião pública já se habituara com aquele vice-presidente invulgar.

Certo dia, o senador Jefferson Peres marcou uma conversa com Alencar. Foi até o gabinete com uma proposta e tanto. Peres, o mesmo que havia proposto acabar com a instituição da vice-presidência, era um político respeitadíssimo, dentro e fora do Congresso. Enquanto ACM se envolvia com quebra de sigilo de votos, Jader Barbalho era preso pela Polícia Federal e o Senado era atacado pela opinião pública de norte a sul do país, Peres se mantinha como um dos bastiões da resistência moral.

– Alencar, você está preparado para ser presidente? – propôs sem rodeios.

Sua ideia era uma chapa com Alencar na cabeça e ele próprio para vice. Seria uma "chapa ética", como classificava. Mas a mineirice e o senso de lealdade do vice de Lula falaram mais alto. Ele achou um risco muito alto dar esse passo, sem segurança de apoio partidário e trombando fatalmente com o governo e com o próprio Lula. A proposta não vingou nem se tornou de conhecimento público.

Assim como tinha rompido com o PMDB logo depois de assumir a vaga no Senado, Alencar começou a se estranhar com o PL. O rompimento se deu enquanto era ministro da Defesa. Além das críticas de Valdemar Costa Neto ao governo, os três senadores do PL, Marcelo Crivella (RJ), Magno Malta (ES) e Aelton Freitas (MG), haviam acabado de formalizar a saída da base de apoio no Senado. Alencar tentou apaziguar os ânimos, mas as relações entre PL e PT iam de mal a pior. A gota d'água para a ruptura se deu em 13 de agosto de 2005. Costa Neto assumiu então ter recebido R$ 6,5 milhões de suposto caixa 2 da campanha de Lula e Alencar à Presidência. Ainda afirmou que o presidente sabia bem disso.

Alencar explica suas razões de foro íntimo para deixar o PL, que se somaram por certo à pressão da família: "Houve um negócio de sacolão, ou mensalão, sei lá, e nunca me explicaram aquilo direito. Eu não entendi, não gostei. Defendo a tese de que as pessoas não têm de fazer nada errado para serem vitoriosas. As pessoas, para serem vitoriosas, têm de fazer tudo certo. Então, saí."

Destaca que jamais torceria pelo "quanto pior melhor" para se tornar candidato natural e disputar ele próprio a Presidência em 2006: "A campanha não era apenas do presidente, era também do vice-presidente. Se você pensar um pouco, você encontra aí uma das razões objetivas para que eu não torcesse para que aquilo chegasse a um ponto de liquidar tudo, porque eu também iria para o beleléu."

No dia 2 de setembro de 2005, um ano e um mês antes das novas eleições presidenciais, Alencar anunciou sua saída definitiva do PL. Menos de um mês depois, em 29 de setembro, ingressava no então PMR (Partido Municipalista Renovador), que em outubro daquele mesmo ano passaria a se chamar PRB (Partido Republicano Brasileiro). O nome foi sugestão de Alencar.

O partido era ligado à Igreja Universal do Reino de Deus, e Alencar não tinha nada a ver com aquilo. Mas era também um partido novo, sem vícios, sem lideranças que viessem a criar problemas como os verificados com PMDB e PL.

A situação era tensa naquele segundo semestre de 2005. As atenções estavam voltadas para o "mensalão". Havia dúvida sobre a capacidade de Lula de se reeleger em 2006. A política fervia, as reuniões se multiplicavam. Alencar foi ostensivamente posto de lado.

Ele nunca tinha se metido com o PT, como registra Genoino. Nada que impedisse uma mágoa em relação ao comportamento do partido no governo. Numa conversa com a autora e com o repórter Valdo Cruz, da *Folha de S.Paulo*, em novembro de 2005, os olhos de Alencar se encheram de lágrimas ao falar do PT, ou melhor, dos petistas no poder: "Nunca me ouviram, nunca me ouviram..."

No começo de dezembro daquele ano, outro início de escândalo, quando a *Folha de S.Paulo* e depois a revista *Veja* publicaram que o PT havia depositado R$ 1 milhão na conta da Coteminas. Alencar reagiu ao dizer que quem devia se explicar era o partido, não ele. O depósito foi devidamente contabilizado no balanço da Coteminas de 2005, mas não nas contas do PT. O tesoureiro petista, Paulo Ferreira, atribuiu a práticas indevidas da gestão anterior do partido. No final, prevaleceu a versão de Josué: o depósito se referia ao pagamento de um lote de camisetas para as eleições municipais de 2004.

Com a fragilidade do governo naquele momento, a posição de Alencar junto a Lula para a reeleição em 2006 era uma incógnita. Lula era instado a ampliar seu leque de apoios partidários, trocando o incipiente PRB por sigla mais robusta, o que significava rifar Alencar. Por pouco ele não foi excluído da chapa.

Estavam em cogitação o PMDB e o PSB. Pelo PMDB, o nome mais forte era o do advogado Nelson Jobim, ex-deputado, ex-ministro da Justiça e ex-presidente do Supremo Tribunal Federal. Ele chegou a deixar o cargo em maio de 2006 em meio à boataria de que concorreria na chapa de Lula em lugar de Alencar. Já o PSB tinha o nome mais desejado pelo PT, o do governador de Pernambuco,

Eduardo Campos, neto do lendário Miguel Arraes, ícone da luta contra a ditadura militar no Nordeste.

Aborrecido, Alencar dinamitou uma reunião de Lula em 22 de junho de 2006 com partidos aliados para discutir o nome do candidato a vice. Horas antes, declarou para jornalistas que "provavelmente não tinha feito por merecer o convite".

– O senhor já foi convidado para ser vice na chapa de Lula? – perguntaram os repórteres.

– Não – respondeu secamente.

– O senhor espera ser convidado?

– Não.

– Gostaria de ser?

– Não.

– Se for convidado, aceita?

– Isso é uma conjectura. Não posso raciocinar por hipótese.

E terminou a entrevista com um último recado malcriado:

– Talvez Deus esteja me protegendo.

Para bom entendedor, meia palavra bastava. Aquela alfinetada significava algo como "estou me protegendo do mensalão ou de mais um escândalo".

Lula entendeu o recado. Ao iniciar a reunião com os aliados, foi logo cortando o ímpeto geral. Informou que "não exporia mais" seu vice e que repetiria a "dobradinha" de 2002.

Tudo isso foi público. O que pouca gente soube foi do outro lado da moeda. Se Lula titubeou em convidá-lo para continuar, irmãos e sobrinhos de Alencar não viam com simpatia o nome dele metido num governo e numa chapa então manchados pelo "mensalão". Por eles, Alencar teria jogado tudo para o alto e voltado à vida empresarial.

Num churrasco em família, na casa do sobrinho e médico Manoel Luiz Cataldo, uma chácara nos arredores de Belo Horizonte, os irmãos criticaram duramente o PT, o governo, o mensalão e, de quebra, a própria política brasileira.

A mais enfática contra a candidatura de Alencar foi justamente a mãe de Cataldo, Elza, que falava em tom de palanque:

– O que você tem a ver com isso tudo, Zezé? O que você tem a ver com essa gente? Por que um homem como você, que tem tudo, que sempre teve uma imagem ética, um nome limpo, vai se meter com toda essa sujeira?

Essa era, ou pareceu ser, a posição majoritária naquela reunião familiar. Mas Alencar estava adorando essa história de política, de Vice-Presidência, de Brasília e de holofotes. Não iria largar o osso assim tão fácil.

Antes das 7h da manhã do dia seguinte à reunião com os líderes e às declarações de Alencar, os jornais chegavam às bancas quando o secretário particular de Lula na Presidência, Gilberto Carvalho, telefonou para o vice e formalizou afinal, em nome de Lula, o convite para que Alencar fosse novamente seu companheiro de chapa. O presidente queria evidentemente acabar com aquela fofoca toda.

"Lula mandou o Gilberto me achar, ligar e falar que eu estava convidado, para não deixar render aquele troço", relata Alencar.

Ele aceitou prontamente, e mergulhou de corpo e alma na campanha. Uma campanha que aconteceria sob o signo da descoberta dramática de um sarcoma retroperitonial, um câncer que ele e seus médicos chamam "o bicho".

Um Sonho (Não Tão) Oculto

O sonho de José Alencar Gomes da Silva era ser presidente da República. Por isso ingressou na política. Tinha dificuldade em reconhecer, mas não chegava exatamente a esconder. "Não fosse essa doença, eu teria, muito provavelmente, me encorajado a disputar. Não posso negar", confessa Alencar no curso dos depoimentos para este livro. "Vamos pensar no que é lógico: todo político tem como objetivo ser presidente da República, cargo mais elevado entre os eletivos. Principalmente se você é vice-presidente e está, de certa forma, a um degrau de distância."

O irmão Toninho confirma: "É um jargão, mas todo político quer ser presidente. Ele nunca revelou para ninguém, mas pode estar certa, se ele tivesse tido oportunidade, tinha chegado lá."

José Dirceu, figura-chave na aproximação Lula-Alencar, também comenta a respeito do desejo do vice-presidente: "Eu sempre soube", responde ele, honestamente.

Alencar não será eleito presidente, mas não pode reclamar da sorte. Até julho de 2010, ele foi o principal mandatário da Nação 156 vezes, num total de 489 dias. É quase um ano e meio, mais do que o dobro do tempo, por exemplo, que Jânio Quadros ficou na Presidência. Jânio assumiu em 31 de janeiro de 1961 e renunciou em 25 de agosto do mesmo ano, 6 meses e 25 dias depois da posse.

Nas interinidades, durante as viagens do presidente Luiz Inácio Lula da Silva para o exterior, Alencar assinou 1.989 atos dos mais variados, entre decretos, sanções de leis, medidas provisórias, processos, retificações e exposições de motivos.

Ao contrário de seus antecessores, timidamente confinados ao gabinete da Vice-Presidência nas interinidades, Alencar atravessava alegremente os túneis e corredores do Palácio do Planalto e se instalava solenemente no gabinete presidencial. A bela vista do Lago Paranoá de Brasília, graças às enormes e devassadas vidraças idealizadas por Oscar Niemeyer, conferia às interinidades uma íntima e indescritível sensação de poder.

Alguns atos que levam sua assinatura não chegam a emocionar. Um deles inscreve no Livro dos Heróis da Pátria o nome de Luiz Alves de Lima e Silva, o Duque de Caxias. Outro institui o Dia Nacional do Vaqueiro. Mais um cria o Dia Nacional de Combate à Psoríase. Tem também o que estabelece o Dia Nacional do Imigrante Italiano.

Há exceções, como a criação do importante Cadastro Nacional de Crianças e Adolescentes Desaparecidos e uma exposição de motivos especialmente polêmica que autorizava a plantação de soja transgênica no país (e que rendeu a Alencar tanto boas dores de cabeça quanto manchetes de jornais).

Sua equipe na Vice-Presidência, afastados os três parentes, foi praticamente a mesma do antecessor imediato, Marco Maciel. O senador pernambucano, aliás, insistiu para que Alencar fosse ao anexo do Planalto conhecer gabinete, funcionários e instalações tão logo Lula foi eleito em 2002. Segundo Adriano Silva, o homem que trabalha há mais de três décadas com Alencar, havia um medo tremendo de assessores e secretárias de perder seus empregos. O novo chefe tratou de tranquilizar a turma:

– Ninguém vai ser dispensado só porque eu estou assumindo. Quem quiser pode ficar.

Mas tratou de fazer uma ressalva (ou advertência):

– Com o tempo, essas pessoas poderão decidir se vale a pena trabalhar comigo. Nós também poderemos realizar trocas de funções, caso alguém não seja adequado ao nosso ritmo.

A Vice-Presidência reúne 114 funcionários, o que não contempla o pessoal que serve ao Palácio do Jaburu. Ficam de fora da conta os militares do Exército que fazem a segurança em sistema de rodízio e a equipe do governo do Distrito Federal responsável pela jardinagem. Ao todo, a Vice-Presidência abriga 150 pessoas. O vice tem ainda direito a usar o Serviço Médico da Presidência, tocado por militares das três Forças Armadas e de excelente qualidade.

Alencar incorporou apenas dois assessores àquela equipe, ambos mineiros que o acompanham há décadas: o próprio Adriano Silva, fiel escudeiro e pau para toda obra, e o aplicado Amaury Teixeira Machado. Adriano é companhia de todas as horas, nos despachos, nos encontros políticos, nas cerimônias, nas viagens, nas cirurgias, nas sessões de quimioterapia. Amaury fincou trincheira na Vice-Presidência. Um atua para fora; o outro, para dentro, na burocracia.

Muitas vezes ao longo da apuração deste livro, irmãos, médicos, políticos e empresários, quando esqueciam um nome, uma data, um caso qualquer, invariavelmente recorriam à mesma fórmula: "Pergunta ao Adriano que ele, com certeza, sabe."

Antônio Adriano Silva nasceu em Belo Horizonte, em 1º de março de 1950, um dos sete filhos do empresário Jerônimo, depois funcionário de construtoras, e da dona de casa Andrelina Silva. Estudou Administração, Comunicação e Planejamento Estratégico. Oficialmente, era o assessor de imprensa. Na verdade, representa muito mais para José Alencar. É quase sua sombra.

Alencar conheceu Adriano no início da década de 70, quando a firma carioca em que trabalhava participou da elaboração do projeto da Coteminas. Cuidava da comunicação, fazia contatos no governo e indicava pessoas físicas e jurídicas dispostas a abrir mão de parte de seu Imposto de Renda para incentivar novas empresas.

Ao voltar para Belo Horizonte, Adriano foi trabalhar na Associação Comercial nos tempos em que Alencar era um dos diretores – aliás, o mais animado, aquele cheio de ideias e que se metia em tudo.

"Naquela época, ele já encrencava muito com os juros altos. Ele usava as entidades patronais para nutrir esse espírito público, político, de quem tem profundo interesse pelas questões do país", avalia Adriano.

Um era diretor, o outro, funcionário. Os dois se aproximaram na visita a empresas, na organização de encontros e debates, na discussão sobre a modernização de uma entidade tão atrasada e com tanto potencial. Já naquela época, organizavam conferências de ministros poderosos, como Delfim Neto, o homem da economia nos governos militares.

Quando Alencar perdeu a eleição para a presidência da ACMinas, deu uma guinada para a Fiemg, para o Sesi e o Senai. E indicou Adriano para uma agência de publicidade chamada ASA. A agência servia às suas empresas e passou a trabalhar em planejamento de comunicação e mercadológico para as empresas dos Gomes da Silva, em contato direto com Alencar. Dali a trabalhar direto no grupo Coteminas foi um pulo. Adriano se tornou funcionário de Alencar em 1978.

"Uma coisa que sempre me impressiona no presidente (Alencar) é a solidariedade, a preocupação com as pessoas, não importa o nível que elas tenham. Ele fez questão de formar mão de obra própria e, em todos esses anos, não me lembro de tê-lo visto mandando dispensar uma só pessoa", elogia Adriano. No seu entender, a evolução tecnológica e a robotização das indústrias, inclusive da indústria têxtil, teriam potencial para causar levas e levas de demissões na Coteminas. Alencar sempre "deu um jeito de reciclar as pessoas, mudar as funções, dar treinamento, sempre tentando preservar os empregos", reforça.

O deputado Esperidião Amin (PP-SC) era governador de Santa Catarina quando Alencar e Josué decidiram comprar a fábrica de toalhas da Artex, em Blumenau. Os dois assumiram o compromisso de não demitir nem acabar com a escola técnica do bairro Garcia, que formava profissionais em tecelagem e manutenção de equipamentos.

"Eles não apenas mantiveram a escola como ampliaram. Foram parceiros fieis e confiáveis, e o empenho que tiveram só enobrece o caráter de Alencar e confirma o tirocínio de Josué", diz Amin, um dos governadores presentes à festa dos 50 anos de atividade empresarial de Alencar, em dezembro de 2000.

Alencar já era vice-presidente quando, em agosto de 2003, surgiu a notícia na imprensa: o grupo Coteminas havia demitido 200 empregados nas suas fábricas de Macaíba e de São Gonçalo do Amarante, no Rio Grande do Norte. Segundo o sindicato dos trabalhadores do setor têxtil do estado, as justificativas para a decisão foram "queda do dólar, retração das vendas e reestruturação". Ainda que em número pouco expressivo, a Coteminas também demitiu naquele ano de estagnação de 2003.

Amaury, o outro assessor mineiro que Alencar levou para a Vice-Presidência, nasceu em 1937, em Campina Verde (MG). Era funcionário da Fundação João Pinheiro quando conheceu Alencar durante um encontro de altos executivos em Araxá, em 1972. Acompanhou Alencar quando este se tornou presidente da Fiemg e nunca mais saiu do seu lado. É o homem que cuida da correspondência que Alencar recebe de todo o país e, portanto, quem melhor conhece os arroubos de mulheres, homens, amigos, curiosos e religiosos, em geral anônimos, que mandam mensagens para o vice. E, claro, tem uma coleção de revelações a fazer. Uma delas é que Alencar adora receber e responder cartas. Amaury seleciona as recebidas, mas o chefe gosta de decidir por si próprio o que responder, acrescentando uma introdução e assinando de próprio punho.

Os dois protagonizaram um episódio que ilustra o gosto de Alencar. Foi ainda em Belo Horizonte, em 1998, antes mesmo do Senado. Chefe e chefiado discutiam uma questão transcendental: se a virada do século XX para o XXI seria em 1º de janeiro de 2000 ou em 1º de janeiro de 2001. Alencar encasquetou com aquilo, foi pesquisar e mandou um bilhete manuscrito para o assessor – que trabalhava bem ali do lado, a poucos passos do gabinete dele na Coteminas:

"Caríssimo Amaury,

Constato que o amigo sabe pouco ou nada sobre século, milênio, etc. Basta que se assuma o óbvio: o Terceiro Milênio começa no Primeiro de Janeiro de 2000 e o "Grande Réveillon" será comemorado à meia-noite de 31 de Dezembro de 1999 ou ao primeiro segundo do Primeiro de Janeiro de 2000. É confuso, mas é isso mesmo. O século XX termina à meia-noite de 31 de Dezembro de 1999. Aliás, sobre o assunto, tenho um tratado do eng. Pedro Garcia, nosso vice-presidente, que, como você, também nada sabe sobre século. Aproveito para reiterar o meu melhor agradecimento pela ajuda que me deu em assunto de sua especialidade que, certamente, não tem nenhuma ligação com milênios.

Um abraço do amigo e grande admirador
José Alencar
BHte, 1º/7/98 (século XX)"

O chefe emociona o país com sua luta incansável e corajosa contra o câncer, e seus dois velhos assessores também têm passado por sobressaltos de saúde. Amaury teve câncer de intestino em 1996, um ano antes de Alencar descobrir seus dois primeiros tumores. Depois, retirou um câncer na próstata em 2006, coincidentemente no ano mais dramático da doença para o próprio Alencar. Adriano, por sua vez, foi obrigado a implantar uma ponte de safena e duas mamárias.

O problema coronário de Adriano foi diagnosticado às vésperas da chegada do Papa Bento XVI ao Brasil, em 2007. O combinado era que Lula receberia o Papa no dia 9 de maio e se reuniria com ele no dia seguinte, enquanto Alencar acompanharia Sua Santidade à missa de canonização de Frei Galvão, dia 11, e em sua despedida, dia 13, ambas em São Paulo.

Como o trânsito paulistano estava infernal, Alencar resolveu ir um dia antes. Já que estava em São Paulo mesmo e ainda não era nem meio-dia, pediu para se encontrar com os médicos no Sírio-Libanês. Estavam lá Paulo Hoff, Miguel Srougi, Raul Cutait e Roberto Kalil. Depois do cafezinho, eles acompanharam Alencar até a saída. Foi quando Kalil perguntou do nada para Adriano:

– E você, tem feito *check-up*?

– Eu? Não...

Ao que Alencar interveio:

– Uai! Você disse para mim que estava fazendo uns exames.

Kalil perguntou onde estavam os resultados. Estavam naquela pasta de couro que viaja pelo mundo debaixo do braço do assessor de Alencar onde quer que ele vá. Kalil olhou e fez uma careta, daquelas que sempre fazia quando algo ia mal com Alencar. Adriano, que já se habituara às expressões – boas ou ruins – dos médicos, percebeu que alguma coisa estava errada. Kalil, sempre rápido no gatilho, disparou:

– Você vai ficar aqui no hospital, não vai sair, não.

Adriano tinha muito o que fazer. Alencar marcara uma ida à ótica para comprar armação nova e aviar a receita do oculista, e a equipe de segurança já estava a postos para a chegada do vice na loja. Assim, Alencar sentou-se do lado direito traseiro do carro oficial – o lugar próprio para autoridades –, e Adriano entrou pelo lado esquerdo.

Kalil deu a volta no carro, abriu a porta e deu um ultimato:

– Estou falando sério. Você tem de ficar já no hospital, porque pode não acontecer nada, mas também pode acontecer de você atravessar a rua e cair duro do outro lado, viu?

Não houve jeito. Adriano, que acabara de completar 57 anos, saiu do carro e voltou para o Sírio-Libanês. Antes de se internar, tomou uma providência: comeu uma suculenta picanha no restaurante do hospital. Sabe-se lá quando poderia comer aquele troço de novo...

Conclusão: Adriano estava "todo entupido", com gordura nas coronárias e à beira de um infarto. Passou dois dias e meio na UTI e saiu do Sírio-Libanês com a tal ponte de safena e com as duas mamárias.

Na véspera da cirurgia, em 12 de maio de 2007, Alencar liga para o celular de Adriano. Avisa que o comboio já estava se formando para a missa de canonização do primeiro santo brasileiro, Frei Antônio de Sant'Anna Galvão, o Frei Galvão.

– Você quer ir? – perguntou o chefe.

– Não, mas queria pedir um favor ao senhor: reze por mim!

Na missa papal, assistida por 800 mil pessoas, segundo o relato dos jornais da época, Alencar toda hora falava do assessor, pedindo que o pessoal dele rezasse por Adriano. Depois, foi visitá-lo na UTI. Ligava três vezes por dia, conversava com os médicos, queria saber tudo. "Ele foi mil por cento", diz Adriano.

A secretária que Alencar herdou de Marco Maciel na Vice-Presidência, Helena Antunes de Rezende, passou também por experiência traumática. Aos 50 anos ela teve câncer no pulmão. Foi em 2005, e de certa forma aproximou chefe e chefiada. Apesar da relação formal, a doença abriu janela para diálogos mais intimistas. No momento em que seguia para a sala de cirurgia (onde retiraria o pulmão direito), Helena recebeu um terço de Mariza acompanhado do aviso de que rezaria e torceria por ela.

O chefe é descrito pela secretária como "alguém que se preocupa muito em dar atenção às pessoas". E conta: "Se ele passar na recepção da Vice-Presidência e tiver alguém sentado, ele volta e pergunta quem é, quem está esperando, o que está precisando." Outra característica é que ele mesmo faz as ligações e, se puder, já resolve tudo por telefone. Mas... "quando não tem o número e me pede para fazer a ligação, ele quer para ontem, se está ocupado e demora um pouquinho, reclama, cobra."

Um dado da personalidade de Alencar que Adriano, Amaury e Helena ressaltam, confirmando o relato de todos os médicos, é que ele não gosta de protelar. Quer resolver tudo o mais depressa possível, detesta deixar para o dia seguinte, a semana seguinte, o mês seguinte, como é tão comum. Quando alguma coisa encrenca, invariavelmente decreta:

– Vamos resolver!

É mais ou menos como reage diante de exames, remédios, tratamentos alternativos, cirurgias. Se é para fazer, faz-se e pronto.

Alencar assumiu posições firmes nas questões mais polêmicas ao longo do segundo mandato. Quando o governo e a oposição se enfrentaram no Congresso em torno da CPMF (Contribuição Provisória sobre Movimentação Financeira), foi abertamente a favor da manutenção da taxa, que deixara de ser provisória para virar permanente.

"Ninguém é a favor de um imposto dessa natureza. Porém, o governo não pode ser irresponsável e colocar em risco o que foi feito até agora no que diz respeito ao controle da inflação através do equilíbrio orçamentário", declarou à imprensa. O governo perdeu, e a oposição conseguiu derrubar o tributo, numa de suas raras vitórias contra Lula.

O vice também criticou publicamente a possibilidade de Lula disputar um terceiro mandato: "A Constituição no nosso país foi mudada agora recentemente para abrir espaço para um segundo mandato. Então, não é justo que haja espaço para um terceiro mandato, porque, do contrário, você fica mudando as regras do jogo no meio do jogo."

Ele também defendeu que a ministra Dilma Rousseff, sucessora de José Dirceu, fosse ao Congresso dar explicações sobre o caso do dossiê que a Casa Civil foi acusada de preparar contra FHC e sua mulher, Ruth Cardoso: "Penso que ir a uma CPI, desde que haja honestidade de propósito daqueles que são responsáveis pela coisa pública, é uma coisa normal."

A declaração mais polêmica e que mais dor de cabeça causou ao governo foi a que defendeu o desenvolvimento da bomba atômica pelo Brasil. Ao receber jornalistas no seu gabinete, em 23 de setembro de 2009, para o que seria um papo informal, ele considerou a bomba como "fator de dissuasão", além de "dar mais respeitabilidade ao país".

"A arma nuclear utilizada como instrumento dissuasório é de grande importância para um país que tem 15 mil quilômetros de fronteiras a oeste e um mar territorial privilegiado e, agora, esse mar do pré-sal de 4 milhões de quilômetros quadrados de área", declarou Alencar na ocasião.

Ele também comparou a situação com a do Paquistão. Apesar de pobre e conflagrado, aquele país tem assento em vários organismos internacionais justamente por fazer parte das potências nucleares: "Sentam à mesa porque têm arma nuclear. É vantagem? É, até do ponto de vista de dissuasão, é. É importante."

Alencar também defendeu que o orçamento das Forças Armadas fosse vinculado a um percentual do PIB, algo entre 3% e 5%, para reforçar o sistema de defesa nacional.

Afora essas declarações fortes, por vezes desconcertantes, Alencar consumiu praticamente todo o segundo mandato às voltas com o sarcoma descoberto na campanha de 2006. Virou alvo de homenagens grandiosas, ora da Câmara dos Deputados, ora da Fiesp, ora de um sem fim de câmaras, assembleias e entidades país afora. Tornou-se até patrono da carreira da Ciência e Tecnologia da Universidade Federal de Minas Gerais (UFMG).

Uma das homenagens que mais o sensibilizou foi a da Câmara, quando acompanhou Dilma Rousseff na entrega da mensagem de 2010 do Executivo ao Congresso. Foi aplaudido longamente, de pé, por todo o plenário, independentemente de partido, de estado, de ideologia. Quem viu sabe o quanto foi emocionante. Ao falar dessa homenagem, Adriano Silva fica com a voz embargada.

Foi assim que Alencar virou uma espécie de ídolo nacional. Discreta, como convém às secretárias de poderosos, Helena Rezende comete apenas uma inconfidência ao contar que "uma louca" vive ligando para o gabinete de Alencar. Ela diz que, se pudesse, estaria no lugar dele. Já fez até promessa de greve de fome se ele ficar bom.

"Ela é louca, diz que é apaixonada por ele", conta Helena.

Alencar já era fissurado em cartas, e o fascínio só aumentou quando chegou à Vice-Presidência. Mais ainda quando se tornou herói nacional por sua batalha contra o câncer. Até 31 de março de 2010, a nove meses do fim do segundo mandato, Alencar havia recebido 11.461 correspondências em seu gabinete, entre cartas, telegramas, e-mails e ofícios.

Nem sempre eram mensagens relevantes. Algumas, ao contrário, como o curioso convite para o centenário de uma senhora chamada Filomena Gomes da Silva, no interior de Minas. No final, o remetente arrematava: "Se o Sr. for parente de Dona Filomena, compareça. Se não for, esqueça." Ele esqueceu.

Também houve muitas cartas com pedidos, montes de pedidos. Gente de todo o país querendo casa, dinheiro, emprego, bolsa de estudos, remédio caro, ajuda para comprar de um tudo, indicação de hospitais, recomendação de remédios, vagas no SUS, reajuste de aposentadoria e, como não poderia faltar, dentaduras.

Por outro lado, também recebia convites, homenagens e sugestões de tratamentos miraculosos, além de presentes. Os amigos senadores enviavam pequenos mimos: os mineiros, queijos e doces caseiros; os amazonenses, peixes exóticos; os gaúchos, vinhos de boas safras... As senhoras idosas respondem pelo maior número de cartas e pela incalculável quantidade de terços, orações, santos, chazinhos e ervas medicinais. Entre as mensagens e presentes religiosos, havia remetentes católicos e espíritas, mas os recordistas eram os evangélicos. E não havia distinção de regiões, apesar de Minas, por óbvio, ter provido o maior volume de contribuições.

E o gabinete vivia cheio. Na quarta-feira, 24 de março de 2010, a agenda de Alencar na Vice-Presidência registrava uma pequena multidão, desde o reitor da Universidade Federal de Lavras, Antônio Nazareno Guimarães Mendes, acompanhado de um grupo de reitores das federais de Minas, até sete deputados federais de diferentes partidos, em audiências específicas.

Dois desses deputados, Humberto Souto (PPS-MG) e Ademir Camilo (PDT-MG), foram acompanhados de prefeitos e vereadores de suas regiões. Em dias assim, Alencar ficava visivelmente animado, cheio de energia.

Nem sempre o gabinete vivia apinhado. O começo na Vice-Presidência teve lá seus momentos modorrentos. Nos despachos com Amaury, falava-se da chatice da burocracia e, no final, Alencar perguntava:

– Acabou? Não tem mais nada para eu ler, assinar?

Se não tinha, enveredava por outros caminhos:

– Ô Amaury, você lembra daquela música do Ataulfo Alves que falava da professorinha de Miraí?

Perguntava por perguntar, porque sabia muito bem a resposta. E, mais de uma vez, a secretária Helena entrou no gabinete e surpreendeu os dois na maior cantoria, caprichando a afinação para uma boa versão de "Meus tempos de criança":

Eu daria tudo que eu tivesse
Pra voltar aos dias de criança
Eu não sei pra que que a gente cresce
Se não sai da gente essa lembrança
Aos domingos, missa na matriz
Da cidadezinha onde eu nasci
Ai, meu Deus, eu era tão feliz
No meu pequenino Miraí
Que saudade da professorinha
Que me ensinou o beabá
Onde andará Mariazinha
Meu primeiro amor, onde andará?
Eu igual a toda a meninada
Quanta travessura que eu fazia
Jogo de botões sobre a calçada
Eu era feliz e não sabia...

Numa visita aos ex-colegas de Senado, no final do primeiro ano de governo, Alencar fez um desabafo: "O Poder Executivo às vezes isola a gente. No Senado, não. Você tem contato com representantes de 27 Estados e sabe tudo o que está acontecendo no país."

O isolamento não era exatamente esse. É que ele continuava peixe fora d'água num governo de sindicalistas de todos os setores, esquerdistas de todas as tendências e particularmente de petistas.

Talvez por isso, Alencar e Mariza tenham feito suas melhores amizades no governo quando foi ministro da Defesa. Amizades numa área que não tinha nada daquilo, muito pelo contrário.

Apesar das críticas aos juros altos e à política econômica, apesar dos momentos difíceis do mensalão e da pressão dos aliados pela troca do vice em 2006, o fato é que, nos dois mandatos, nunca se viu nem ouviu falar de atritos entre o presidente e o vice.

Nas reuniões ministeriais, fossem no Palácio do Planalto ou na Granja do Torto (residência de fim de semana do presidente, usada para hospedar autoridades estrangeiras), eles faziam um verdadeiro *pas-de-deux*, na descrição de um dos ministros. Já começava quando Lula puxava sua indefectível caixa de cigarrilhas cubanas, pegava uma e oferecia outra para o vice. Alencar já não podia fumar, mas não resistia à tentação.

Atestado de José Dirceu ao final dessa trajetória de oito anos, com o alívio e o reconhecimento de quem teve papel importante na escolha de Alencar como vice: "Acho que o Lula e o Zé Alencar tiveram uma química, uma empatia, por causa dessas histórias de vida. A mãe de Lula (Eurídice Ferreira de Melo, a Dona Lindu) é tudo para ele, e os pais do Zé Alencar também são tudo para ele."

O próprio Dirceu conclui: "Isso foi muito importante para ter como vice, durante oito anos, um homem de personalidade e ideias fortes, um homem que comandou um império empresarial e que teve uma lealdade a toda prova como o Alencar teve."

"O Bicho"

No início de julho de 2006, quase um ano depois de José Alencar implantar o primeiro *stent*, Roberto Kalil Filho lembrou que o vice-presidente da República andava sumido do Sírio-Libanês. Sequer retornara na data marcada para o último controle. Pegou o telefone e ligou para Adriano Silva:

– Ô Adriano, cadê o vice?

Coincidentemente, estavam em São Paulo, mas com a intenção de ir embora no dia seguinte de manhã. Alencar não queria adiar a volta.

– Ah! Sabe como é corrido! – argumentou Adriano em nome do vice.

E Kalil, com seu estilo característico:

– Não enche o saco, Adriano. Tem de fazer e pronto.

O jeito foi passar o telefone para que paciente e médico conversassem sem intermediários.

– Quanto tempo vai demorar? – quis saber o vice.

– Uns 15 minutos – mentiu o cardiologista.

Deu certo. No dia seguinte, quinta-feira, 13 de julho, Alencar foi dar uma olhada no *stent*. Quando já estava na máquina de tomografia, Kalil pediu a Luiz Ávila, responsável pelo exame, que fosse mais fundo. Já que ele ia ver o coração, aproveitasse também para observar pulmão, barriga, barba, cabelo, bigode, tudo que pudesse.

Meia hora depois, Ávila ligou para o consultório de Kalil:

– O coração está ótimo, só que... ele tem um tumor na barriga.

Kalil tomou um susto:

– O quê?!

Segundo Miguel Srougi, "Kalil é de uma dedicação integral à medicina, está sempre à disposição de qualquer pessoa, a qualquer momento. Todo mundo recorre ao Kalil, e ele é aquele jogador de meio de campo, que distribui as bolas".

Kalil tentou lançar a bola para Miguel Srougi, mas ele participava de um congresso em Miami. Chutou então para Raul Cutait, que estava no hospital, pedindo que descesse até a tomografia, no subsolo.

"Puta que pariu!", reagiu Cutait diante do resultado dos exames de Alencar. Colocou o envelope com as imagens debaixo do braço e foi ouvir a opinião do jovem oncologista Paulo Marcelo Gehm Hoff, então com 37 anos. Hoff retornara dos Estados Unidos em fevereiro e pendurara uma coleção invejável de diplomas nas paredes do consultório espartano no Sírio-Libanês.

– Paulo, eu queria que você desse uma olhada nesta tomografia comigo.

Os dois se debruçaram sobre ela atentamente. Observavam detalhe por detalhe. Viam claramente um tumor retroperitoneal, mas ainda não tinham certeza do tipo, nem do tamanho exato, nem da gravidade. Ou não queriam ter certeza...

– O que você acha? – perguntou Cutait.

– Acho que, em se tratando de paciente com histórico de câncer, é melhor abrir e fazer biópsia.

Eram muitas as dúvidas: seria uma volta do tumor de rim? De estômago? De próstata? Só seria possível saber com a biópsia, que significava nova cirurgia.

Até ali, Hoff não sabia que o paciente era José Alencar, com quem sequer mantivera contato: "Tumores de retroperitônio são sempre muito complexos e de difícil acesso, mas, na vida de um oncologista, ver tomografias com tumores no corpo inteiro é o dia a dia. Sendo assim, não era uma coisa fora do usual. Só passou a ser quando me disseram: 'Olha, falando nisso, aquela tomografia é do vice-presidente da República...'"

Alencar teve ao menos a sorte (por mais difícil que seja falar em sorte numa situação tão terrível) que pouquíssimos doentes com o mesmo tipo de câncer têm: o tumor, que é muito agressivo e resistente, foi descoberto ainda pequeno. Ele tinha entre 4 e 6 cm naquele momento. Só 5% dos casos costumam ter diagnóstico com um tumor desse tamanho.

"Normalmente, quando se faz esse diagnóstico, ele (o tumor) já está muito grande. A pessoa não sente nada e, então, só se descobre sem querer", explica Raul Cutait.

Sem querer ou procurando como quem procura agulha no palheiro, num paciente com mais de 70 anos e histórico de três tumores. E que, além de tudo, é o vice-presidente da República e um dos homens mais ricos do país.

Ao saber do resultado da tomografia e da necessidade de abrir de novo para biópsia, Alencar telefonou para o presidente e parceiro de chapa na reeleição:

– Lula, você tem de escolher outro vice, porque foi diagnosticado esse novo tumor e vou ter de me operar mais uma vez, de maneira que só vou atrapalhar a campanha.

O presidente foi taxativo:

– De jeito nenhum! Você esquece a campanha. Vai cuidar da saúde que da campanha cuido eu.

Alencar aguardou cinco dias até estar apto para realizar a cirurgia. Um motivo era médico: ele precisava interromper a medicação com o anticoagulante que usava por causa do *stent*. Outro era político: Lula tinha viagem marcada para a Rússia no dia seguinte à tomografia, e Alencar fazia questão de assumir interinamente a Presidência. Optou-se por agendar a operação para quando o presidente voltasse. Também havia um terceiro motivo, bem mais subjetivo e complicado: Alencar, com muito boas razões, relutava em abrir a barriga de novo.

Nesse meio-tempo, houve intensas discussões da equipe médica brasileira sobre o que fazer. Os médicos se dividiam sobre as formas, os métodos, o grau de agressividade do procedimento. Um tumor retroperitoneal é devastador para qualquer um, até porque fica num local de difícil acesso, protegido pelo osso da bacia. Mas se tornava ainda mais ameaçador num homem que já não é criança e retirou um rim, dois terços do estômago, próstata e vesícula e tinha um *stent* no coração.

Numa reunião com a presença de mais de meia dúzia de médicos, dois dias depois da descoberta do novo nódulo, a gravidade do quadro ficou mais patente diante da falta de unanimidade sobre o que fazer. Srougi continuava viajando (só voltaria de Miami no dia seguinte), mas ali estavam reunidas sumidades em suas respectivas áreas. Um dos médicos, Hoff, defendia a imediata realização de cirurgia para biópsia. Outro sustentava que seria melhor deixar quieto. Raul Cutait introduziu argumentação nova: era o próprio paciente que não queria fazer.

Kalil reagiu mal à posição de Alencar, defendida por Cutait. Para ele, quem manda nessas horas é o médico, não o paciente, seja o João da Esquina ou o vice-presidente da República.

Resultado: decidiram operar. Kalil saiu dali para dar a notícia a Alencar e o encontrou na maca, saindo de mais um exame, numa sala próxima à da reunião. Deu um tapinha no ombro do paciente e comunicou, curto e grosso:

– O senhor vai fazer biópsia, viu?

Não era uma pergunta, era uma afirmação, quase uma ordem. Alencar não tinha outra alternativa a não ser acatar.

Srougi chegou no domingo. Foi ver o caso com Cutait, e os dois resolveram operar. Uma vez decidida a operação, faltava decidir quem operaria. Cutait e Srougi disputaram abertamente o paciente. Ficou um empurra-empurra, ou melhor, um puxa-puxa. Alencar, aflito, não sabia o que fazer. Optou por Cutait, metido na história desde o início, mas pediu encarecidamente que Srougi estivesse presente.

Na hora H, como o companheiro não aparecesse, Cutait mandou chamá-lo, atendendo ao pedido de Alencar. Srougi veio, mas avisando que teria quatro cirurgias naquele dia e que não se envolveria, muito menos se comprometeria. Vestiu as luvas, olhou rapidamente, disse que estava tudo bem, fez uma sugestão protocolar ou outra e saiu minutos depois. Ostensivamente, não quis assumir responsabilidades numa cirurgia que não era "sua".

Cutait retirou um tumor com 4 cm para biópsia. Vasculhou o quanto podia o abdômen. Limpou o quanto podia. O problema é que o sarcoma é um inimigo sorrateiro e difícil de combater. Está em toda a parte, mas não se deixa ver.

Apesar dos pesares, e da situação nada animadora, tudo correu bem naquele primeiro momento. A recuperação foi rápida. Já no quarto dia, Alencar quis porque quis deixar o hospital. Alegava que estava louco para voltar para casa. A verdade era outra.

Quando finalmente confessou a intenção de ir à inauguração do comitê de campanha do senador Aloizio Mercadante ao governo de São Paulo, Cutait bateu pé e disse que ele só estava liberado para ir para casa descansar, nada de se meter em aglomerações:

– Negativo. Você está proibido de ir – decretou.

Mas não deu outra. Alencar teve alta, saiu todo saltitante e deu uma longa entrevista coletiva para os jornalistas que se acotovelavam no hall de entrada do hospital. Cutait voltou para seu consultório, e Alencar, em vez de tomar o caminho de casa, foi direto para a festa de Mercadante.

"Fui, inaugurei o comitê. Só pedi pra não me baterem na barriga, porque eu tinha um corte de 30 cm, um corte que não era brincadeira", lembra Alencar , anos depois, todo orgulhoso.

"Mas a mamãe ficou louca da vida", conta Josué. Nem ela, nem Josué, nem Maria da Graça, nem Patrícia, ninguém conseguia segurar o furacão Alencar.

Cutait define como "impressionante" a capacidade de recuperação de seu paciente ilustre: "Quando ele se opera, parece que veio só tirar uma verruga. A evolução é suave, tranquila, a recuperação é muito rápida. Em geral, quando você usa o mesmo corte várias vezes, a cicatrização acaba sendo meio precária, e a dele é como se nunca tivesse acontecido nada".

Ao retornar ao hospital para tirar os pontos, 10 dias depois, Alencar já estava ciente do resultado do exame anatomopatológico. As piores expectativas tinham se confirmado: era um sarcoma dos mais agressivos. Foi apelidado "o bicho" por médicos e paciente.

O pandemônio estava formado no Sírio-Libanês. Raul Cutait, Miguel Srougi e Roberto Kalil Filho fizeram fila para ligar para Paulo Hoff. Ele ainda não sabia da confirmação do sarcoma e da gravidade da situação. Era hora de jogá-lo também no meio do turbilhão.

Hoff foi então chamado sem subterfúgios para a guerra, a guerra de Alencar e da equipe de craques do Sírio-Libanês contra o câncer. Ele entrou como comandante, com competência, paciência, bom senso e equilíbrio.

Aos poucos o paciente desenvolveu uma enorme confiança naquele paranaense de Paranavaí. Aos 16 anos, Hoff fora aprovado em quatro vestibulares e optou por fazer Medicina na Universidade de Brasília (UnB). No sexto ano, ganhou bolsa para estudar na Universidade de Miami, onde também fez residência médica. Especializou-se no MD Anderson, em Houston, onde lecionou como professor assistente. Sempre precoce, foi eleito, aos 32, professor do ano da instituição, famosa pela excelência em oncologia.

Depois de 11 anos no exterior, estudando e convivendo com os melhores oncologistas do mundo, Hoff retornou ao Brasil. Manteve o ar sereno, a voz mansa, a postura confiável, detalhes tão fundamentais para quem é obrigado a enxergar a vida no fio da navalha. Assumiu a chefia de Oncologia do Hospital das Clínicas da USP e depois do Sírio-Libanês. E conseguiu tempo para elaborar o projeto do Instituto do Câncer Octávio Frias de Oliveira, do qual também se tornou diretor clínico.

Em fevereiro de 2009, o Instituto Datafolha realizou pesquisa com 692 médicos de São Paulo. Eles deviam apontar os três melhores colegas de cada uma das cinco áreas mais procuradas da Medicina no estado: pediatria, ginecologia, cardiologia, oncologia e ortopedia. Paulo Hoff ficou em primeiro lugar em oncologia e, aos 40 anos, foi o mais jovem entre os vencedores de todas as áreas.

Além disso, o que não é pouco, Hoff tem bons ouvidos para as sempre interessantes, mas longas, histórias de Alencar, que só o chamava de "meu médico principal". E os dois aprenderam a dialogar nos momentos mais dramáticos.

Quando tentou enrolar e desobedecer a Hoff, Alencar se deu mal. Ao sair de uma das muitas cirurgias, ele estava cansado de suquinho, sopinha, biscoitinho. Queria algo com mais substância, um bom café com leite, pão e manteiga. Hoff disse que não, ainda era cedo. Alencar ligou para Cutait, disse que se sentia ótimo e pediu autorização. Cutait cedeu, e o resultado foi uma baita diarreia.

Alencar é mineiro. Confia desconfiando. Precisa de uma checagem a mais. Um dos médicos dava uma explicação qualquer, respondia às perguntas e saía do quarto. Era virar as costas e Alencar ligava para todos os demais, um a um, fingindo que não sabia de nada e perguntando sobre os exames. Queria assim ter certeza de duas coisas: se os médicos falavam a verdade e se havia consenso quanto ao tratamento.

A convivência com Hoff e o tempo fizeram a desconfiança mineira relaxar. Hoff sabia que não devia nem podia "enrolar" o paciente, que faria mil e uma perguntas, muitas delas técnicas. Alencar primeiro intuiu, e depois confirmou que podia confiar nas respostas. Eram claras, diretas, honestas.

"Imperfeita, Imperfeita"

Até o surgimento do sarcoma, Alencar havia retirado os tumores do rim e do estômago, em 1997, e o da próstata, em 2002. Também havia extraído a vesícula em 2004, por conta de um cálculo, e colocado um *stent* no coração em 2005 para desobstruir uma artéria e facilitar o fluxo sanguíneo. O novo inimigo era muito mais dissimulado, poderoso e implacável.

O sarcoma não é localizado, nem se alastra apenas em metástases lineares. Ele parece encapsulado (contido dentro dele), mas em geral tem margem comprometida e se transforma e multiplica rapidamente em 5, 10, 15 tumores. Há o nódulo principal e focos microscópicos em toda a vizinhança, em toda a musculatura. Na maior parte das vezes, crescem e ficam fora de controle.

Paulo Hoff explica que os sarcomas são tumores raros, que respondem por cerca de 3% dos tumores em geral. Infelizmente, esses 3% se dividem numa enormidade de tipos com níveis diferentes de gravidade. O de José Alencar era um dos piores, um tipo agressivo chamado por um nome, já em si, assustador: fibro-histiocitoma maligno ou sarcoma indiferenciado pleomórfico de alto grau.

Além de tudo, o tumor se localizava no meio dos músculos, muito próximo dos ossos. Parecia uma "bolinha encapsulada", na descrição de Hoff. Só parecia. Na realidade, ele não estava contido naquela "bolinha". Estava solto, em pequenos tumores invisíveis e imperceptíveis que, mais cedo ou mais tarde, viriam a assombrar o paciente e ameaçar sua vida.

Josué colocou umas mudas de roupa na mala e embarcou no Citation para os Estados Unidos. Queria ouvir as opiniões de três especialistas indicados pelos médicos brasileiros, principalmente por Hoff, que é da área. Os especialistas eram Robert Benjamin, chefe da Oncologia Clínica do MD Anderson, em Houston; Murray Brennan, neozelandês, considerado o papa em cirurgia de sarcomas do abdômen, do Memorial Sloan-Kettering, de Nova York; Bruce Minsky, também do Memorial, professor da Universidade de Chicago e revolucionário em técnicas de radioterapia.

Embarcaram com Josué os exames de imagem, os resultados da biópsia e o histórico do paciente no Brasil. Resultado: os médicos de lá reproduziram as mesmas dúvidas, angústias e discordâncias dos daqui. Cada um achava uma coisa. Um defendia a radioterapia, outro a quimioterapia. Um queria operar já novamente, outro preferia confirmar se haveria ou não recidivas.

Era a típica angústia do cobertor curto. A radioterapia era arriscada, porque a área afetada se localizava muito próxima ao único rim de Alencar. Se houvesse qualquer desvio milimétrico, isso comprometeria a função renal. Seria colocar em risco irremediavelmente a qualidade de vida do paciente, e sem nenhuma garantia de resultado.

Quanto à quimioterapia, costuma se aplicar quando o tumor está lá, ostensivo, visível, e é possível medir o impacto da bomba de drogas sobre ele, se está sendo ou não efetiva. Mas os tumores de Alencar eram ameaças dissimuladas, camufladas. Sequer havia certeza de que retornariam. Apenas uma séria desconfiança.

Brennan, que se tornaria homem-chave na luta de Alencar contra o câncer, era contra operar à cata de tumores praticamente invisíveis:

– Fazer uma cirurgia agora é a não solução, porque nem sei onde cortar. Não se vê nada, seria como voar às cegas – disse a Josué, sugerindo que Alencar ficasse em observação.

Mas e daí? Não fazer nada? Isso, definitivamente, não combinava com a personalidade de José Alencar Gomes da Silva.

Somando daqui, diminuindo dali, Josué voltou ao Brasil com a convicção de que a melhor saída, naquele quadro sem saídas, seria não fazer nada até que o inimigo desse as caras de novo. Aí, sim, se faria uma cirurgia acompanhada de radioterapia intraoperatória e seguida de quimioterapia. Uma técnica bastante inovadora.

Na volta, os médicos brasileiros igualmente se dividiram. Reúne daqui, discute dali, acabou-se fechando com essa alternativa em mesa redonda com presença de todos. Josué foi quem bateu o martelo, evidentemente com o aval do pai. Naqueles tempos, Alencar só pensava em fazer campanha.

Segundo Paulo Hoff, a vontade dele de entrar logo em campanha "teve um peso" nessa atitude de retardar uma decisão, de esperar o sarcoma e seus filhotes se manifestarem novamente. Mas não se tratava de decisão no escuro, emocional. Estava calcada na opinião do Dr. Brennan, maior cirurgião de sarcomas do mundo, com mais de 3 mil casos operados.

O importante é que não havia, naquele momento,"o certo e o errado". Ninguém tinha certezas e não havia como ter certezas. Mas a negociação envolveu uma promessa de Alencar aos médicos, por intermédio de Josué: no dia seguinte à eleição, ele repetiria os exames.

Quanto às recomendações para a campanha, eram solenemente ignoradas. Até que os médicos fizeram uma única exigência: a de que, pelo amor de Deus, ele não embarcasse em carrocerias de caminhonetes e caminhões, sacolejando em estradas poeirentas e esburacadas.

– Ok – respondeu Alencar. E passou a fazer essa concessão: andava em caminhonetes de cá pará lá e de lá para cá, participando de carreatas, mas... só na boleia.

Veio o 3 de outubro e Lula não venceu. Alencar adiou então os exames para depois do segundo turno, dia 29 daquele mês.

Quando finalmente conquistou mais um mandato, Lula lembrou, publicamente, que seu companheiro de chapa contrariou os próprios médicos para se integrar à campanha: "Quero agradecer de público aqui a participação jovial do meu vice-presidente da República. O Zé Alencar, durante o processo eleitoral, fez uma cirurgia, os médicos não queriam que ele fizesse carreata e, por onde eu andava, o Zé Alencar já tinha participado como se fosse um menino de 18 anos."

No dia 30, já depois do anúncio do resultado e das festas de comemoração, o vice reeleito amanheceu no Sírio-Libanês para tirar a limpo a história da recidiva.

Prevaleceu a lei das probabilidades: o tumor estava lá, firme, forte, grande, cheio de "satélites". Ameaçador. Por mais que já fosse esperado, considerado praticamente inevitável, uma coisa é saber da possibilidade, outra é ter certeza. Foi um momento dramático, ou um entre tantos momentos dramáticos.

Não bastasse a volta do sarcoma e de seus microssatélites de difícil visualização, apareceu também uma recidiva do câncer de próstata (o adenocarcinoma), com metástase em dois pontos na coluna vertebral. Segundo Raul Cutait, "eram dois tumores, mas bem bonzinhos". Alencar tomou os medicamentos apropriados e eles sumiram.

O problema era o sarcoma, muito mais perigoso do que um carcinoma, por exemplo. A volta dele, recebida como o fim da linha, deixou os médicos tristes e atônitos. O retorno do sarcoma foi também o retorno da guerra de egos, ciúmes recolhidos, de um certo empurra-empurra da "culpa". Mas ninguém tinha culpa. E quem melhor assimilou isso foi o próprio paciente.

O clima, claro, estava péssimo. Raul Cutait e Paulo Hoff respiraram fundo e foram até o apartamento 1106 do Sírio-Libanês com a missão dolorosa de dar más notícias ao paciente que, além de ilustre, já se tornara querido da equipe médica.

Pragmático como sempre, Alencar só queria respostas. Quais as consequências? O que fazer? Quais os próximos passos?

A dúvida dos médicos, constrangedora, era se, naquele quadro, com aquele grau de agressividade, ainda valia a pena tentar alguma coisa.

Hoff e Cutait explicavam da forma mais amena possível o que acontecia quando Srougi adentrou o quarto, alterado, falando alto e acusando Cutait:

– Foi uma cirurgia imperfeita! Imperfeita! Fizeram tudo errado e deixaram um monte de tumores! – repetia, referindo-se à cirurgia de biópsia que Cutait realizara em julho.

Conforme testemunhas, Alencar ficou "estupefato, mudo". Hoff deu dois passos para trás, sempre discreto, quase tímido. O alto, desenvolto e falante Cutait parecia assustado:

– Calma, Miguel! Espera aí que a gente conversa depois...

Srougi não queria conversa, e repetia as palavras para Alencar:

– Fizeram tudo errado, você foi muito mal operado, muito mal operado!

A crise, além de rachar a brilhante equipe do Sírio-Libanês, uma das mais prestigiadas e competentes da América Latina, teve um efeito colateral: afastou o sobrinho de Alencar, Manoel Silva Cataldo, que tivera papel decisivo na descoberta precoce dos dois primeiros tumores em 1997.

Cataldo era presença certa nos procedimentos mais importantes. A partir dali, sumiu do Sírio-Libanês. Alencar preferiu cuidar sozinho desse problema, digamos, político.

A guerra interna foi parar na imprensa em 3 de novembro de 2006. Uma reportagem da *Folha de S.Paulo* afirmava que, na operação de biópsia, Alencar ficara sob os cuidados de uma junta médica do hospital Sírio-Libanês integrada, entre outros, por Miguel Srougi. Srougi ficou uma arara com a informação.

No domingo, dia 5, a mesma *Folha* publicou duas notas a respeito. Uma veiculada no "Painel", seção de notas políticas:

ERRO MÉDICO

"A volta do tumor maligno no abdômen de José Alencar é apontada como evidência de erro cirúrgico na operação a que o vice-presidente foi submetido há três meses no hospital Sírio-Libanês, em São Paulo. Um dos médicos que aconselham o vice-presidente já o alertara para o suposto erro médico na época da cirurgia. A remoção do tumor teria sido incompleta, além de outras falhas de procedimento.

As chances de cura são hoje menores do que há três meses, mas ainda substanciais, principalmente pelo fato de não ter havido metástase."

A outra nota foi assinada pelo próprio Srougi no "Painel do Leitor", a seção de cartas. Negava que tivesse participado da junta médica ou que tivesse alguma responsabilidade pelo procedimento:

VICE-PRESIDENTE

"Ao contrário do que tem sido divulgado, não participei em julho passado da condução do caso do vice-presidente José Alencar, atingido por enfermidade abdominal, por ter julgado que o tratamento proposto era incorreto. Durante o ato cirúrgico, realizado por outro profissional, fui convocado às pressas para resolver um impasse inesperado e nele permaneci por cinco minutos. Muito mais relevante do que a ressalva, lamento o sofrimento pelo qual passam José Alencar e sua família.

MIGUEL SROUGI, professor titular de urologia da USP – Universidade de São Paulo (São Paulo, SP)"

No dia seguinte, o "Painel" político encerrou a celeuma:

O VICE EM EXAME

"Não é consenso entre os médicos que tratam de José Alencar a conclusão de que sua recaída evidencia erro cometido na cirurgia a que o vice-presidente da República foi submetido em julho passado no hospital Sírio-Libanês, em São Paulo. Atendido por dois dos mais importantes cirurgiões do país, o vice viu sua equipe dividida sobre os procedimentos adotados.

"Uma parte diz que a remoção do tumor no abdômen teria sido incompleta. Outra argumenta que a cirurgia foi radical e que o sarcoma que acometeu Alencar é extremamente agressivo – sua volta ocorre em 50% dos casos. O vice não fala em erro médico e diz ser muito grato aos dois cirurgiões. Segue agora para Nova York para ser operado no próximo dia 14 por um dos maiores especialistas do mundo nesse tipo de câncer."

Numa longa conversa por telefone com a autora deste livro, naquele final de semana, Alencar foi diplomático ao falar sobre a carta em que Srougi, apesar de não citar diretamente Cutait, deixava público que discordara do tratamento.

"Se houve erro? Como eu posso dizer isso? Não sou especialista e confio nos médicos que me operaram", afirmou à época.

Nunca é demais lembrar: Alencar é mineiro, desconfiado e gosta de ser bem informado sobre tudo. Já era assim como empresário e se aprofundou como líder patronal e político. Imagine-se como não agia como paciente de uma doença grave.

Josué faz questão de dizer que não presenciou a discussão e também elogia um médico e outro: "O ser humano de vez em quando tem desentendimentos, mas os dois são ótimos médicos. O Dr. Miguel é craque, profissional brilhante, e o Raul também. E o certo é que, graças a Deus, papai também conseguiu sempre que todos estivessem ali engajados, preocupados, acompanhando com carinho e com sentimento o caso dele o tempo todo."

Depois de elogiar tanto Srougi quanto Cutait, Alencar deixou bem claro no telefonema, como é seu estilo, por que havia decidido trocar São Paulo por Nova York: "Ambos queriam fazer a operação, mas não posso optar por um em detrimento do outro. Além disso, considerei os contatos que o meu filho já vinha fazendo com o Dr. Brennan, que tem o beneplácito tanto do Dr. Srougi quanto do Dr. Raul."

O paciente pediu licença de 30 dias da Vice-Presidência e embarcou rumo ao Sloan-Kettering Center para a operação com Murray Brennan e a radioterapia intraoperatória, cuja técnica consiste em radiação com a barriga aberta, diretamente sobre os tumores.

Alencar viajou para Nova York no "Sucatinha", que fora substituído pelo "AeroLula" como avião presidencial. Viajaram com ele Mariza, Paulo Hoff, Adriano Silva, Valter de Oliveira Costa, médico da Presidência, e a enfermeira Jaciara Lopes Guimarães dos Santos, também do corpo de saúde do Palácio do Planalto.

Hoff, já com passagem comprada por conta de um congresso nos Estados Unidos, viajou com o bilhete no bolso. Josué seguiu no próprio jato. Ricardo, filho de Patrícia e neto mais velho, se integrou ao grupo já nos Estados Unidos. Ele fazia MBA em Administração na Universidade de Columbia, que fica em Manhattan, Nova York. Por todo o tempo que os avós permaneceram em território americano, Ricardo esteve ao lado de ambos no hotel.

Jaciara, carioca de Niterói, formada em Enfermagem pela Universidade Federal da Paraíba, é gerente do Serviço de Enfermagem da Presidência. Um ano antes, o Dr. Valter, capitão de mar e guerra médico, lotado no Planalto e responsável pelo vice-presidente, procurou por ela:

– O vice tem um problema sério de acesso venoso periférico. Precisamos de alguém com muita precisão para pegar a veia dele.

Alencar vivia de fato com hematomas doloridos. As enfermeiras não conseguiam achar suas veias. Jaciara foi, achou e passou a dar injeções, aplicar soro, introduzir toda a medicação intravenosa e subcutânea, mais as vacinas contra gripe e febre amarela, entre outras.

Sua única função na equipe era essa, até que em novembro de 2006 o mesmo Dr. Valter manifestou interesse em que acompanhasse Alencar a Nova York. Jaciara foi sincera:

– Não, porque não falo inglês fluentemente, muito menos inglês técnico. Vou atrapalhar mais do que ajudar – respondeu.

– Eu preciso de alguém competente tecnicamente. O inglês é problema meu – devolveu o médico, que saiu dali e foi pedir autorização ao vice.

Alencar não gostou da ideia. Achava desnecessário, um excesso. Mariza entrou em campo. Argumentou que seria muito bom ter alguém com quem dividir a vigília. Desde então, Jaciara se tornou enfermeira de Alencar, presença constante no Jaburu e nas viagens.

Aplicada, submeteu-se a treinamento intensivo de 10 dias para se familiarizar com os termos técnicos em inglês. Chegou a produzir uma apostila em língua inglesa. O texto foi disponibilizado aos profissionais do Serviço Médico da Presidência com perguntas e respostas básicas sobre soro, dor, resultados de exames, medicamentos essenciais.

Jaciara também criou uma espécie de minicontêiner, ou *case*, como todos chamam no Serviço Médico, com três palmos de largura, dois de comprimento e um de altura. Contém medicamentos, materiais e equipamentos básicos. Onde o vice vai, o *case* vai junto. São acomodados em seu interior os principais remédios, além de gaze, ataduras e espátulas. Há espaço ainda para quatro equipamentos de emergência: oxímetro, para medir pulso e saturação, ou seja, nível de oxigênio no sangue; glicosímetro, para monitorar a glicose; aspirador para secreções e "lifepak", que é o desfibrilador. Peso do *case*: 17 kg.

Na hora do embarque, Paulo Hoff espantou-se:

– Você vai mesmo levar tudo isso? – perguntou a Jaciara.

Ela levou. A viagem correu bem, Alencar parecia bem-disposto.

Aproveitou para disparar um bombardeio de perguntas a seu oncologista. Foi aí que a relação médico-paciente evoluiu para amizade, carinho, respeito.

Depois de analisar o caso, inclusive todos os exames, Murray Brennan chamou Hoff de lado. Os dois já se conheciam havia anos, e Brennan não dourou a pílula ao falar do baixo custo-benefício de uma intervenção tão drástica:

– Paulo, você sabe que é um caso complicado. Esse tipo de cirurgia é muito extenso, muito complexo, e as chances de insucesso não são desprezíveis. É um procedimento muito agressivo, e mesmo assim o risco de recidiva é enorme.

O especialista estrangeiro alertava que sempre havia a opção de não operar, de aceitar a progressão da doença, de limitar-se a combatê-la com a quimioterapia. O brasileiro respondeu:

– Ele está perfeitamente ciente disso, e eu já o conheço suficientemente para saber que essa não é uma alternativa. Enquanto houver uma opção que, mesmo remotamente, possa levar à cura, é esta que ele vai querer.

Josué confirmou exatamente isso: o pai sempre optava pela solução radical, mais arriscada, mais dolorosa, mais invasiva, mas que embutia maior esperança de cura.

Assim, em 14 de novembro de 2006, Alencar seguiu para mais uma cirurgia, incluindo a tal radioterapia intra-abdominal, direto no tumor, com a barriga aberta. A intervenção desta vez consumiu sete horas e meia. A violência foi imensa, e a convalescença, das mais sofridas.

Mas tudo correu bem tecnicamente, dentro das circunstâncias, e Brennan deu alta do hospital para Alencar em quatro dias e alta do país em 10. Muito antes do que estava previsto, muito antes do que os próprios médicos imaginavam originalmente.

Fogo!

Alencar já estava instalado com a família e a comitiva num hotel de Nova York, o Sloan Park, na Park Avenue, quando ele e Adriano ouviram uma sirene do Corpo de Bombeiros. Logo perceberam uma barulheira, uma correria pelos corredores. Quando olharam pela janela, todos corriam de pijamas e camisolas pela rua.

O problema agora era outro, muito diferente... Procura daqui, se informa dali, até descobrir que eles eram os culpados de tudo. "Mariza botou fogo no hotel. Foi fumaça para todo lado", lembra Alencar, rindo, durante uma sessão de quimioterapia no Sírio-Libanês.

Ricardo, ou Ricardinho, chegou lá pelas 22h30 da faculdade, com uma fome leonina e morrendo de saudade do bife caseiro da vovó, aquele que só ela sabia fazer. Mariza não se fez de rogada. Como era uma suíte confortável, sala, dois quartos, varanda e uma pequena cozinha, lá foi ela para o fogão fritar o bife. Foi aquela fumaceira, os alarmes de incêndio soaram e os hóspedes tiveram que sair correndo escada abaixo.

"Tinha um fogão bacana lá, e a dona Mariza se entusiasmou", justifica Adriano.

"Vieram seguranças armados e tudo, mas nós ficamos bem quietinhos. O vovô só balançava a cabeça, aborrecido com aquilo tudo", relata Ricardo.

E não ficou só nisso. Certa noite, cansado de ficar trancado, ora no hospital, ora no quarto do hotel, Alencar quis jantar no restaurante, alguns andares abaixo. Chamou o neto e o assessor Adriano e fez questão de dispensar aquele monte de seguranças da Presidência – sempre implicou com eles.

Depois do jantar, animado, quis dar uma volta lá fora, naquele frio de final de ano em Nova York. Os três saíram devagar, caminhando, proseando, respirando aquela sensação de vida. Até que um deles olhou para trás. Lá estavam os seguranças, esbaforidos, esgueirando-se entre árvores e postes, como num filme de TV. Os três caíram numa gostosa gargalhada.

Dona Mariza e Jaciara se revezavam à beira da cama, uma de dia, outra de noite. Nenhuma tinha permissão para qualquer procedimento, só acompanhamento. Sempre que Alencar precisava de alguma coisa, elas acionavam a equipe médica do Memorial.

Não foram momentos nada fáceis, mas Jaciara conta o que mais a surpreendia: "Nunca vi o presidente chorar de dor, só de emoção. Também nunca o vi se lamentando, praguejando, reclamando da vida. Quem está acostumado com pacientes de câncer sabe que eles sofrem muito e perguntam sempre 'Por que comigo?', 'Por que Deus faz isso comigo?'. O presidente nunca disse coisas assim. Nunca, nunca."

Apesar de ter compartilhado com Jaciara momentos tão dramáticos, Alencar era formal, respeitoso e, durante uns dois meses, sequer falou o nome dela. Só a chamava assim: "Ô enfermeira!".

"Não foi fácil conquistá-lo. Ele é muito formal, polido, havia muita distância, discrição, até uma certa desconfiança. Mas esse constrangimento inicial foi sendo vencido no dia a dia", confidencia. "Onde ele vai, eu vou", acrescenta.

A cirurgia completava 10 dias quando Alencar retornou ao Brasil. Ao chegar, reuniu a pequena comitiva na Base Aérea de Brasília. Agradeceu a todos e fez uma referência especial a Jaciara: "Quero agradecer a todos vocês e à decisão do Dr. Valter de levar a enfermeira. Só nós dois sabemos as noites que passamos juntos no hospital."

No desembarque em Brasília, com as câmeras de televisão e de jornais a postos, Alencar desceu a escada do Sucatinha saltitante, pulando de degrau em degrau. Para variar, ficou orgulhoso de si mesmo. Mariza, ao contrário, ficou muito brava.

"Voltamos animados, porque o Dr. Brennan introduziu a radioterapia intraoperatória, disse que fez uma operação com grande margem", rememora anos depois Alencar, contando que, infelizmente, houve sequelas, já que um músculo da perna esquerda, muito enervado, foi atingido.

Brennan avisou:

– O senhor vai sentir que essa perna vai ficar diferente.

Quase ninguém percebe, mas, de vez em quando, ele manca um pouco da perna esquerda. Diz que ficou diferente mesmo, como se estivesse "dormente, insensível, ou coisa que o valha".

Já de volta ao Brasil, em dezembro de 2006, quase dez anos depois da retirada dos dois primeiros tumores (no rim e no estômago), Alencar finalmente passou a se submeter a sessões de quimioterapia. Uma das sequelas seria particularmente sentida: a perda para sempre do bigode que cultivava, vaidoso, desde a juventude.

A quimioterapia era um coquetel combinado entre Brennan e Paulo Hoff. Daí em diante, foram combinações variadas e de intensidades diferentes, uma atrás da outra, e ele nunca mais parou.

Também não parou as atividades de vice-presidente da República, apesar de intensas e sistemáticas quedas de imunidade. Transformou-se num herói nacional. Ou um super-homem, conforme o desenho enviado para o gabinete por uma mocinha de 15 anos. O desenho da menina resumiu a sensação de milhões de pessoas país afora.

"Isso é que é força de vontade"

A posse de Lula e Alencar para o segundo mandato foi em 1º de janeiro de 2007. O vice tinha iniciado dias antes as sessões de quimioterapia, mas cumpriu todo o ritual. Permaneceu horas de pé durante os discursos, assinaturas de atos e cumprimentos aos cidadãos no parlatório de mármore e linhas arredondadas ao lado da rampa, na frente do Palácio do Planalto.

Paulo Hoff estava em São Paulo, assistiu pela TV e ficou preocupado: "Pensei: meu Deus, ele acabou de passar pela químio, será que vai aguentar?" Depois, concluiu, aliviado: "Mas ele foi estoico, aguentou muito bem e fez toda a cerimônia. Parecia muito feliz", recorda o médico, sem disfarçar o orgulho por mais aquela prova de superação.

Foi um bom momento na luta contra o câncer. Alencar se submeteu à quimioterapia por quase 11 meses, de novembro de 2006 a outubro de 2007. Nenhum sinal do maldito tumor.

"O papai é muito forte. E esse foi o período mais longo sem a doença desde o diagnóstico do sarcoma. Fazia exames de dois em dois meses, e nada", relata Josué.

O sarcoma estava apenas à espreita, pronto para dar o golpe no momento oportuno. E, como reforçam as estatísticas de casos semelhantes, "o bicho" voltou, e voltou com tudo, em outubro de 2007, primeiro ano do segundo mandato. Era um ponto grudado numa artéria do intestino. Decisão rápida e consensual: chame-se o Dr. Brennan!

O professor estava em Dubai, Emirados Árabes, quando recebeu o telefonema do Brasil. Descartou a ideia de Josué de levar o pai até lá ou até Nova York e se dispôs a vir de imediato para o Brasil e operá-lo aqui mesmo. Foi o que aconteceu. Brennan embarcou em voo de carreira, viajou por mais de 15 horas até São Paulo e realizou a nova cirurgia no Sírio-Libanês.

Alencar ainda estava na UTI quando Brennan foi se despedir. Totalmente lúcido, perguntou a Josué:

– E aí, filho, já acertou com o Dr. Brennan?

Como ele não queria cobrar de jeito nenhum, Alencar tentou uma cartada:

– Isso não fica bem para nós.

E o médico:

– Pois, para nós, o que interessa é que o senhor fique bem para que nós não fiquemos mal!

Insiste daqui, insiste dali, o médico fez sua oferta:

– O senhor arranja uma camiseta da Seleção Brasileira para o meu neto, que mora na Nova Zelândia e é louco pelo futebol do Brasil. Ele vai ficar orgulhoso.

Josué mandou comprar uma camiseta, mas, como a loja só vendia o uniforme inteiro, com short, meias, chuteiras e até bola, veio o kit. E ele ainda sugeriu a Alencar um *upgrade* para o "pagamento", mandando a camiseta autografada pelos jogadores titulares do Brasil, o que, evidentemente, teria mais charme e mais impacto.

Alencar achou a ideia ótima, pegou o telefone e ligou direto para o presidente da CBF (Confederação Brasileira de Futebol), Ricardo Teixeira, pedindo a gentileza. Pois Teixeira fez melhor: mandou sua própria camiseta oficial da Seleção com assinaturas de todos os jogadores. Brennan deixou o Brasil com a camiseta autografada pelos craques e o kit completo, bola e tudo, para o neto.

Alencar mantinha intacta a energia positiva, a fé e a confiança na cura, mas a família sabia o que o futuro reservava. Três meses depois, o tumor estava de volta.

Maria da Graça ficou com mania de acompanhar tudo pela internet. Marcava o tipo de sarcoma, o tamanho, o local e se punha a colecionar histórias e prognósticos. A ideia era buscar informações sobre o que estava por vir. Compartilhava em seguida o resultado com Josué e Patrícia. Ficavam todos em pânico, mas mantinham-se discretos e controlados como é próprio da família.

No caso do sarcoma, a boa notícia foi que nunca ocorreu o que os médicos chamam de "metástase por carregamento". Quer dizer, o tumor não circulou pela corrente sanguínea nem pelo sistema linfático. Por isso, jamais foi parar em outro órgão.

A má notícia era que se tratava de um sarcoma agressivo, teimoso, invasivo, de crescimento rápido e com essa característica de "falsa cápsula". É um tumor que parece estar contido, mas na verdade está solto, se espalha, cresce. É o que torna muito difícil retirá-lo apenas com cirurgia.

Havia notícia ainda pior. No início, ele era retroperitoneal – ou seja, se mantinha atrás do peritônio num músculo chamado psoas, que se origina na coluna vertebral. Com o tempo, ocorreu o que todos os médicos temiam, ou melhor, sabiam que ocorreria. Por conta da necessidade de uma cirurgia atrás da outra, o tumor invadiu o próprio peritônio e evoluiu para múltiplos tumores. Produziu-se assim a temível sarcomatose.

O peritônio é a maior membrana serosa do corpo, transparente, com duas camadas, que cobre as paredes abdominais e a superfície inferior do diafragma.

"Ele (o sarcoma) veio para dentro do peritônio mesmo porque, depois de tão manipulado, abre e fecha, abre e fecha, ele veio por proximidade, passou pelos tecidos, invadiu a cavidade peritonial e deu em sarcomatose, que era uma situação quase impossível de luta", relata Josué, numa descrição clara e coloquial e num tom muito emocionado."O médico abre, consegue retirar os tumores visíveis, mas não os que são microscópicos, que estão ali, mas ninguém vê. Termina a cirurgia e eles estão crescendo, daqui a pouco estão grandes de novo. Você tira um e vem outro, tira um e vem outro, tira um e vem outro...", prossegue.

O dicionário define o que é peritônio. Os médicos, o que é sarcomatose. O que talvez ainda não exista é uma palavra na língua portuguesa para exprimir o esforço de Alencar. Para ele não há "situação impossível de luta". A luta continuava, sempre continua. Como um guerreiro incansável, sempre pronto para a batalha seguinte, foi direto ao ponto:

– E agora? Qual o próximo passo?

Era um passo arriscadíssimo, doloridíssimo, caríssimo, e muitos outros pacientes teriam jogado a toalha. Não ele. E lá se foi novamente para o centro cirúrgico, com anestesia geral, se submeter a uma radiofrequência, ou uma RFA (Radiofrequency Ablation, em inglês). O médico responsável foi Marcos Menezes,"um dos maiores especialistas do mundo nessa área", conforme as palavras do próprio paciente.

Foi no dia 12 de fevereiro de 2008. E foi horrível. Descrição leiga do próprio Alencar: "Como é que faz? Introduz uma haste, como se fosse um lápis, e põe fogo em cima do tumor, com uma temperatura que vai a 100 graus centígrados, suficiente para ferver água. Cada sessão dura doze minutos."

Foram muitas as sessões, e Alencar compensou depois todo o sofrimento com ânimo renovado e uma certeza que carregou para sempre: "Na minha opinião, foi um sucesso. Ele matou aquele tumor."

O pós-operatório é dramático, mas Alencar recebeu alta três dias depois. Voltou então para Brasília, onde iniciou sessões de fisioterapia no prestigiado Hospital Sarah Kubitschek. A intenção era amenizar a dor e o incômodo na perna esquerda depois da cirurgia em Nova York, aquela que atingiu o músculo.

O tratamento, combinado com Aloysio Campos da Paz, idealizador e então manda-chuva do hospital, se estendeu até junho daquele ano. Foi substituído adiante por sessões ocasionais ministradas pelos próprios profissionais da Presidência.

Mesmo com toda a esperança e o otimismo de Alencar, "o bicho" voltou. Em 20 de junho de 2008, um novo PET-CT (exame de imagem para avaliar a presença e o estágio do câncer), aliado a ressonância e tomografia, detectou um aumento do tumor.

Uma junta médica se reuniu, Josué presente. Participaram Srougi, Kalil, Cutait, Hoff, Marcel Cerqueira e o oncologista clínico e hematologista Antônio Carlos Buzaid.

Todos, àquela altura, já haviam estabelecido um vínculo emocional com o paciente. Não era o caso de Buzaid. Graduado pela USP, ele fez especialização na Universidade do Arizona, deu aula em Yale e trabalhou no MD Anderson. Passou 13 anos nos Estados Unidos e retornou ao Brasil em 1998.

Naquela reunião tensa, difícil, ele se comportou como os médicos americanos se comportam nessas horas: fria e pragmaticamente:

– Isso é sarcomatose, não tem mais jeito. Por mim, eu não faria mais nada.

"O Dr. Buzaid falou de forma muito clara. Ali, naquele momento, o papai foi desenganado", conta Josué, que teve a difícil e dolorosa missão de ir até Alencar relatar o resultado da reunião, oferecer as alternativas colocadas na mesa e delegar a ele a decisão sobre qual trilha seguir.

Basicamente eram três opções. A primeira, uma solução defensiva, não fazer nada e esperar suavemente o fim; a segunda, resumir tudo ao "tratamento sistêmico", ou seja, à quimioterapia, para matar o desenvolvimento celular do tumor; a terceira, partir para o ataque, operando de novo.

Alencar optou por... uma nova cirurgia.

"Dei a ele todas as alternativas e não deixei de informá-lo sobre a opinião do Dr. Buzaid, claro que amenizando um pouco, porque não precisava ser tão direto. No fim, ele optou por correr o risco e se operar de novo. O papai sempre foi escolhendo essas soluções mais radicais. A coragem dele é realmente um negócio formidável", orgulha-se o filho.

Quando soube, Lula reagiu:

– Meu Deus! Isso é que é força de vontade! O Alencar fala em operação como se fosse cortar o cabelo ali na esquina.

A nova cirurgia aconteceu em 19 de setembro de 2008, com Miguel Srougi e Marcel Cerqueira. Quatro nódulos foram retirados.

A "Grande Cirurgia"

Quando o processo chegou à sarcomatose, em 2008, Alencar já tinha tentado pelo menos três tratamentos experimentais. Um deles chegou a inspirar enorme confiança. Era do laboratório PharmaMar, espanhol. Baseava-se numa nova droga, chamada Yondelis. Começara em agosto daquele ano. Duas moças, uma médica e outra bioquímica, vinham de tempos em tempos da Espanha. Aplicavam a droga, enchiam o paciente e a família de esperança. Não deu certo. Funcionou e funciona para outros casos. No dele, não funcionou.

Enquanto havia esperança, Alencar brincou um dia com Paulo Hoff:

– Vocês são alemães e ficam duvidando da ciência espanhola. Sou descendente de espanhóis e sei que é essa aí que vai me curar.

O tratamento experimental seguinte foi do laboratório Roche, suíço. Também não funcionou com Alencar. Os exames mostravam que o tumor não dava descanso, não parava de crescer e se multiplicar.

Em meio a tudo isso, mais uma cirurgia do sistema urinário para implantação do "Duplo J", dispositivo para alargar o ureter e auxiliar o funcionamento da bexiga. O cirurgião foi Miguel Srougi.

Em outubro, como o tumor continuava desdenhando todos os procedimentos, Paulo Hoff trocou o coquetel de quimioterapia pelo "Sutent". Um mês depois ficou claro que o custo-benefício não compensava. O tumor continuava crescendo, a imunidade caía perigosamente e a função renal era afetada. Hoff trocou então o medicamento pelo Everolimus, reforçado em 26 de dezembro com um medicamento natural misturado ao coquetel quimioterápico: o Curcumin.

O ano de 2008 acabou mal, e o de 2009 começou pior. Num novo PET-CT, em 12 de janeiro, as notícias foram desanimadoras, se não desesperadoras: o tumor atingia o ápice do crescimento.

Os médicos se reuniam e discutiam freneticamente. Mais uma vez não sabiam o que fazer. Josué e Hoff decidiram consultar uma nova sumidade nos Estados Unidos, Paul Sugarbaker, diretor do programa de câncer peritoneal do Hospital Central de Washington. É considerado um dos maiores especialistas em sarcomas do mundo.

Hoff enviou um e-mail para ele em 13 de janeiro de 2009 explicando a gravidade da situação e anexando os resultados dos últimos exames. Eles revelavam um tumor muito próximo ao único rim ainda ativo e o quadro de sarcomatose peritoneal. Seguem trechos da mensagem, originalmente em inglês:

"Ele [Alencar] é um paciente de 77 anos, com uma longa história de câncer (gástrico, próstata e rim). Removeu o rim direito em função de um carcinoma vários anos atrás.

"Em meados de 2006 teve uma massa no psoas esquerdo e o resultado da cirurgia mostrou que ele teve um fibro-histiocitoma maligno *com margens positivas. (...)*

"Ele foi bem até outubro de 2007, quando teve uma nova recorrência, passando por uma terceira cirurgia aqui no Brasil, pelo Dr. Brennan. Recuperou-se bem, mas na primeira avaliação ele já teve uma recorrência local na área esquerda, desta vez muito próxima do único rim (...)

"Em fevereiro de 2008 passou por uma radiofrequência na lesão e permaneceu livre da doença até julho, quando nós identificamos um nódulo peritonial de 1,2 cm(...) infelizmente, o PET e o Raio X feitos no dia 12 mostram progressão da doença.

"Ele, claramente, tem sarcomatose peritoneal. Nós explicamos o impacto dessa descoberta no prognóstico, mas, compreensivelmente, o paciente mantém esperança numa nova cirurgia. Nós recomendamos quimioterapia sistê-

mica, mas ele está interessado em outras opiniões. Por isso, gostaríamos de saber se você pode oferecer a ele uma opção cirúrgica."

A situação exposta era dramática. Em resposta, Sugarbaker enviou para Hoff e Ademar Lopes, também especialista em sarcomas, um e-mail frio, objetivo e direto, bem ao gosto dos médicos americanos, negando-se a fazer a cirurgia. Alegou que seria cara, arriscada e praticamente inútil:

"Eu não quero fazê-la aqui nos EUA. Seria extremamente cara e com um risco extremamente alto. É claro que, com um quarto procedimento, aos 77 anos, ele pode morrer.

"Além disso, não creio que poderia curá-lo. Ele já teve várias cirurgias, feitas por pessoas muito competentes, e esses tratamentos falharam.

"Se eu sinto que os benefícios da cirurgia são mínimos, não gosto de trazer pacientes de tão longe, com uma expectativa alta, para que eles tenham uma desilusão tão grande.

"Espero que vocês compreendam."

Até mesmo os médicos experientes do Sírio-Libanês, habituados ao estilo dos americanos, se disseram chocados. Mas, para o maior interessado, a questão não era ficar ou não chocado. A questão era decidir o que fazer.

O prognóstico sem floreios de Sugarbaker não impediu Alencar de pagar para ver novamente. Bem de acordo com seu temperamento, sua história de vida e suas reações durante a longa e sofrida luta contra o câncer, Alencar decidiu que era melhor fazer a operação do que não fazer nada.

Ficou resolvido que, mesmo sem garantias, mesmo com chances remotas de êxito, ele se operaria de novo, submetido agora a uma técnica inovadora e altamente agressiva – a peritonectomia com quimio-hipertermia.

O médico, desta vez, seria Ademar Lopes, brasileiro com reputação internacional elevada e uma história de trabalhos e até de livros publicados com o próprio Sugarbaker sobre cirurgias radicais. Seria auxiliado por Fábio Ferreira, outro especialista em sarcomas, e por Raul Cutait, entre duas dezenas de profissionais.

A história de Ademar Lopes é interessante. Ele nasceu na fazenda dos pais na pequena Delfinópolis, foi criado em Uberaba, rica cidade de Minas Gerais, e graduou-se pela Universidade Federal do Triângulo Mineiro (UFTM). Exerceu livre-docência na USP, virou professor da Universidade de Mogi das Cruzes e fez cursos nos Estados Unidos. Lá conheceu Sugarbaker. Ao voltar para o Brasil, assumiu a vice-presidência do Hospital AC Camargo. Tem no portfólio mais de 8 mil procedimentos cirúrgicos de médio e grande porte.

O momento era de incerteza. Tudo podia acontecer, inclusive o pior. Tanto que Alencar fez questão de voltar a Brasília para resolver algumas pendências antes de entregar corpo e alma de novo nas mãos dos médicos – que lhe pediram que assinasse um documento em que declarava estar ciente do alto risco da intervenção.

Antes de se internar no Sírio-Libanês, fez uma escala no Rio de Janeiro com Mariza, Adriano e Jaciara para uma sessão de orações com Dom Cipriano no Mosteiro de São Bento. Foi em 21 de janeiro. Tido e havido como milagreiro, Dom Cipriano "conversou com Deus" e garantiu a Alencar:

– De câncer, você não morre.

Segundo o próprio Alencar, Dom Cipriano é "um homem muito singular". E, de acordo com os quatro depoimentos, a oração foi um momento "emocionante, mágico".

"A minha primeira impressão dele [de Dom Cipriano] é de um homem muito simples. Ele nos recebeu e disse que iria fazer uma oração ali na capela do mosteiro, em cima da livraria. Ficamos todos de pé, de frente para ele. Estendi a minha mão esquerda e toquei a batina marrom dele na altura da cintura direita. Enquanto ele fazia a oração, eu ia segurando cada vez mais forte, mais firme", relembra Alencar.

"Foi uma emoção enorme, que me trouxe um estado tal que era como se eu estivesse me curando já ali, naquele momento. Depois, ele disse que os tumores iriam secar. Explicou que não era ele quem estava curando, era Deus através dele, e deu um sorriso... Pelo sorriso dele, a gente viu tudo. Saí dali me sentindo outra pessoa, com a sensação de que estava praticamente curado", conta.

Dois detalhes chamaram especial atenção. O primeiro foi que Dom Cipriano entrelaçou o português coloquial com uma língua desconhecida, indecifrável. O segundo foi que "conversou" diretamente com Deus e, como lembra Alencar, a certa altura implorou ou sugeriu ao Todo-Poderoso:

– Agora, não!

Não foi a única vez, em sua longa guerra contra a doença, que Alencar teve essa mesma "sensação de milagre". Quando foi levado pelo senador Marcelo Crivella para uma oração das igrejas evangélicas, perto da praça Tiradentes, no Rio, experimentou o mesmo sentimento de que saía dali curado.

"Pode ser só a emoção, mas, não sei, é uma sensação de estar vivenciando alguma coisa diferente, um momento muito especial. Acho que nós precisamos dessa parte espiritual, até os médicos", reflete Alencar, que também recebeu visitas do Padre Marcelo Rossi no hospital. Uma delas foi logo depois da "grande cirurgia" da qual se falará adiante. Alencar estava na UTI, o padre entrou, rezou, foi outro daqueles "momentos mágicos".

De todos eles, porém, o vivido diante de Dom Cipriano é o especial entre os especiais.

Depois da oração, no Mosteiro de São Bento, Alencar voou para São Paulo. Ao chegar, foi direto para o consultório de Ademar Lopes. Ali acertaram o que toda a família e o corpo médico chamam de "a grande cirurgia". Ocorreria quatro dias depois.

Ainda no quarto, antes de descer para a sala de operações, naquele domingo, 25 de janeiro, às 6h da manhã, Alencar chamou Josué e relacionou, uma a uma, as pessoas que ajudava e queria que o filho continuasse a ajudar "caso acontecesse alguma coisa". Eram parentes distantes, velhos amigos, funcionários, jovens do interior para quem pagava os estudos.

Só então Alencar tomou o Dormonid e desceu, já sonolento. No centro cirúrgico, acordou, olhou para as enfermeiras e brincou:

– Uai! Já estou no céu? Está cheio de anjo aqui do meu lado!

Depois, levantou a cabeça, viu aquele monte de gente com cara sorumbática e perguntou:

– Quantos médicos têm aqui?

Eram "mais de 10", segundo Kalil.

– Tem alguém desanimado? Se tem alguém desanimado, pode sair, pode ir embora, porque eu estou muito animado!

Dessa vez, o tom não era de brincadeira. Ao contrário, estava sério, bravo.

A operação durou 18 horas. Foram retirados um tumor de 12 cm e 10 outros. Junto com eles, um pedaço de 15 cm do intestino delgado, mais um tanto do intestino grosso, dois terços do ureter (canal que liga o rim à bexiga) e os vasos ilíacos internos esquerdos, que irrigam a pélvis. Depois, todo o abdômen foi lavado com uma substância em alta temperatura para "matar" as células cancerosas invisíveis.

"É uma cirurgia muito agressiva, muito, muito, muito. Você lava a barriga do paciente com um líquido quimioterápico a 42 graus e isso gera distúrbios metabólicos importantíssimos mesmo num homem de 50 anos. E ele já tinha mais de 70", relata Raul Cutait.

Com a introdução da quimioterapia em alta temperatura, a pessoa não consegue distribuir líquidos adequadamente no organismo. O potássio e demais parâmetros sobem. Todo o metabolismo fica alterado, o rim sofre, a circulação sofre. É uma cacetada.

Pior é a recuperação. O paciente desenvolve uma anasarca, edema generalizado no corpo inteiro. Aconteceu com Alencar, que ficou irreconhecível. "Ele estava inchado, totalmente deformado. Aquela cena foi muito pesada", recorda Josué.

O vice-presidente também sofreu alterações psicológicas graves. Ficou desorientado, com calafrios. Às vezes tremia tanto que dava a impressão de "estar pulando" na cama. Chegou a sofrer "contenção", um eufemismo usado pelas enfermeiras para informar que era literalmente amarrado à beirada da cama com gaze de crepom, a popular atadura.

"Às vezes eu me abraçava a ele e ficava ali, segurando com força, para evitar a contenção", relata Jaciara, que contava com total apoio do excelente corpo técnico de enfermagem do Sírio-Libanês.

A "grande cirurgia" foi o auge da dor, da agressão, do terror, conforme os envolvidos, profissional e emocionalmente, na luta contra o câncer de José Alencar Gomes da Silva.

De acordo com Cutait, "muita gente questionou se cabia ou não fazer isso com ele". Por "muita gente" leia-se principalmente "muitos médicos". Parte da família também, confirma Josué. Uma coisa, porém, é certa: a decisão de se submeter a uma nova intervenção naquele momento foi do próprio Alencar.

Mesmo diante do tratamento em fase inicial, ainda cercado de dúvidas quanto à sua eficácia, Alencar se agarrou a essa chance como se agarrara antes às outras e se agarraria a outras tantas depois.

Ademar Lopes deixou evidente a gravidade da situação ao declarar ao portal R7 que o paciente e sua família estavam devidamente prevenidos. Foi logo após a cirurgia. Ainda acrescentaria: "*Eu arrisquei, sem dúvida, mas o vice-presidente é um homem inteligente, lutador e sabe que não tinha outra alternativa.*"

"Quase morri mesmo", reforça Alencar, lembrando daquela fase arrasadora para ele e para a família.

Mas Alencar nunca se arrependeu. Ele permaneceu sete dias na UTI, mais três na Unidade Semi-intensiva do 11º andar do Sírio-Libanês. Só então foi transferido para o quarto 1.106. Aquele era "o seu cantinho", como define Raul Cutait. A alta veio apenas em 17 de fevereiro, 23 dias depois da cirurgia.

Alencar seguiu direto para o apartamento nos Jardins, ainda cheio de drenos e com um cateter a mais para introdução de soro e medicamentos. O usual era do lado direito do peito, próximo ao pescoço. O novo estava encravado no abdômen.

Antes de retornar a Brasília, ele, Mariza, Josué e Patrícia, além de acompanhantes assíduos, como Jaciara e o coronel Carlos Alberto Demeterco, da Presidência, participaram da missa dominical do Padre Marcelo Rossi, no Santuário do Terço Bizantino, Zona Sul de São Paulo.

O padre, conhecendo a fragilidade da saúde do vice-presidente, insistiu para que ficasse numa ala especial, mais protegida. Alencar recusou terminantemente. Fez questão de ficar na primeira fileira, no meio da multidão, estimada em milhares de pessoas. Tomou parte em todo o ritual. Se todos sentavam, ele sentava. Quando todos levantavam, ele levantava.

Foi de arrepiar, e a família, aos cacos emocionalmente, não resistiu. Todos eles, pais e filhos, choraram copiosamente. Os assessores também.

Aos jornalistas, Alencar declarou: "Eu não quero que Deus me dê nem um dia a mais de que eu não possa me orgulhar."

Experimentos e Orações

Naquele início de 2009, confuso e cheio de temores, Hoff foi aos Estados Unidos se informar, pesquisar, estudar, até trazer de volta a ideia de que Alencar se inscrevesse na seleção de um novo grupo de voluntários em fase de recrutamento pelo MD Anderson. Eles testariam uma nova droga capaz de revolucionar o tratamento do câncer no mundo.

Não era fácil conquistar a vaga, mesmo para um paciente rico, vice-presidente da República Federativa do Brasil. O tratamento era rigorosamente fiscalizado pelo FDA (Food and Drug Administration). Mas a família, os médicos e, sobretudo, Alencar tinham urgência, em meio a um clima quase desesperador.

"Nós tínhamos consciência de que não era para curar, mas tínhamos muita esperança de que ele pudesse ganhar tempo, um tempo grande. Ganhando um ano ou dois a mais, com esse desenvolvimento tecnológico todo, sempre poderia surgir uma nova medicação milagrosa", rememora Josué. "É isso, um milagre, que as pessoas buscam nesse momento, para ir convivendo, para ir vivendo", acrescenta com a cabeça baixa, olhos úmidos.

Havia toda uma burocracia, era preciso acertar as datas com os médicos, compatibilizar agendas, tudo isso. E Alencar aflito, porque já não gosta mesmo de esperar e, nesse caso, reclamava:

– Enquanto isso, o tumor está crescendo...

O FDA aceitou que Alencar viajasse para Houston, em 26 de maio, para se submeter aos testes de admissão no grupo de voluntários. Ele foi, passou, ingressou no programa MDMII e começou a tomar os medicamentos a partir de 29 de maio, três dias depois.

São três fases, e a primeira, preliminar, é para avaliar a efetividade da medicação caso a caso, o grau de toxicidade que aquele paciente suporta e, enfim, o equilíbrio entre efetividade e efeito colateral.

Eram três médicos principais: Bob Benjamin, Jonathan Trent e Razelle Kurzrock. Eles prescreviam os medicamentos, que eram controlados, classificados e numerados. Os ciclos eram de 28 dias. E, então, de 28 em 28 dias, ele precisava voltar para Houston, refazer a avaliação e receber a nova dosagem do medicamento.

Alencar enfrentou bem o primeiro ciclo, retornou a Houston em 21 de junho, foi aprovado e iniciou o segundo ciclo dias depois.

Tudo parecia caminhar bem quando sobreveio a primeira obstrução do intestino. O resultado foi mais uma cirurgia, além de uma penca de dúvidas: por que a obstrução? O tumor está crescendo? Fizeram-se novos exames de imagem no Sírio-Libanês. Uma coisa estranha se verificou então. Para surpresa de todos, constatou-se alteração significativa no desenvolvimento dos tumores. Não é que eles tenham sumido ou parado de crescer. Eles cresciam agora de maneira diferente, aparentemente menos agressiva.

Na cirurgia de fevereiro de 2008, a radiofrequência, 13 tumores foram retirados. Quatro meses depois, em junho, eles tinham voltado – e eram grandes. Depois do início do tratamento experimental nos EUA, apesar de os exames de imagem constatarem certo crescimento, não havia tumores novos e os que existiam tinham crescido num ritmo muito mais lento.

O problema era a semiobstrução, que precisava ser corrigida. Raul Cutait foi comunicar que a operação seria no dia seguinte, 9 de julho, feriado em São Paulo:

Alencar impôs uma condição:

– Colostomia eu não quero.

O relato de Cutait explica a nova cirurgia:

"Segui a determinação dele. Na cirurgia, fui soltando, tirei 10, 12, 13, sei lá quantos tumores e limpei toda a barriga. Menos embaixo, porque, na cirurgia de peritonectomia, o ureter fica comprometido e foi colocada uma alça no intestino. É uma técnica em que se pega um pedaço do intestino delgado e junta no rim, de um lado, e na bexiga, do outro. E, quando fui melhorar a obstrução, lá na pélvis havia três pequenos tumores muito grudados nessa alça, que era o ureter novo, e no reto. A ponderação foi que, se a gente mexesse naquilo, se abrisse o intestino grosso que estava fechado lá embaixo, aí estaria gerando risco de morte para ele."

Além de todas essas dificuldades e riscos, Cutait tinha de levar em conta a relação entre médico e paciente, sobretudo diante daquele paciente tão especial em vários sentidos: "Da mesma forma que a gente respeitava a vontade dele de ir em frente, a gente tinha de respeitar a vontade dele de não fazer a colostomia."

Oito dias depois, em 17 de julho, já em casa, Alencar só tinha uma reclamação: era a festa de aniversário do seu cardiologista, Roberto Kalil Filho, e ele não podia ir. Foi compensado no dia seguinte com uma visita de Lula, com quem conversou animadamente. Parecia outro homem.

Não durou muito. Seis dias depois, Alencar sentia muita dor. Como Cutait não pôde mexer nos três tumores, só soltar um pouco, as cólicas voltaram com tudo.

"Não funcionou direito. Quer dizer, a barriga ficou ótima, e a função do intestino delgado resolveu, mas a do intestino grosso não. Deu uma aliviada, como prevíamos, mas não resolveu", recorda Cutait em tom de lamento.

No dia 24, Alencar foi internado novamente. A situação estava fora de controle, e Cutait comunicou tristemente:

– Desculpe, mas não tem jeito. Temos de fazer a colostomia.

Alencar repetiu então o ritual das piores notícias, como os médicos presenciaram inúmeras vezes e Roberto Kalil descreve com exatidão: abaixou a cabeça, fechou levemente os olhos, mas, em segundos, levantou de novo a cabeça e retomou a expressão segura e a voz firme.

– Então, vamos em frente.

Para "fora", ou seja, para os amigos, assessores e jornalistas, sua reação sempre foi mais amena. Nos momentos mais difíceis, demonstrava otimismo e disposição para a luta repetindo o brado do Almirante Barroso diante da superioridade do inimigo: "Sustentar o fogo que a vitória é nossa!"

A colostomia, com a colocação daquela bolsinha ao lado do corpo para escoar as fezes, é evidentemente desconfortável. É algo constrangedor, de certa forma humilhante. Principalmente para um homem público. Alencar tomou ainda assim uma decisão e avisou aos médicos desde o primeiro instante: não faria segredo daquilo. Queria que todas as informações fossem transmitidas de forma correta e verdadeira para a opinião pública. Sua orientação foi atendida. No dia seguinte, os jornais informavam sobre a colostomia do vice-presidente da República.

No dia 7 de outubro de 2009, Alencar foi mais longe. Enviou ofício ao ministro da Saúde, José Gomes Temporão, pedindo a assinatura da Política Nacional de Atendimento à Pessoa Ostomizada (com colostomia). O projeto prevê atendimento digno no sistema de saúde oficial e combate ao preconceito. Assinou o documento de próprio punho e acrescentou:

"Estimado e eminente amigo Temporão, eu sou um deles."

Tanto o ofício quanto a frase manuscrita foram parar no site Ostomizadosecia.com, no qual o vice certamente conquistou muitas simpatias e solidariedade, como sintetiza um dos textos postados:

"Atitudes como essa contribuem de forma significativa para a elevação da autoestima da pessoa ostomizada e, portanto, da melhoria de sua qualidade de vida, porque mostram à sociedade brasileira que todos, absolutamente todos, estão sujeitos a viver condição semelhante.

"Se não bastasse isso, o ofício citado externa a posição de um dos mais ilustres e estimados brasileiros em favor da causa da pessoa ostomizada. Esse documento, depois de atendido pelo ministro Temporão, garante à pessoa ostomizada o seu direito à vida.

"Particularmente, bastante emocionado com esse gesto, rogo ao Supremo Criador que encha de graças e de muitas alegrias a vida desse homem. Um brasileiro de nome José Alencar, cujo gesto orgulha os milhares de ostomizados espalhados pelo Brasil e pelo mundo.

"Parabéns, companheiro José Alencar!"

Naquela situação, com colostomia e tudo, havia pelo menos uma boa notícia: a obstrução não tinha sido por recrudescimento dos tumores, mas pela colagem da alça intestinal, normal depois de tantas cirurgias. Os tumores, ao contrário, pareciam encolher, enxugar.

Resultado: animação geral. A medicação revolucionária ia funcionar, ou melhor, já tinha começado a funcionar! Era só questão de tempo. Será?

Não. A euforia não se justificou. As expectativas não se confirmaram. As drogas do tratamento experimental nos Estados Unidos não estavam adiantando. Como, aliás, não tiveram o efeito esperado em nenhum dos demais voluntários.

Mariza e seu Próprio Câncer

Se cada cirurgia, cada internação, cada momento da doença de José Alencar tiveram assídua e detalhada divulgação, esse não foi o caso dos problemas de saúde de Mariza, que tirou um câncer do seio em maio de 2009, passou por radioterapia e acabou tendo de implantar um marca-passo em novembro do mesmo ano.

Mariza se submetia ao exame de mamografia anualmente, até que a doença de Alencar se sobrepôs a tudo e ela pulou um ano. Foi aí que começou a sentir "uma dorzinha" no seio esquerdo, apalpou e descobriu um carocinho.

Isso quando a família estava traumatizada com a "grande cirurgia", a operação de 18 horas a que Alencar se submetera, quatro meses antes, para retirar mais de 10 tumores. O risco de morte na mesa de cirurgia era alto, e Alencar mais uma vez surpreendeu, suportou bem o tranco e se recuperou. Quando ele foi fazer exames de retorno no Sírio-Libanês, Mariza aproveitou para se submeter ao próprio *check-up* no Albert Einstein. O médico era Ricardo Peres, clínico geral e endocrinologista.

Quando acabou, saiu às pressas, sem esperar pelos resultados, a fim de encontrar Alencar no Sírio. Estava no carro, a caminho, quando o médico ligou para o celular:

– Dona Mariza, volte aqui, porque preciso conversar com a senhora.

– Não, Dr. Ricardo! Eu já estou chegando no Sírio e dali vamos direto para o aeroporto.

– Não, senhora. A senhora vem aqui agora, imediatamente, porque já está tudo preparado para uma biópsia.

Ela parou de respirar por uns segundos e não teve outro jeito senão ceder. Fez meia volta e submeteu-se à biópsia, que confirmou a suspeita do médico de que se tratava de um câncer. Quando ele disse e mostrou os exames, ela ainda argumentou que anos antes fizera punção num carocinho em local bem próximo e que aquilo, de tanto roçar no aro do sutiã, acabou virando uma fibrose.

– Isso é coisa antiga – reagiu.

Mas a fibrose era a fibrose, e o câncer era o câncer. A notícia foi recebida numa terça-feira, e a operação marcada para a sexta-feira seguinte com o cirurgião João Carlos Sampaio Góes, do Instituto do Câncer. A boa notícia foi que o tumor era pequeno e estava circunscrito, ou seja, não havia metástase nos gânglios das axilas, algo comum em câncer de seio.

Convivendo há 12 anos com o câncer do marido, Mariza não se sentiu exatamente surpresa com o diagnóstico: "Uma irmã minha (Maria Izabel, com quem morara no Rio quando solteira) tinha tido câncer de mama e falecido disso."

No caso de Izabel, houve descuido. "Minha sobrinha achou depois uma carta do oncologista chamando a atenção dela, dizendo que tinha de investigar bem aquele gânglio, mas ela não quis saber. Era muito vaidosa, vai ver não quis fazer químio, perder cabelo, tirar o seio, essas coisas. Quando foi cuidar, já tinha até caído e quebrado a perna, já estava com câncer no corpo inteiro."

O histórico da família não era bom sinal: a irmã, o pai e a mãe de Mariza também tiveram câncer. O do pai, já mencionado, na próstata. O da mãe, que morreu em função da doença, aos 84 anos, no estômago.

Mariza lembra de quando dona Carmem passou a sentir uns enjoos, uns desarranjos de intestino. O médico falava para não se preocupar – aquilo era coisa da idade. Quando foram ver, o câncer tinha avançado, era tarde demais.

E qual a reação do vice-presidente ao saber que a mulher também estava com câncer?

"Ele estava tão preocupado com o caso dele que a preocupação era eu ficar boa logo para cuidar dele. E não era por egoísmo, não. José, na verdade, se sente muito protegido perto de mim. E ele, sempre que podia, nos fins de semana, nos feriados, ia ficar comigo em São Paulo durante o período da radioterapia", explica Mariza.

Ela já havia passado pela cirurgia no seio esquerdo e pela radioterapia, sentia-se bem-disposta e continuava cuidando do marido quando começou a se sentir mal, parecia que ia desfalecer. Precisava parar tudo, sentar, recompor a respiração.

Segundo Josué, a mãe "é agitada, não é de parar quieta, não esquenta lugar, mas, de vez em quando, parava, encostava, dava uma desligadinha. A gente atribuía à pressão baixa, ou ao cansaço".

E foi piorando. "À noite, quem olhava a colostomia do José era eu. Jaciara (enfermeira da Presidência) cuidava quando ele estava trabalhando. Eu, à noite e nos fins de semana. Aí, às vezes, quando eu levantava à noite, passava mal, sentia falta de ar, parecia que ia desmaiar. Achava que estava muito cansada por todos os problemas que estava passando, com todas aquelas operações dele, e pedia uma Coca-Cola para me estimular, para o coração bater mais um pouco. Depois, pensei que era pressão, mas os médicos mediam e dava tudo bem", relata Mariza.

Não era cansaço nem pressão. Ela estava com retorno vascular, ou seja, o sangue descia pelas artérias e subia com dificuldade pelas veias. A suposição é que tenha sido resultado da radioterapia diária, de segunda a sexta-feira, entre junho e meados de julho.

Mariza teve uma alergia terrível à radioterapia. Tossia muito, o que só passou com o uso de cortisona. É possível que um acesso de tosse tenha interferido no foco da aplicação da radioterapia e queimado um pouco fora do lugar. Sua pulsação passou a cair para 40, 44 batimentos por minuto.

Antes da cirurgia no seio, Mariza tinha passado por uma bateria de exames de coração com Roberto Kalil. Tudo normal, muito bom. Tanto que ele ficou surpreso quando, meses depois, um dos médicos da Aeronáutica que serve à Presidência telefonou, avisando que ela fizera um eletrocardiograma no Hospital Sírio-Libanês e fora constatada intermitência do batimento cardíaco.

Mariza acompanhava o marido em mais uma sessão de quimioterapia quando foi diagnosticado o problema cardíaco. Ela queria porque queria voltar para Brasília com Alencar. Kalil e o médico da Presidência mandaram que tirasse o cavalinho da chuva. Não iria viajar naquele dia nem sair da maca antes de instalar um "Holter", aparelho de monitoramento ininterrupto do coração para complementar os exames.

Quando os médicos observaram o resultado e decidiram pela cirurgia, Mariza reagiu muito, não queria de jeito nenhum. Os filhos trataram de convencê-la de que não havia outro jeito. Estava com 74 anos ao implantar o marca-passo.

Como o presidente Lula se encontrava em viagem internacional, Alencar precisava assinar alguns atos pendentes no Planalto e negociou com os médicos para a operação acontecer no dia seguinte à tarde. Foi, assinou o que tinha de assinar por Lula e voltou para ficar com a mulher. Os papéis do casal, naquele momento, se inverteram. Quem esfregava as mãos ansiosamente na sala de espera era Alencar.

Desenganado

"Os médicos já me desenganaram", afirmava Alencar, em julho de 2010, durante uma sessão de quimioterapia na Unidade de Oncologia do Hospital Sírio-Libanês. E não se referia à carta do Dr. Sugarbaker, ou, pelo menos, não apenas a ela.

– Foram várias vezes – reforça.

– Qual foi a pior? – indaga a autora do livro.

– Houston – responde de pronto.

– Quando?

– Agora.

Adriano Silva corrige: foi em agosto de 2009.

O diálogo prossegue, sincero, denso:

– Eles me disseram "*I'm sorry*" – confidencia Alencar.

– E o senhor, como reagiu? – indaga a autora.

– Falei para o meu médico (Paulo Hoff), que estava lá: "*Muito bem, Paulo, e agora?*"

De fato, a viagem a Houston é um dos piores momentos, entre tantos, na dramática história da doença de Alencar.

No dia 4 de agosto de 2009, ele se deslocou do Sírio-Libanês direto para a Base Aérea de São Paulo. Aterrissou nos Estados Unidos no dia seguinte. Ficou por lá o tempo suficiente para ser desenganado pelos médicos.

O tratamento experimental tinha sido a última e desesperada

tentativa, mas não apresentara os resultados esperados. Houve uma euforia inicial, mas tudo não passou de ilusão. Não havia mais o que fazer. Era o fim.

Naquele nível máximo de tensão, de perplexidade e consternação geral, Alencar teve uma reação inesperada.

– Eu me olho no espelho e não vejo um homem à beira da morte. E só pretendo morrer depois de concorrer a mais umas três ou quatro eleições – disse e... riu!

A Dra. Kurzrock achou o jeitão dele esquisito e pediu para Josué traduzir. Quando terminou, ela deixou evidente que não entendera a brincadeira extemporânea, na verdade apenas uma tentativa de descontrair o ambiente. Sua resposta foi gélida e de uma insensibilidade extraordinária mesmo diante da propalada frieza médica:

– Não se engane. O senhor está no fim.

Jaciara não aguentou. Saiu da sala e desatou a chorar.

Depois dessa reunião, Josué ligou para a mãe, que ficara no Brasil. A conversa foi dificílima:

– Os médicos aqui são muito objetivos e claros, não floreiam nada. Você tem de ficar preparada.

E Mariza:

– E eles são Deus? Já conversaram com Deus?

De volta ao hotel, Alencar foi ao banheiro e ouviu alguém alternando um ataque de tosse com ânsia de vômito. Era Josué, enfim vencido pelo estresse. Mesmo medicado, passou mal durante horas no voo de volta. Viajou daquela vez com o pai no Boeing da Presidência.

Os pilotos, a família e a segurança estavam preparados para viajar no dia seguinte. Alencar, agoniado, queria voltar correndo para o Brasil. Bateu o pé, e lá se foram desabalados para o aeroporto. O embarque reservava mais um momento de embaraço e tristeza. Muito fragilizado, Alencar não conseguiu subir as escadas do Boeing. Tiveram de providenciar uma daquelas gruas de carregar bagagem para içá-lo até a porta do avião.

A viagem foi péssima. O sempre falante Alencar estava calado, pensativo, não contou um só "causo" das Minas Gerais. Ao desembarcar no Brasil, ele e seus acompanhantes refizeram o caminho da ida em sentido contrário: saíram da Base Aérea direto para o Sírio-Libanês. Depois de recolher todas as informações, Roberto Kalil passou por Adriano. Ele estava exausto como todos os demais depois de mais uma viagem e principalmente da pancada final do tratamento americano. Com o dedo polegar para baixo e uma expressão de profunda tristeza, o médico falou:

– Acabou. Três meses. Na melhor das hipóteses, seis.

Adriano fez as contas: dezembro ou, no máximo, março de 2010. Ficou arrasado, mas não abriu a boca, não fez nenhum comentário com ninguém.

Alencar tinha outros planos. Ao contrário de muita gente, ele não desistira de guerrear. Nem ele nem Paulo Hoff. Quando Alencar perguntou "E agora?", Hoff respondeu como bom soldado: retornariam ao Brasil, preparariam um novo coquetel de quimioterapia e continuariam lutando.

Assim foi feito. Miguel Srougi chegou a sugerir um anticorpo monoclonal, mas Hoff optou por utilizar um inibidor de tirosino quinase.

A nova quimioterapia – que Josué considerou "um derradeiro esforço" – começou a ser ministrada em 1º de setembro de 2009. Ela combinava Glivec, Gemzar e Curcumin. Uma parte é dada por via oral, outra por via endovenosa. São aplicadas duas semanas sim, uma semana não. Quando não tem de viajar a São Paulo para uma nova sessão, o vice brinca: "Estou de folga!"

A medicação intravenosa é feita com o auxílio de um "Portcut", cateter implantado permanentemente no peito. O intuito é evitar que, a cada medicamento, a cada quimioterapia, o paciente tenha de ser furado de novo. Só a equipe de enfermagem do Sírio-Libanês e a enfermeira Jaciara têm autorização para manipular esse cateter. Assim evita-se o risco de contaminação ou de trombose, ambos comuns nesse caso.

Jaciara precisou de um treinamento no próprio Sírio-Libanês para obter essa autorização. Mais adiante, quando o grau de complexidade da doença e do tratamento aumentou, Jaciara colocou uma mochila nas costas e fez um curso de mestrado de um ano e meio na Sobrati (Sociedade Brasileira de Terapia Intensiva). Pagou do próprio bolso, inclusive as passagens.

Uma das vitórias mais comemoradas aconteceu em 21 de outubro de 2009. Foi quando saiu o resultado da primeira avaliação do estágio do câncer (o novo PET-CT) depois do coquetel iniciado em setembro. Não havia novos tumores, e os remanescentes tinham reduzido 30%, linearmente.

Adriano conta que "foi um momento de grande emoção, de grande alegria". E acrescenta: "Foi como se o Brasil tivesse ganhado a Copa!"

Foi ele quem deu primeiro a notícia para Alencar, mas apenas parcialmente, sem citar os comemorados 30%:

– Olha, presidente, acho que as notícias que vêm por aí são muito boas, porque a expressão dos médicos é de euforia.

Alencar, sempre tão otimista, teve uma reação cautelosa, desconfiada. Repetiu duas vezes:

– Vamos ver, vamos ver...

Josué estava em Xangai, na China, para o congresso anual da ITMF (International Textile Manufacturers Federation), da qual era vice-presidente. Acordou por volta das 4h da madrugada para checar o celular e encontrou uma mensagem de Paulo Hoff: "Me ligue".

Para não acordar a mulher, Cristina, Josué se trancou no banheiro. Ao ouvir a voz do médico do outro lado da linha e do mundo, ficou surpreso. O sempre tão contido Hoff estava exultante:

– Tenho boas notícias. Os resultados foram ótimos. Ótimos!

No relato de Josué, "Paulo é normalmente muito calmo, ponderado, não se envolve emocionalmente, mas ele estava exultante, até sem acreditar. O tumor tinha reduzido 30%. Era um milagre!"

Josué e Alencar protagonizaram uma cena hilária no retorno do filho ao Brasil. A plateia reuniu alguns dos médicos mais famosos do país. O texto dizia respeito a um velho passatempo – o de fazer cálculos matemáticos de cabeça.

Era mais ou menos assim: se o tumor tinha 14cm e tinha caído 30%, então ele tinha caído 4,2cm. Media então 9,8cm. Mas, se fosse uma esfera, o volume de uma esfera é 4/3 de Πr^3, então você pega os 14, divide por 2, elevado ao cubo, e...

Ninguém entendia nada, mas pai e filho deram boas gargalhadas ao concluir que a redução era, na verdade, muito maior do que os 30%.

Quem encerrou a brincadeira foi Roberto Kalil, com aquele jeitão hiperativo e seu humor corrosivo:

– Ah! Então, tá. Reduziu 30%, depois mais 30%, depois mais 30% e acabou! Daqui a pouco, vai ter menos 20%!

E Alencar, já no clima:

– Kalil, de que aula de álgebra você fugiu? Não é soma, são 30% de 30%!

Para resumir, Miguel Srougi comparou depois de uma forma bem mais fácil, acessível a qualquer um: "O maior tumor reduziu tremendamente, ficou do tamanho de um ovinho de codorna. E a maioria dos outros sumiu."

O importante era que todo mundo estava eufórico e entendia que a notícia era boa e surpreendente.

Aqueles foram os primeiros bons resultados em meses. Um sinal de que o novo coquetel, revolucionário, se revelava eficaz no caso de Alencar. Hoff jamais fala o nome das drogas e das misturas. Explica, com razão, que cada paciente é um paciente, que cada um reage de um jeito diferente aos medicamentos. Quimioterapia tem de ser decidida caso a caso, não adianta copiar a receita do vizinho como se fosse "cola" na escola primária.

Aquele coquetel apresentava bons resultados para aquele paciente, naquela hora, naquela circunstância, quando ninguém acreditava mais que houvesse algo a ser feito. Só Alencar e seus médicos, estimulados pela força e pela moral do paciente.

No dia 31 de outubro de 2009, o paciente desenganado comia uma feijoada com Lula na Granja do Torto. No dia 9 de novembro, recebia baita homenagem da Fiesp, com direito a discurso contundente de Lula, que o chamou de sua "cara-metade política".

Conforme reportagem do jornal O *Estado de S. Paulo*, Lula reconhecia naquele momento a importância da escolha de Alencar para vice: "*Quem sabe eu não tivesse perdido tanta eleição se tivéssemos nos conhecido antes? Por simplicidade e companheirismo, Alencar nunca vai reconhecer, mas a verdade é que eu já estava cansado de ter sempre 30% de votos nas eleições.*"

E terminou: "*Zé, você foi muito mais meu companheiro na época das vacas magras do que na das vacas gordas.*"

Muito emocionado, Alencar respondeu no seu discurso que Lula era "ultrageneroso": "*Eu tenho consciência de que só sou vice-presidente graças a Lula. As pessoas não votam no vice, votam no candidato a presidente.*"

Naquele resto de 2009, Alencar gravou entrevista para a TV Brasil, a rede pública de televisão, foi à primeira comunhão do neto mais novo, David, e se dividiu no Natal: passou 24 de dezembro em São Paulo, com Josué; e 25 em Belo Horizonte, com Patrícia e os filhos dela.

Entre uma coisa e outra, tratou uma infecção urinária. Mas isso, cá para nós, era fichinha perto de todo o resto.

Uma característica do vice, dizem todos os médicos, assessores, amigos, familiares, é que ele faz questão de ser bem informado, quer entender os processos, saber dos detalhes e participar das decisões.

"É verdade. Ele gosta de tudo muito explicadinho, mas, depois, ele sempre concorda e é extremamente disciplinado", relata Jaciara.

A enfermeira admite que tratar do vice-presidente da República implica toda a carga de um paciente grave e algo mais: "Tem de ter um cuidado redobrado, até porque, querendo ou não, ser autoridade pesa muito. Qualquer problema vai parar nos jornais, vira um escândalo."

Para onde vai, Jaciara carrega dois celulares, um do Serviço Médico da Presidência e outro do gabinete da Vice-Presidência, e uma agenda bege de couro em que anota, como num diário, tudo o que diz respeito ao tratamento de Alencar.

As anotações são em código. "Porque tenho medo de perder ou de me roubarem. Assim, só eu entendo o que está escrito ali", justifica.

Dez entre dez pessoas que se submetem a quimioterapia dizem que é horrível. Alencar dá um tempo no personagem saltitante, durão, que tira tudo de letra e oferece sua versão: "É horrível mesmo. Efeitos colaterais gigantescos. A hemoglobina cai, as plaquetas caem, vem a anemia. Sinto muito cansaço, não tenho resistência nenhuma, sinto desânimo até para andar."

Cada caso é um caso, cada paciente toma um tipo de medicamento e reage de um jeito. Alencar confirma a regra de que os dias mais críticos são o segundo e o terceiro após a sessão. É quando chega a febre.

"A Mariza reclama que quem paga o pato é ela. Fico incomodado, reclamo, peço uma coisa, peço outra. Aí falo: 'Vocês não estão cuidando direito de mim!' É claro que falo brincando, só que a Mariza não me conhece até hoje, leva a sério!", revela com uma risada gostosa.

Apesar das reações adversas, Alencar insistia em manter a rotina de trabalho, de despacho na Vice-Presidência, de cerimônias oficiais e de viagens. Tudo até o limite. "Procurei vencer isso (o cansaço e o desânimo) para não parar, porque, se parar, fico preocupado. Se eu parar, se não atender mais a nenhum compromisso de rotina, seja de despacho interno, seja de audiência, seja de reunião ou o que for, perco a motivação. Então, não paro. Mas faço na medida do possível. Não dou aquele tempo integralíssimo que sempre dei", explicava em agosto de 2010, quando as internações se tornaram mais e mais frequentes.

Além de manter o próprio moral alto, Alencar se esforça para manter também o dos médicos: "Nunca deixei que os médicos desanimassem." Todos confirmam que o paciente é bem-sucedido neste esforço, fator decisivo para tantas vitórias.

"INCREDIBLE"

Em meados de junho de 2010, o "desenganado" Alencar continuava firme e forte, enfrentando e vencendo suas batalhas contra o câncer e a favor da vida. Numa viagem aos Estados Unidos para um congresso, Paulo Hoff encontrou o oncologista americano Robert Major, titular de Houston, meca do tratamento de sarcomas.

– E como vai o vice-presidente? – quis saber Major.

Depois de um relato detalhado sobre as providências que eram tomadas, as adaptações do coquetel da quimioterapia e os resultados dos exames, o americano exclamou:

– *Incredible!*

Ao voltar ao Brasil, Hoff contou a história a Alencar, que não apenas concordou como passou a repetir o "*incredible*" para todo mundo.

"Eu também acho inacreditável, '*incredible*', porque eu perguntei aos médicos, numa reunião que tivemos há uns dois, três meses, se eles já tinham tido ou se conheciam na literatura médica um caso parecido com o meu, em que tenha acontecido o que está acontecendo comigo. Eles não foram omissos. Responderam honestamente que não."

É claro que tudo isso implica dor, viagens, alegrias e tristezas. Um custo financeiro e pessoal alto. E muitas decepções. A pior foi quando Alencar estava com tudo pronto para se candidatar ao Senado por Minas Gerais – o que todo mundo achava loucura – e foi convencido pelos médicos de que não tinha como enfrentar aquela barra.

Sempre que o cardiologista Roberto Kalil se encontrava com ele, brincava:

– Presidente, e a campanha?

– Na rua!

– O bom do senhor é que, qualquer cargo que escolher, o senhor vai ganhar, até presidente da República! Então, é ótimo que a campanha esteja na rua mesmo.

Segundo o médico, "ele ria, ria com aquele riso bonito, gostoso que ele tem".

A decisão de não concorrer foi tomada em reunião com toda a equipe médica, no dia 7 de abril. Alencar perguntou a Hoff, Kalil e Cutait, entre outros, se havia esperança de parar a quimioterapia e reverter a colostomia.

Dessa vez, não houve discordância. Todos foram unânimes em dizer que não, absolutamente não.

– E como eu vou dizer na campanha que estou curado, se todo mundo vai saber que estou fazendo quimioterapia e colostomia? – reagiu então, mais falando para si próprio do que para os demais.

Saiu dali e conversou em particular com o urologista Miguel Srougi, o primeiro a se envolver com o câncer dele, lá atrás, em 1997.

– Dr. Miguel, agora acho que chegamos ao fim, o senhor não acha?

– Por quê, presidente?

– Falei com os médicos que queria me candidatar e ninguém queria, achavam que eu não deveria.

– Pois eu acho que o senhor tem de se candidatar, sim, porque no Senado tem 81 senadores, a maioria grandes pilantras, e o senhor só vai enriquecer o Congresso. Se acontecer alguma coisa com o senhor, o senhor vai ter um substituto. Se não, o senhor completa o mandato e ajuda o Brasil.

Aí veio aquela perguntinha danada:

– Qual a chance de eu ficar vivo e completar o mandato (de oito anos)?

– Uns 10, 15%...

– Só, Dr. Miguel? É muito pouco!

Srougi devolveu com uma reflexão:

– E qual a chance de um garoto sair de casa com uma mala na mão, com três mudas de roupa, dormir embaixo de uma escada e depois se tornar um dos maiores industriais do Brasil e da América Latina? Menos de 10%, não é? Então, não é pouco.

Alencar riu gostosamente. Tudo não passava de mentira piedosa, porque Srougi logo percebera que se tratava de um teste para averiguar a gravidade e o estágio da doença. A ideia era saber se de fato havia chegado à reta final. Srougi não tomaria parte nesse jogo.

De bobo, Alencar não tem nada. Sabia que a coisa estava feia e que não teria condições de enfrentar a dureza de uma campanha. No avião, de volta a Brasília, calado e pensativo, tomou finalmente a única decisão que poderia, mas que vinha adiando, adiando, com dor na alma:

– Vou desistir – comunicou a Adriano Silva, pedindo que ele tomasse as providências necessárias para o aviso oficial e público.

"Todo o arranjo das candidaturas da base aliada em Minas estava paralisado, esperando minha decisão. Todos os (então) candidatos a governador, o Hélio Costa, o Patrus Ananias e o Fernando Pimentel, declaravam que, se eu quisesse me candidatar, retirariam seus nomes e me dariam apoio. Então, acabava a briga entre eles", conta Alencar, acreditando numa meia verdade. Nenhum dos candidatos considerava possível que Alencar se lançasse ao Palácio da Liberdade.

E ele, na verdade, se agarrava à hipótese de disputar o Senado. Se ganhasse, já teria 79 anos e preferia "uma agenda menos pesada, mais adequada à minha idade". As pesquisas eram francamente favoráveis. Caso se candidatasse, poderia se considerar virtualmente eleito.

Tanto sonhava (e muito!) disputar o Senado que tinha tudo marcado para viajar para o Uruguai a fim de não assumir a Presidência interinamente durante viagem de Lula à Rússia em 12 de abril. Se assumisse, cairia na regra da inelegibilidade. Pela Constituição de 1988, artigo 14, os candidatos que tenham cargo público são obrigados a renunciar seis meses antes das eleições, sob o risco de ficarem proibidos de disputar o pleito. Só são liberados para continuar os que concorrem à reeleição no mesmo cargo – como ocorreu com os presidentes Fernando Henrique Cardoso, em 1998, e Luiz Inácio Lula da Silva, em 2006.

Para os vices, há uma exceção. O Tribunal Superior Eleitoral entende que vice-presidente, vice-governador e vice-prefeito podem concorrer a outros cargos preservando os seus mandatos respectivos, desde que, nos seis meses anteriores ao pleito, não sucedam nem substituam o titular.

Para Alencar, o jeito seria viajar para um país vizinho toda vez que Lula deixasse o país, como ele pretendia fazer indo ao Uruguai em abril – o que, aliás, criaria uma situação constrangedora para o governo.

O terceiro na linha sucessória era o presidente da Câmara, Michel Temer (PMDB-SP), que também não poderia assumir por ser candidato a vice-presidente na chapa de Dilma Rousseff. Ele também estaria sujeito à regra da inelegibilidade. Ou seja: quem subiria a rampa como interino seria o presidente do Senado, José Sarney (PMDB-AP).

O problema é que Sarney vinha sofrendo uma série de denúncias que acabaram explodindo na imprensa. Ele próprio foi acusado de assinar "atos secretos" para nomear por baixo dos panos os apadrinhados dos políticos no Senado. E seu filho mais velho, o empresário Fernando Sarney, era investigado pela Polícia Federal por desvio de dinheiro público, evasão de divisas e formação de quadrilha. Como Sarney subiria novamente a rampa nessa circunstância?

Lula se livrou dessa. No dia 8 de abril, Alencar ligou para o chefe de gabinete da Presidência, Gilberto Carvalho, pedindo um encontro extraordinário com o presidente naquele dia. Ao mesmo tempo, sua assessoria solicitou ao Itamaraty que desmobilizasse todo o esquema e a agenda preparados para Montevidéu – onde já se encontrava o "escalão precursor" da viagem, com diplomatas, seguranças e pessoal de logística.

A conversa entre Alencar e Lula teve como cenário o CCBB (Centro Cultural do Banco do Brasil), já que o Palácio do Planalto se encontrava em reforma. Dessa vez, o presidente não tentou dissuadi-lo. Acatou a decisão de pronto, fazendo apenas uma sugestão para reduzir o impacto da desistência sobre um homem a quem dedicava respeito e carinho e que, afinal, estava fragilizado pela doença.

– Tá bom, Alencar, eu entendo. Mas não precisa desistir da viagem ao Uruguai. São só dois dias, você vai, volta e pronto. Para que cancelar?

Eles passaram a falar de outras coisas – "coisas de rotina", como definiria o vice depois. De repente, no meio da conversa, Lula mudou de ideia:

– Olha, voltando àquele negócio de ir para o Uruguai, acho que você tem razão, é melhor cancelar mesmo, até porque aí ninguém se assanha para assumir.

Nem era preciso falar no nome de Sarney. Ficou implícito, os dois sabiam exatamente do que se tratava.

Lula estava bem informado sobre a inviabilidade física de submeter Alencar a uma desgastante campanha eleitoral. Numa de suas viagens a São Paulo, tinha mandado chamar o cardiologista e amigo Roberto Kalil para uma conversa reservada na Base Aérea, em Congonhas. Olho no olho, perguntou:

– O Zé Alencar tem condições de se candidatar?

Kalil:

– Se depender de mim, tem. O que ele perde com isso? Ele adora política, adora campanha, isso lhe dá vitalidade. Mal não vai fazer.

Mas, na hora de abordar objetivamente a gravidade da situação numa conversa com o presidente da República, a conversa foi outra. A verdade foi dita claramente a Lula, que, segundo todos os depoimentos, tinha não apenas simpatia, mas identificação profunda com a história do menino pobre que não pudera estudar e virou tudo o que virou na vida.

Lula saiu dali, daquela conversa, sabendo que Alencar – que vivia brincando que "só" pretendia disputar mais três ou quatro eleições – jamais voltaria a se candidatar.

Depois de comunicar a decisão ao presidente, Alencar convocou para o mesmo dia, 9 de abril de 2010, uma entrevista coletiva à imprensa na Vice-Presidência da República. Na ocasião, explicou: "Só iria aceitar uma candidatura se estivesse curado. Eu me sinto curado, mas continuo fazendo quimioterapia e não sei se seria honesto colocar meu nome como candidato fazendo quimioterapia." Uma jornalista chegou a sair do gabinete aos prantos depois da entrevista.

Alencar não se candidatou, mas reuniu forças para se engajar, a pedido de Lula, na campanha vitoriosa de Dilma Rousseff à Presidência. Chegou a participar de carreatas em Minas, além de gravar depoimento para o horário eleitoral. No dia da eleição, porém, estava internado em São Paulo e não foi autorizado a deixar o hospital. Insistiu o quanto pôde, mas os médicos vetaram.

No caso de São Paulo, ficou fora da campanha também por uma questão política e afetiva: o candidato de Lula e do PT ao governo do estado foi o senador Aloizio Mercadante, mas Alencar e Josué são grandes amigos do candidato do PSB, Paulo Skaf, ex-presidente da Fiesp. Os dois foram derrotados no primeiro turno pelo tucano Geraldo Alckmin, que já ocupara o cargo antes.

Antes da Fiesp, Skaf presidira a Associação Brasileira da Indústria Têxtil (Abit) e colocara Alencar como seu vice. Ao sair, trabalhou para que Josué fosse o sucessor, como efetivamente aconteceu.

"O Paulo é muito ligado a mim, muito amigo", resume o vice-presidente.

Menos de 10 dias depois de anunciar que não seria candidato a nada, Alencar descansava no apartamento de Ipanema, Rio. Ele estava sozinho quando toca o telefone. Alencar atende e, do outro lado da linha, uma jovem grita e chora alto. Chama-o de pai e se diz sequestrada. Alencar fica nervoso, acredita. Ato contínuo, vem um sujeito na linha e exige R$ 50 mil de resgate. O vice-presidente informa que não mora no Rio, não tem todo aquele dinheiro em casa. O sujeito então exige joias. Alencar explica que a mulher tinha feito a promessa e blablablá. Negocia daqui, negocia dali, o sequestrador baixa para R$ 20 mil. Sem desligar o telefone, Alencar aciona um amigo empresário, Walter Moraes, para arranjar o dinheiro. O bandido, então, pergunta:

– Você trabalha em quê?

– Sou vice-presidente da República do Brasil.

– Qual é o seu nome?

– José Alencar Gomes da Silva.

A resposta é um silêncio profundo. O sujeito afinal bate o telefone e desaparece. Nem o vice-presidente estava a salvo do "golpe do falso sequestro".

Dia de Químio

Terça-feira, 15 de junho de 2010, estreia do Brasil na Copa do Mundo da África do Sul. O jogo era contra a Coreia do Norte. Os brasileiros do país inteiro se mostravam desconfiados com a seleção de Dunga.

O país já vinha devagar, quase parando, desde bem cedo. São Paulo, "a locomotiva do Brasil", enfrentava um trânsito bem camarada para as 10h30 de um dia de semana, apesar de a partida estar marcada para as 15h30 (horário de Brasília). Fazia um lindo dia de sol, mas os termômetros acusavam 14 graus naquela manhã.

Na entrada principal do Sírio-Libanês, médicos e médicas em seus jalecos brancos andavam apressadamente, misturando-se a jovens, velhos, homens e mulheres em trajes casuais, quase displicentes, apesar dos pesados casacos sobrepostos.

Três cidadãos se distinguiam e chamavam especial atenção. Em pé diante da porta de vidro da entrada, um deles, enorme, mais de 1,90m, terno escuro, gravata idem, sapatos sociais enormes. Os outros dois, também altíssimos, fortes e metidos no mesmo tipo de "uniforme", sentavam-se em duas poltroninhas que pareciam pequenas demais para eles.

Um dos dois cochilava, cabeça pendida para o lado direito. Volta e meia tentava reagir, abria os olhos, sacudia as pernas. Nada. Daí a pouco, cochilava de novo. Os três usavam o mesmo tipo de aparelho: aquele fio em forma de caracol adaptado ao ouvido e saindo o mais discretamente possível da gola do terno.

Como o vice-presidente da República era esperado às 11h, vindo direto de Brasília e da Base Aérea em Congonhas para mais uma das incontáveis sessões de quimioterapia, a dedução óbvia era que se tratava da segurança oficial. Ledo engano. Conforme explicou então a recepcionista,"segurança é o que não falta no Sírio-Libanês". Não apenas das autoridades de Brasília, mas das estaduais e municipais do país inteiro e, principalmente, dos ricaços brasileiros em geral.

Ao contrário daqueles "armários" tão ostensivos, os cinco responsáveis por vigiar o vice-presidente eram pequenos, discretos, elegantes. O chefe é um coronel da ativa do Exército, que já serviu como "Boina Azul" (a tropa de paz da ONU) em Angola, em 1995. Dois deles têm, provavelmente, menos de 1,70m e todos parecem invisíveis, de tão calados e sutis.

Alencar chegou com pouco mais de uma hora de atraso, às 12h10. Fazia frio. Vestia um terno de lã azul-marinho feito sob medida por Hermano, o mesmo alfaiate de Belo Horizonte que faz todos os seus ternos há décadas. A camisa é branca, a gravata, lisa, cor de vinho.

Um rápido alvoroço à entrada, pessoas curiosas e embasbacadas olhando para ele, que cumprimenta os funcionários com um sorriso, às vezes parando para um aperto de mão. Parece que o hospital inteiro adora José Alencar.

"Venho acompanhando todos os presidentes desde o Figueiredo e nenhum é como ele, José Alencar. Quando o sujeito chega aos píncaros, a sensação de poder sobe à cabeça, mas com o Alencar, não. Ele nunca deixa de cumprimentar o faxineiro, o copeiro, o ascensorista. Pergunta pela família, pelos filhos", conta o médico Antônio Esteves.

Esteves, 57 anos, é jovial, pratica surfe e canoagem na praia de Juqueí, em São Paulo. E não brinca em serviço. Foi ele quem realizou o cateterismo e a implantação do primeiro *stent* de Alencar, em

2005. Esteves avalia que Alencar "tem muita força de vontade, tem um alto astral" e dá um trabalho danado para os seguranças, porque vai andando, falando com um, falando com outro, sem pressa, é incansável.

"Tem dia que a gente vê ele aqui no hospital de manhã, fazendo tratamento, e depois liga a TV à noite e lá está ele, em Brasília, numa solenidade, numa reunião qualquer. É inacreditável", espanta-se Esteves. O principal efeito, na opinião do médico, é a referência positiva para os outros pacientes de câncer.

André Alves Marcelino, 24 anos, que era ascensorista e foi transferido para a recepção do Centro de Oncologia do primeiro e segundo andares, não ouviu o depoimento de Antônio Esteves. Ainda assim, oferece testemunho parecido: "O José Alencar é um exemplo. Os pacientes da Oncologia todos se miram nele, perguntam por ele, querem ir lá falar com ele. Dizem que é um guerreiro, que dá ânimo, dá força à luta."

André, assim como Esteves, reforça que Alencar é sempre amável, cumprimenta os funcionários, mesmo os mais humildes, e às vezes até faz uma brincadeira ou outra com eles.

É possível confirmar ao vivo e em cores os dois depoimentos, do cardiologista e do ex-ascensorista, dando uma voltinha pelo hospital com o próprio Alencar. Os pacientes agradecem a ele, dizem que se espelham na sua garra, na sua crença.

Ao chegar ao segundo andar, distribui beijinhos nas enfermeiras mais conhecidas e cumprimenta mais formalmente as outras. Instala-se no Box 214, onde se lê logo acima do leito uma placa agradecendo à "benemérita Gilda Maria Chamma".

Mal troca de roupa, coloca uma camiseta branca, faz exames de sangue e urina e come um sanduíche de filé com dois copos de leite. Segundo a família, os médicos e os amigos, Alencar, mesmo muito doente, continua o típico "bom de garfo".

Uma enfermeira do hospital entra, quer saber se Alencar já está com o anestésico. Não estava. Ela, então, aplica a pomada no lado direito do peito, próximo ao pescoço. Minutos depois, volta e pergunta se ele se incomodaria de receber a visita de uma outra paciente que gostaria de conhecê-lo.

– Não, de forma nenhuma. É um prazer – responde, sem demonstrar a menor surpresa.

Numa cadeira de rodas, empurrada pelo marido, chega Regina Muller, de Campinas (SP):

– O senhor é o meu esteio. Acompanho toda a sua luta e me guio por ela – afirma a paciente Regina, que viajara de carro os 96 quilômetros entre as duas cidades para mais uma rodada de exames e mais uma sessão de quimioterapia.

– Vai dar tudo certo – responde ele.

– Vai, sim, se Deus quiser.

Regina lutava contra o câncer desde 1996 e tinha passado por três cirurgias. Alencar já passara por 15 desde 1997. Ao sair, ela se explica:

– Desculpe a intromissão, mas eu sempre quis falar com o senhor, eu precisava vir falar com o senhor.

Adriano, que acompanhou Alencar em praticamente todas as cirurgias, em todos os exames, em todas as viagens e em todas as sessões de quimioterapia, balança a cabeça: "É sempre assim. Onde ele vai, é assim."

Toca o telefone celular. É o jornalista Lauro Jardim, da revista *Veja*. Sem saber que o vice está internado, quer o palpite dele para o jogo do Brasil com a Coreia do Norte. Alencar faz questão de atender:

– O Brasil tem todas as condições de vencer, e nós precisamos muito dessa vitória, mas jogo é jogo, precisa ser jogado – responde. E arrisca o palpite: Brasil 2 X 0. (O Brasil de fato venceria, mas por 2 X 1. Por pouco não acerta em cheio.)

Dona Mariza também liga de Brasília. Quer saber se está tudo bem, se ele vai ver a partida pela televisão do quarto ou voltar para Brasília na hora do jogo. Alencar ainda não sabia. Ia depender dos exames. Naquele momento, eles eram especialmente importantes.

No fim de semana de 6 de junho, o casal não tinha passado muito bem. Dona Mariza lamentava não ter podido ir à missa no dia de Corpus Christi, por causa de uma crise de labirintite. E só foi com esforço à missa dominical.

O marido, sempre tão positivo, sempre "tão para cima", declarou-se "exageradamente cansado e um pouco triste" numa conversa por telefone. Isso, definitivamente, não era usual. A explicação era uma queda no nível de hemoglobina, clássico efeito da quimioterapia, o que provoca a seguinte angústia: como equilibrar a químio, necessária para combater o sarcoma, e os níveis dos glóbulos vermelhos, a estabilidade do metabolismo? Um dilema típico de "se correr o bicho pega, se ficar o bicho come".

O cansaço se manifesta porque os níveis considerados normais de hemoglobina para um homem na idade dele (então com 78 anos) são acima de 12 – de 12 a 17. Com a quimioterapia, haviam caído para uma faixa de 10, 10.5. E os exames daquele domingo acendiam um sinal amarelo ao registrar índice de apenas 8. Além disso, um dos efeitos colaterais é o excesso de líquido no pulmão, que só piora com o tempo.

Alencar não se furta a falar da tristeza naqueles dias: "Fiquei muito prostrado e tive de cancelar uma viagem para receber o título de cidadão honorário de Contagem (MG). Tive de mandar o meu irmão Antônio. Fiquei muito triste, porque foi a primeira vez que não tive condições de ir. Mas tudo neste mundo tem uma primeira vez, não é?"

Ao observar os exames daquele domingo, Jaciara mandou um "torpedo" com os resultados para os celulares do nefrologista Paulo Ayrosa e de Paulo Hoff, que estava num congresso médico nos Estados Unidos. Os dois ouviram outros integrantes da equipe e decidiram por uma pausa no tratamento, um descanso da quimioterapia por 16 dias. Na prática, pulariam uma sessão.

Um alívio e também uma preocupação. No retorno ao Sírio-Libanês em 15 de junho, naquele Box 214, havia duas coisas em jogo: a volta (como? quando?) da quimioterapia e os exames sobre os níveis de hemoglobina. Quando saíram os resultados, a hemoglobina estava em 10.2; a creatinina, em 2.2; a ureia, em 68.

Ayrosa ficou satisfeito com os exames da área dele: "Funcionou, a função renal está equilibrada." Jaciara comemorou: "Puxa, que bom!"

A enfermeira continuou a decifrar aqueles números até bater nos leucócitos. Não gostou do que viu: "Os leucócitos caíram, estão abaixo dos 3.000."

Paulo Hoff já havia retornado dos Estados Unidos. Foi ele quem comunicou a Alencar que aquela paradinha da quimioterapia rendera bons resultados, o metabolismo havia se reequilibrado e era hora de retomar o tratamento. E foi ela, Jaciara, quem deu a má notícia em seguida: ele teria de tomar o temido Granulokine, para aumentar a produção dos glóbulos brancos, e o Eprex de 40.000 unidades, para aumentar os vermelhos.

O paciente não gostou:

– É mesmo? Tem certeza de que é preciso? Esse remédio me mata.

Alencar tem bons motivos para não gostar: "O Etrex não me faz mal, mas o Granulokine me dá dor óssea. A injeção é subcutânea e não dói nada, o que dói é o efeito dela. Dor óssea é uma coisa tremenda. Dói durante dias. Você fica sem resistência, tem dificuldade para sair da cama, para deitar na cama, para sentar, para levantar de uma cadeira. Dá dor lombar", reclama.

Quando toma o remédio, Alencar leva sempre a mão às costas, como se estivesse com "dor nas cadeiras".

Apesar dos pesares, como sempre, acata:

– Bem, então vamos logo com isso.

Por volta das 14h30, Adriano consulta a internet pelo iPhone, um dos três telefones que carrega para lá e para cá, e comunica:

– O jogo de Portugal com Gana terminou zero a zero.

E Alencar, imediatamente:

– Não é Gana, é Costa do Marfim. (Tinha razão.)

O vice-presidente manda ligar a televisão 10 minutos antes do início do jogo do Brasil, assiste o primeiro tempo no hospital e segue para o apartamento de São Paulo. Vai ver por lá o segundo tempo. Achava a seleção de Dunga "muito ruinzinha" e torcia para que ganhasse, mas ganhasse por pouco, para ficar esperta contra adversários mais fortes que viriam pela frente.

Apesar de saber nadar e andar de bicicleta, o único esporte que Alencar praticou na vida foi futebol. Ao contrário de sua versão para os amigos, parece não ter sido nenhum Ronaldinho. Quando adolescente, jogava no Nacional Futebol Clube de Muriaé, mas a grande estrela era um outro Gomes da Silva, seu irmão Álvaro, o Tatão. Já adulto, fundou com um grupo de amigos o Barro Branco Futebol Clube, de Caratinga, por um misto de birra e dor de cotovelo. Ele não tinha chegado a titular do timão local, o Caratinga Futebol Clube, no qual só tinha vez quem era mesmo bom de bola. Sua camisa era a 39, seu número no Tiro de Guerra do Exército.

Apesar de ter jogado e de gostar do esporte, Alencar não é aficionado por jogos ao vivo na TV: "Depois, eles passam os gols, os melhores momentos, as melhores jogadas, tudo de novo. Aí é que eu gosto de ver."

Além disso, tem uma queixa: "Gosto muito de futebol, mas a gente vai perdendo o contato. Hoje, os jogadores da seleção brasileira não vivem no Brasil. Então, você não os conhece, não tem mais aquele contato que tinha. Antigamente, eram os jogadores do Vasco, do Flamengo, do Botafogo, do Fluminense, do Corinthians, do Palmeiras, do São Paulo, do Santos, esses eram os jogadores do Brasil. Agora, você nem sabe mais em que time estão."

Pelo telefone, dona Mariza opina que o time joga muito mal. Josué também estava com a TV ligada na sede da Coteminas, na avenida Paulista, mas não se entusiasmava.

Alencar estava no telefone com Mariza quando, às 16h40, Maicon marcou o primeiro gol do Brasil na Copa de 2010.

– Gooooooool! – grita Mariza do outro lado da linha, com sua voz ecoando pela sala de TV em São Paulo.

Bem ou mal, toda a família assistiu ao jogo, assim como Adriano, Jaciara, seguranças e motoristas dos cinco carros e das duas motos (os batedores, que fecham sinais e ruas para dar passagem às autoridades) da comitiva do vice. Enquanto Alencar via no apartamento com Adriano, os demais assistiam num hotel ali perto.

Às 17h, lá se foram para Congonhas. Embarcaram uma hora depois no jato da Presidência de volta a Brasília.

Apesar da animação dos médicos quanto aos resultados daquela volta à químio, a coisa não evoluiu assim tão bem pelo resto da semana. No domingo seguinte, quando o Brasil entrou em campo pela segunda vez na Copa, e a seleção de Dunga venceu Costa do Marfim por 3 X 1, Alencar já não estava tão bem.

Passou todo o fim de semana no Palácio do Jaburu enjoado e com febre alta, próxima dos 39 graus. Na segunda-feira, baixou ao hospital de novo. Pegou o avião da Presidência e se internou no Sírio-Libanês para um "mapeamento da função renal". Em Brasília e São Paulo, o clima era de apreensão. Só Alencar reagia à Alencar.

Às 17h09, o celular da autora do livro toca. Era o próprio, perguntando o que andavam falando mal dele por aí. Bem-humorado, conta das farras que fazia em Montes Claros, cita sem titubear os amigos do "grupo da seresta" daquela época, final dos anos 60, início dos 70, e... canta duas músicas, do princípio ao fim.

Uma foi a marchinha de Carnaval "Florisbela", de 1939, de Nássara e Eratóstenes Frazão, gravada por Silvio Caldas, um dos maiores nomes da história da música brasileira:

"Entre uma rosa amarela,
Um cravo branco e um jasmim
Encontrei a Florisbela
Entre as flores de um jardim,
Implorei um beijo dela
E ela nem olhou pra mim
Afinal as flores belas
Todas elas são assim"

A outra música foi o clássico "Último desejo", que o grande Noel Rosa gravou em 1937 em homenagem a Ceci, uma dançarina da Lapa, bairro que ainda hoje é centro da boemia do Rio de Janeiro. Alencar cantou a música inteirinha, com aquele vozeirão:

"Nosso amor que eu não esqueço
E que teve o seu começo
Numa festa de São João
Morre hoje sem foguete
Sem retrato e sem bilhete
Sem luar, sem violão
Perto de você me calo,
Tudo penso e nada falo
Tenho medo de chorar
Nunca mais quero o seu beijo
Mas meu último desejo
Você não pode negar
Se alguma pessoa amiga
Pedir que você lhe diga
Se você me quer ou não,
Diga que você me adora,
Que você lamenta e chora

A nossa separação
Às pessoas que eu detesto
Diga sempre que eu não presto
Que meu lar é um botequim
E que eu arruinei sua vida
Que eu não mereço a comida
Que você pagou pra mim"

Quando jovem, além de cantar, tocava violão. As serestas aconteciam numa das duas casas de Luiz de Paula. Como elas ficavam em frente uma da outra, uma de um lado da rua e outra do outro, chamavam o ponto de encontro dos finais de tarde, inícios de noite de "casa da frente".

– E essa música da rosa amarela, o senhor cantava para alguma moça bonita? – indaga a autora.

– A da Florisbela? Pode até ser, porque havia muitas moças bonitas, lindas, em Montes Claros. Mas, se era para alguma específica, eu não me lembro mais – responde com uma boa risada.

Nem parecia que estava com febre, deitado numa cama de hospital, esperando uma notícia que podia ser boa ou não.

Os amigos do "grupo da seresta", ou da "casa da frente", eram o xará Alencar Monteiro, Afrânio Temponi, Nivaldo Maciel, Benedito Maciel, Pedro Viriato e "o Beto".

"Mas o chefe de todos nós era o Luiz de Paula, era o mais animado", recorda.

No meio do bate-papo, Alencar avisa que vai ter de desligar o telefone. Paulo Hoff acabava de entrar no quarto para passar o resultado dos exames. Depois, ouve alguma coisa e pede:

– Peraí só um pouquinho que ele está falando alguma coisa...

Volta e completa:

– Ele disse que tem boas notícias.

Desliga o telefone para se informar. Certamente, fez mil e uma perguntas para o médico, como sempre e a cada vez. A ligação durou exatamente 15 minutos, como ficou registrado no celular.

As notícias eram boas mesmo: as taxas estavam equilibradas, e ele teve alta.

Aquele foi um dia de boas notícias, mas o ritmo dos problemas se acelerava. O difícil equilíbrio entre as doses da químio e os efeitos colaterais dava uma seca pimenteira nos médicos, especialmente em Paulo Hoff. E foi numa volta ao hospital, em 8 de julho, que se descobriu algo errado no coração. Alencar tinha ido ao Sírio para exames de rotina e mais uma sessão de quimioterapia. Como apresentava quadro hipertensivo, fez-se uma cintilografia. Foi confirmada uma arritmia cardíaca.

Os médicos decidiram mantê-lo internado para um cateterismo. Resultado: mais uma artéria obstruída e a colocação de novo *stent*, o segundo em seis anos. Aconteceu em 11 de julho de 2010. A apreensão por mais uma cirurgia foi grande. Mas Alencar sairia de mais aquela, firme, forte e muito bem-humorado.

Lula foi visitá-lo na UTI do Sírio-Libanês, ficou cerca de 20 minutos e se deixou fotografar com a mão esquerda sobre o braço direito de Alencar, que ria, passando a imagem otimista de sempre.

No dia 14 de julho, Hoff introduzia uma nova substância no coquetel de químio, a Tasigna. O remédio substituía o Glivec e era ministrado por via oral, não intravenosa. No dia 15, mais uma alta, mais uma volta para casa. No dia 18, o vice-presidente retornava a Brasília.

Alencar sentia muito frio naqueles dias. Apesar do clima seco e quente em certas ocasiões, chegava a usar suéteres de lã de manhã e à tarde, debaixo dos ternos de lã importada feitos pelo velho alfaiate Hermano. Também se sobressaltava com facilidade. Como os médicos e enfermeiras da Presidência, que, a qualquer novo exame, a qualquer novidade, ligavam correndo para um oncologista calmo e envolvido até a medula com aquele paciente tão especial sob vários ângulos: Paulo Hoff.

Quase uma semana depois, 24 de julho, Alencar e Mariza se deslocaram para Belo Horizonte. Foram padrinhos da primeira bisneta, Maria, filha de Giovanna, filha de Patrícia e segunda neta. Alencar ficou na maior felicidade com a bisnetinha e por ser escolhido padrinho. O gabinete de Brasília passou a abrigar uma foto grande, emoldurada, de Maria.

Ação de Graças

Brasília amanheceu com sol vigoroso, céu muito azul e temperatura agradável no sábado, 27 de junho de 2010. Mariza havia enchido a varanda aberta do Palácio do Jaburu com rosas para receber os 350 convidados de uma missa de ação de graças a ser rezada por Dom Cipriano, do Mosteiro de São Bento, do Rio.

Mas a primeira atividade de Alencar naquele dia foi pagã. Às 8h em ponto ligou para o sócio e amigo Luiz de Paula, que completava 93 anos. Conversaram animadamente. Alencar comentaria depois: "Ele está muito bem, muito lúcido."

Os convidados eram familiares, amigos, médicos, funcionários da Vice-Presidência e da Coteminas e seus parentes, companheiras de Mariza nas missas dominicais ou nas atividades sociais, cerca de 30 embaixadoras ou embaixatrizes estrangeiras e pessoas comuns que rezavam pela saúde dele e enviavam mensagens encorajadoras para a Vice-Presidência.

De autoridades, só participaram o ministro Nelson Jobim, da Defesa, e o chefe do GSI (Gabinete de Segurança Institucional), general Jorge Armando Félix, além do ex-comandante do Exército da época de Alencar na Defesa, general Francisco Albuquerque. Eles estavam acompanhados de suas mulheres. Maria Antonieta, mulher do general Albuquerque, foi a melhor amiga que Mariza fez em Brasília durante o primeiro mandato de Lula e Alencar.

Também estava no Jaburu Ilda Peliz, presidente da Abrace (Associação Brasileira de Assistência às Famílias de Crianças Portadoras de Câncer e Hemopatias). Ela perdeu uma filha de um ano e meio, Rebeca, com câncer, em 1995. Desde então, largou tudo para se dedicar de corpo e alma às crianças portadoras da doença que não têm condições de se tratar. Mariza é talvez a maior aliada da instituição.

Indagada sobre como "descobriu" Mariza, Ilda explica: "Na verdade, foi ela que descobriu a gente." A presidente da Abrace conta que a vice-primeira dama foi a um evento para arrecadar fundos, em 2003, e pediu seu telefone depois de fazer uma contribuição recheada. Ligou no dia seguinte e avisou que ajudaria a construir o hospital para as crianças com câncer.

Em 2006, foi Mariza quem trouxe no Boeing da Presidência um aparelho de endoscopia digestiva que o Hospital de Boston havia doado. A entidade não tinha como transportar o equipamento, fundamental para a Abrace.

O hospital, que mobilizou milhares de pessoas, foi inaugurado em 2008, com 7.000m^2. Mariza ajudou com doações próprias, rifas, festas beneficentes e pedindo a colaboração das amigas ricas, que não são poucas.

Em 2009, reuniu o acervo pessoal da Vice-Presidência, com a coleção de presentes que ganhara de governos e organizações estrangeiras, ofereceu em leilão e transferiu a renda para a Abrace. Eram jarros de cristal, peças de prata, relógios de parede, ovos Fabergé, lanternas, cerâmicas, porcelanas, peças de jade, de toda parte do mundo.

Segundo Ilda Peliz, as doações saem em geral do bolso do casal Gomes da Silva: "Eles [Mariza e Alencar] são um exemplo de vida, de ética, de solidariedade. E uma coisa que dá muito orgulho é que eles não usam o governo, é tudo deles."

A missa foi precedida pelo som de harpa ao vivo, intercalada por um coral de Brasília e seguida de almoço à beira do laguinho do Jaburu, com as mesas ornamentadas com vibrantes rosas vermelhas.

Dom Cipriano estava acompanhado do Padre Rodrigo, da paróquia que Mariza frequenta em Brasília, próxima ao Jaburu, e do professor Carlos Alberto Serpa, presidente da Associação Cultural da Arquidiocese do Rio de Janeiro. O altar foi montado na enorme varanda projetada por Oscar Niemeyer, poucos passos adiante da capelinha do Jaburu e cercada pelos jardins, onde pavões, garças e galinhas-d'angola são um show à parte.

No folheto impresso que Mariza distribuiu aos convidados com os textos da missa, junto com um terço de pérolas numa caixinha de capim dourado, uma das preces era particularmente curiosa: "Senhor, inspirai nossos políticos, para que cooperem para o progresso da Nação."

Informal, trocando alguns trechos e até fazendo brincadeiras com isso, Dom Cipriano usou duas vezes a tal língua que ninguém entende. Quando Adriano Silva o chamou a um canto e perguntou que idioma era aquele, o religioso deu de ombros: não tinha a menor ideia.

Na sua oração final, a "oração curativa", fez uma longa lista de males a serem curados entre os presentes: osteoporose, diabetes, dificuldades de caminhar, dores nas solas dos pés, problemas do sistema urinário, do intestino e dos pulmões. E terminou orando "contra a multiplicação de células cancerosas".

O tom de Dom Cipriano nada tinha de triste, sóbrio, sorumbático. Ao contrário, brincou e conclamou à alegria: "Melhor do que dizer a Deus que temos um grande problema é dizer ao problema que nós temos um grande Deus. O problema fica pequenininho."

Foi a parte que mais impressionou Alencar, que a repetiu no seu rápido discurso e pediu: "Hoje é dia de festa!" Em resumo, contou o encontro que tivera com Dom Cipriano no Mosteiro de São Bento, antes da "grande cirurgia": "Saímos encorajados, certos de que daria tudo certo, seria um sucesso."

Agradeceu também as preces e manifestações que mobilizaram

milhares, ou até milhões de brasileiros: "A todas as pessoas deste país inteiro, que nos fazem acreditar numa proteção divina que nos tem ajudado tanto. É difícil vencer esse tipo de câncer. Não podemos dizer que estamos vencendo esse câncer, porque seria um certo atrevimento, mas nós acreditamos que estamos curados."

Depois, um *mea-culpa*: "Na Vice, nos vem um certo remorso. Se todos os brasileiros tivessem pelo menos 10% da atenção que tenho tido..." E agradecia aos funcionários, médicos e enfermeiros quando Mariza interrompeu: "e os seguranças..."

A reação dele arrancou risadas: "Segurança desnecessária." E tome de reclamação do "aparato enorme", da dificuldade e do constrangimento: "Lembro do tempo em que eu dirigia o meu fusquinha e não quero que as pessoas me vejam e pensem: 'Ih, o Zé Alencar ficou besta!'"

Estava em ação o mesmo orador que encantara Lula 10 anos antes...

Depois, ao posar ao lado de Mariza para fotos com convidados, cochichou no ouvido da mulher alguma provocação sobre a cerimônia. Ela reagiu mal:

– José! Pare de brincar com coisa séria!

E ele soltou uma gostosa gargalhada.

Como confidencia Josué, que não participou da missa, essa é uma das diversões do pai: "Ele fala um monte de besteiras, a mamãe acredita e fica uma fera com ele. Estão juntos há tanto tempo, e ela nunca aprende." E lá se vai mais de meio século de casamento.

Ação de Paternidade

No dia 22 de julho de 2010, o blog do jornalista Cláudio Humberto publicou uma nota curta e direta informando que o juiz José Antônio de Oliveira Cordeiro dera ganho de causa à professora Rosemary de Morais, de 55 anos, numa ação de investigação de paternidade contra o vice-presidente José Alencar. Com a sentença, ela passava a ser reconhecida como filha de Alencar, com direito a assinar Rosemary de Morais Gomes da Silva.

O processo se arrastava desde 2001 e já havia saído na imprensa, daqui e dali, sempre discretamente. Com a decisão judicial, ganhou nova dimensão, invadindo o noticiário de TVs, rádios, jornais e revistas e abrindo um caloroso debate na internet.

Alencar se recusara a fazer exame de DNA, alegando que todo o processo se baseava na versão e nas alegações da própria professora e não havia uma só prova – nem documentos, nem fotos, nem cartas, nem mesmo uma testemunha – que desse sustentação à denúncia. O juiz, porém, interpretou a recusa como admissão de paternidade, ou "culpa presumida". E essa foi a grande questão em discussão também na opinião pública.

O vice-presidente ficou "muito aborrecido", como dizia repetidas vezes. Ele já estava fragilizado, até emocionalmente, pelo ataque inclemente do câncer, pelos efeitos danosos da quimioterapia e pela implantação de um novo *stent* no coração em 11 de julho.

Ao voltar ao seu gabinete de trabalho, no anexo do Palácio do Planalto, em Brasília, parecia não apenas aborrecido mas também "muito abatido", como atestou o assessor Amaury, que já sabia como agir nessas horas: "Levo um documento ou outro para ele assinar, falo alguma coisa sobre a agenda e mostro as cartas mais importantes ou interessantes. É assim que ele vai melhorando, ganhando ânimo. Aí, fica outro. O trabalho é o tônus vital dele."

Alencar se dispôs a comentar o assunto com a autora deste livro na Vice-Presidência no dia 27 daquele mês – portanto, 16 dias depois da nova cirurgia e cinco após a decisão do juiz se tornar pública. Com blazer e suéter de lã, apesar do calor de 27 graus em Brasília, ele fez questão de justificar a indumentária fora de época: "A quimioterapia não afeta meu apetite nem meu sono, mas minha temperatura anda muito baixa, preciso me aquecer."

Depois explicou que, apesar de tudo, continuava dormindo bem e só precisou tomar meio Lorax quando estava na UTI, após receber o *stent*. O problema agora era a retenção de líquido no pulmão, que tornava a respiração curta e causava cansaço e desconforto ao deitar. Não tinha posição nem para ver TV. Visivelmente, tinha dado "uma caída". Parecia muito pálido, até sua voz estava menos firme.

Admitiu que, quando jovem e solteiro, frequentava a zona boêmia de Caratinga, mas negou peremptoriamente a possibilidade de ser pai de Rosemary e até mesmo que conhecesse a mãe dela, Francisca Nicolina de Morais, a dona Tita, que morreu de câncer no final de 2009, aos 82 anos: "Não consigo me lembrar de jeito nenhum dessa senhora e nem morava em Caratinga quando ela ficou grávida", afirmou.

Como Rosemary nasceu em 8 de maio de 1955, o início da gestação teria sido em agosto do ano anterior. Alencar alega que trabalhava à época na firma Custódio Fernandes e morava em Itaperuna, no estado do Rio de Janeiro.

Ele considera o processo "um absurdo, uma peça de ficção". Além disso, questiona a oportunidade da sentença e de sua divulgação: "Por que agora, a meio ano do fim do governo?" Ele mesmo responde: "Porque agora a mídia é uma; depois de janeiro [com o fim do governo] a mídia é outra."

No dia 3 de agosto, Alencar falou pela primeira vez em público sobre o processo e sobre a denúncia de paternidade. Foi numa entrevista ao *Programa do Jô*, ancorado à meia-noite por Jô Soares na TV Globo, ao vivo e em cores para milhões de pessoas país afora.

Quando a entrevista chegou ao ponto crucial, alegou: "Essa senhora que disse que é mãe de uma filha minha nunca poderia ter posto os pés naquele clube (o Clube de Caratinga). Aquilo lá era uma coisa, era uma religião, não há uma pessoa que diga que essa mulher foi vista comigo algum dia. Então, como não há nenhum indício, as pessoas se apegam a isso, de fazer o DNA ou não fazer."

"Eu vivi numa época em que havia a chamada zona boêmia nas cidades. Então, a rapaziada frequentava essa zona boêmia. E eu não vou me submeter a essa chantagem, senão, amanhã, todo mundo vai chegar e vai dizer: 'Você tem de fazer isso, tem de fazer aquilo', em cima de uma chantagem qualquer", acrescentou.

No depoimento à autora, Alencar afirma ainda: "Se eles tivessem uma prova cabal, uma prova material, uma prova testemunhal... Mas não têm!"

Ao falar da própria Rosemary no *Programa do Jô*, foi cuidadoso: "Não tenho nada contra essa senhora de 55 anos que se diz minha filha. Fico honrado. Mas não é assim. Não se pode fazer as coisas dessa maneira. Se ela for minha filha, será recebida de braços abertos. Nunca fiz nada contra ninguém na minha vida, não podem fazer isso comigo."

Houve quem considerasse a participação de Alencar no *Programa do Jô* "honesta, verdadeira", mas a repercussão na blogosfera foi majoritariamente negativa.

Já repercutia, então, a entrevista que Rosemary de Morais concedera à repórter Eliane Trindade e fora publicada na *Folha de S.Paulo* em 24 de julho, com um título que dizia tudo:"Me chamam de Alencarzinha".

A foto que ilustrava a reportagem mostra uma mulher bonita, de traços bem definidos e olhos tristonhos, que contou à jornalista: "Em um retrato meu com sete meses, a orelha é igualzinha à dele. O povo aqui (em Caratinga) me chama de Alencarzinha."

Rosemary foi registrada oficialmente como filha de Magmar Pinto Neves, que se casou com sua mãe, Tita. Na sua versão, ela só soube que este não era seu pai verdadeiro quando já tinha mais de 40 anos de idade e os dois já estavam separados.

Na entrevista à *Folha*, disse que foi quando a mãe pegou uma página de jornal com a foto de Josué, apontou e garantiu:

– Tá vendo esse rapaz aí? É seu irmão.

Rosemary teria procurado então um dos cunhados de Alencar, o empresário Wantuil Teixeira de Paula, para contar a história, deixar seu endereço e telefone e pedir que intermediasse um encontro com Alencar. Depois, durante a campanha eleitoral de 1998, quando ele era candidato ao Senado, os dois se encontraram pela primeira vez num comitê eleitoral.

Rosemary disse que deu "um fraternal abraço" em Alencar, apresentou-se como sua filha e ele foi gentil:

– Muito prazer, filha, estou à sua disposição.

Na versão dela, porém, ele nunca mais voltou a procurá-la. Um segundo encontro teria acontecido durante uma outra campanha, provavelmente a de 2006, quando Alencar concorreu a vice na reeleição de Lula. Na versão de Rosemary, ela cortou caminho e pediu para falar com ele. Quando os seguranças tentaram impedi--la, o próprio Alencar intercedeu:

– Deixa a menina falar.

Mas, sempre segundo ela, houve um empurra-empurra típico de comícios, os dois se separaram e nunca mais se viram desde então, com o processo correndo na Justiça. Antes de iniciá-lo, Rosemary entrou com uma ação para cancelar seu registro civil e retirar o sobrenome de Magmar, o homem que acreditou ser seu pai durante mais de 40 anos.

Rosemary é separada, vive há 14 anos com um companheiro e tem um único filho, Gladson, que completou 26 anos em 2010. Licenciada em Geografia e História, ela ganhava R$ 1.200 por mês como professora aposentada e disse claramente na entrevista à *Folha* o que almejava: "Nunca parei para pensar em herança. Mas não gosto de montoeira de coisa, quero ter uma vida tranquila, uma casa minha e outras duas de aluguel para meu filho. A gente nunca tem dinheiro para comer uma pizza fora. Só para suprir as necessidades. Não almejo coisas grandes, nem palácio..."

Josué, formado em Direito (além de Engenharia), é quem coordena pessoalmente a reação legal com os advogados. Ao ser indagado sobre a possibilidade de acordo com Rosemary, a resposta é clara: "Acordo? Que acordo? A tentativa dela desde o início é justamente isso", diz ele, negando com veemência essa possibilidade.

Se a ótica dele é técnica, jurídica, a do próprio Alencar é política, é a do homem público, a da pessoa que preza a imagem: "Acordo? Como? O que está envolvido não é apenas a questão financeira. Tem que ver o ponto de vista moral. Ficaria muito feio para mim", diz o principal interessado.

A defesa de Alencar entrou com um "agravo de instrumento" no Tribunal de Justiça de Minas Gerais e conseguiu efeito suspensivo da sentença, enquanto Rosemary dava entrada numa ação de alimentos para receber 100 salários mínimos mensais, mais o pagamento de honorários advocatícios no valor de R$ 100 mil. O juiz negou, justamente com base no efeito suspensivo.

Pela tortuosa processualística brasileira, o caso vai longe. Depois de o Tribunal de Justiça de Minas julgar o mérito, a previsão é que o processo suba em algum momento para o STJ (Superior Tribunal de Justiça). O que está em jogo, entre tantas outras coisas, é a partilha de uma fortuna que sobreviverá a várias gerações.

Torcida Nacional

José Alencar praticamente pulou direto do primeiro para o último estágio do chamado "Modelo de Kübler-Ross", desenvolvido pela psiquiatra Elizabeth Kübler-Ross para descrever as sucessivas reações dos pacientes com doenças graves consideradas incuráveis. O primeiro estágio é o da "negação", quando a pessoa se nega a acreditar que aquilo esteja acontecendo justamente com ela. O último é o da "aceitação".

Alencar passou pela negação ao receber o choque da notícia do primeiro câncer, o de rim, ainda em 1997. E chegou ao último estágio depois de se submeter a 15 cirurgias, num martírio sem fim. Foi quando passou a declarar insistentemente, com ar sereno, às vezes com um sorriso quase infantil: "Eu não tenho medo da morte."

A aceitação se dá, de acordo com Kübler-Ross, quando o doente assimila a inexorabilidade da morte e pensa: "Tudo vai ficar bem, eu devo ficar preparado para quando chegar a hora." Entre a negação inicial e a aceitação, Alencar saltou as outras três reações descritas pela médica. Ele não passou pela fase da "ira", nem da "barganha", nem mesmo da "depressão". Se passou, ninguém viu ou ninguém conta.

Seja Josué, seja Adriano, seja Jaciara, sejam os médicos do Sírio-Libanês que conviveram intensamente com ele nas horas mais difíceis, todos são unânimes em testemunhar que jamais praguejou nem se sentiu perseguido ou injustiçado. Jamais barganhou com

Deus para se tornar "uma pessoa melhor" e assim ganhar mais anos de vida. Jamais entrou numa fase depressiva de quem entrega os pontos e se recusa a prosseguir o tratamento. Ao contrário, ele sempre se manteve na luta, forte, confiante.

Conforme Josué, Alencar é aquele que acredita piamente, lá no seu íntimo, lá na sua alma, nos desígnios de Deus: "Seja feita a Vossa Vontade, assim na Terra como no Céu..." Ainda nas palavras do filho: "Isso não significa entrega, desistência, muito pelo contrário. É 'seja feita a sua vontade', mas tenho de fazer a minha parte. Então, ele faz a parte dele e nunca pragueja. Está absolutamente convencido de que o que tiver de acontecer pela vontade de Deus vai acontecer e será o melhor para ele."

Jaciara já dizia que nunca, nem mesmo nos piores momentos, viu Alencar praguejando ou se sentindo "perseguido" por Deus ou pelo destino. Josué é enfático ao falar a mesma coisa: "O papai não é do tipo que fica dizendo: 'Ah! Por que logo comigo?' Ele nunca agiu assim em nada, em nenhuma situação difícil da vida dele, seja na doença, seja em qualquer outra coisa. Ele encara com serenidade, tentando colocar toda a energia dele para resolver o problema, mas também convencido de que, se Deus não quiser, não adianta. É assim porque é assim. Ele tem essa fé muito forte, muito grande."

A cada aniversário, Alencar, já doente, repetia a mesma brincadeira ao recepcionar os convidados. Quando perguntavam a idade, reagia:

– Tantos anos (75, 76, 77...), preparado para matar no peito, chutar, cabecear, fazer gol, defender e aplaudir da arquibancada.

Para os médicos, Alencar é exemplo a ser seguido por milhões de pessoas com doenças graves, principalmente as que tiveram ou têm câncer e que passam por quimioterapia, radioterapia e cirurgias mutiladoras, sempre sob imenso sofrimento.

"Alencar chegou numa fase de aceitação muito precoce e só fica mais sensível quando tem algum problema no coração, como quando implantou mais um *stent*. Mas essa reação é comum em pacientes com problemas graves no coração", acrescenta Miguel Srougi. O urologista, conceituado internacionalmente, entende que Alencar "se transformou num ícone, num símbolo, uma lenda viva, e está deixando marcas importantes sobre o comportamento e a disposição de quem enfrenta doenças sérias". Acha ainda que a resistência de Alencar se encaixa numa definição de Aristóteles, que resume assim: "A virtude só pode ser transmitida pelo exemplo, a única forma de incuti-la nas pessoas é pelo exemplo."

O cardiologista Roberto Kalil Filho concorda que Alencar se transformou em exemplo e modelo para milhares de pessoas que enfrentam situações semelhantes. E entende que a postura de Alencar pode até salvar vidas: "Ele é um cara com uma força interior que nunca vi, uma vontade de viver que é invejável." Kalil compara: "Eu posso dizer antes de uma cirurgia quando vai ter complicação ou não. Não erro uma. O astral determina a vida ou a morte de alguém. Tenho mil exemplos. Tem gente que diz: 'Doutor, vou morrer, vou morrer.' E morre."

Em entrevista a jornalistas, Ademar Lopes, responsável pela "grande cirurgia", aquela de mais de 18 horas, define aquele paciente tão especial: "Alencar não é o tipo de paciente que acha que vai morrer. Ele enxerga uma pequena janela de sobrevivência e aceita fazer tudo por ela."

Srougi e Kalil têm mil e um exemplos de doentes que se espelham em Alencar. "Eles vêm aqui e me dizem: 'Como aquele homem me faz bem! Estou com outra cabeça, outra disposição diante do meu tumor'", relata Kalil.

Ao saber que os médicos falam coisas assim, comprovando o que ele próprio assiste cotidianamente, Alencar faz uma brincadeira com um enorme fundo de verdade: "Na minha terra, eles sempre falam que qualquer analfabeto tem o que ensinar..."

Paulo Hoff diz que Alencar nunca precisou de medicação para o astral. Isso não chega a ser raro, mas não é o mais comum num caso como o dele: "O vice-presidente tem um espírito inquebrantável. Em quatro anos, raramente o vi desanimado e nunca o vi mais do que alguns minutos deprimido."

Na opinião de Hoff, há aspectos imensamente positivos na intensa exposição nacional da luta de Alencar: "Em primeiro lugar, as pessoas viram que o câncer atinge todo mundo, ninguém está imune à doença. Em segundo, firmou-se uma conscientização de que é uma doença a ser enfrentada e, muitas vezes, tem cura. E, em terceiro, não é um tabu, não é uma vergonha ter câncer."

Alencar, segundo ele, não apenas disse como mostrou que é possível enfrentar a doença: "Ele vem se tratando durante esses anos e, em todo esse tempo, foi senador, fez campanha, foi nosso vice-presidente, assumiu a Presidência não sei quantas vezes, passeou, comeu, mostrou que é possível tratar a doença e ter uma vida relativamente normal."

A dedução natural, encampada por Hoff, Kalil e Srougi, foi que Alencar aprendeu desde muito pequeno a ultrapassar obstáculos. Ultrapassar e vencer, o que tem sido decisivo para sua resistência ao câncer, para sua longa e bastante razoável sobrevida.

"Acho que é a personalidade dele. O José Alencar é um homem que se fez na vida, que sempre enfrentou as adversidades de frente. A história de vida dele mostrava que ele não ia se entregar assim facilmente ao tumor", diz Hoff. "É um espírito de luta estoico, que compõe intensamente a personalidade dele, a alma dele. Ele é um estoico na acepção mais profunda da palavra", acrescenta Srougi.

Raul Cutait depõe: "O Alencar é um abençoado, e ele vivia perguntando para nós: 'Quero saber se estou curado.' É difícil, porque ele se sente curado ou em processo de cura e é uma sensação da Mariza, da família, uma sensação de fé. O que seria da medicina se não houvesse a fé?" E acrescenta: "Chega uma hora em que os cientistas confrontam a ciência com a religião. Isso é muito comum. E alguns se tornam completamente ateus, e alguns se tornam completamente religiosos, sem que a definição de Deus seja uma coisa clara, ou bem estruturada, transcendendo as próprias religiões."

Ele lembra que "sempre há perguntas que não são bem respondidas, como quando um tumor começa a regredir, regredir, regredir". Diz, então, quase refletindo em voz alta: "A pergunta que não é respondida é porque não tem uma explicação científica. E sempre há coisas que te deixam tão perplexo que você tem de questionar se existe alguma coisa acima de tudo isso."

Quando perguntava aos médicos se estava curado, ou quando ficaria curado, Alencar criava evidentemente um constrangimento na equipe.

Cutait resume o fio da navalha: "É impossível dizer que não, assim como também é impossível dizer que sim. Não dá para dizer que está curado nem que não está curado. O que dizemos é que a doença está controlada."

O médico lembra que "há uma coisa relativamente nova em câncer, porque você foge daquela dicotomia, ou cura ou morre". Funciona assim: "Você administra. Então, tem doentes com câncer que são administrados por anos e anos, e às vezes o cara morre de outra coisa."

E o dinheiro, não ajuda muito num desfecho feliz?

Para Kalil, o Brasil já tem bom atendimento público: "O SUS (Sistema Único de Saúde, que é público) tem excelente atendimento e institutos de ponta. No Incor, por exemplo, 80% das pessoas são carentes. Quem está realizando cateterismo lá? O mesmo que faz aqui no Sírio-Libanês. Quem está operando coração? É o Fábio Jatene, que é o mesmo que opera aqui."

Ele conclui: "É claro que, se tem um bom convênio, uma boa condição econômica, você vai estar num quartinho mais bonito, mas o resultado final é muito semelhante."

Há controvérsias. Aliás, o próprio Alencar reconhece:

"Eu tenho de me comparar com outras pessoas que têm um mal semelhante ao meu. Como elas estão? Será que têm todo esse apoio que tenho tido dos médicos e das enfermeiras do Sírio-Libanês, dos médicos e das enfermeiras da Presidência da República? Será que elas têm todo esse círculo de proteção que eu tenho? Não, nós sabemos que nem todas têm. O que me dá até mesmo um certo complexo de culpa, porque, afinal das contas, sou vice-presidente da República. Por que isso você tem e os outros não têm?"

E Paulo Hoff, o que acha?

"É uma pergunta difícil de responder. O dinheiro facilita, obviamente, algumas coisas. Ele tem acesso a médicos de renome internacional, de altíssimo nível, que diagnosticam bem, tratam bem, operam bem", admite Hoff, lembrando que o tratamento experimental nos Estados Unidos foi pago e foi caríssimo. Josué foi lá e pagou tudo com recursos da família.

Ressalvando que "o atendimento, mesmo o atendimento público, tem melhorado muito no Brasil", o médico admite que a situação financeira interfere, sim. Cita, inclusive, a "grande cirurgia", que obrigou Alencar a ficar um bom tempo na UTI.

"Ter a possibilidade de fazer um tratamento daquele, numa instituição como o Sírio-Libanês, com todo o apoio, com toda a excelência, realmente, ali, fez diferença", reconhece Paulo Hoff.

Alencar, que se orgulha da fama de pão-duro, ainda se dá o luxo de reclamar do preço de uma droga molecular que Hoff passou para ele e que fica em torno de R$ 12 mil por mês:

– Mas, doutor, esse remedinho que o senhor me dá é caro, hein?!

O argumento de Hoff é infalível:

– Presidente, mas está funcionando...

Já Miguel Srougi tem uma postura interessante. Seu consultório é muito disputado, claro, sobretudo pela gente endinheirada de São

Paulo. Sua forma de cobrar pelos préstimos é peculiar: pede ajuda para obras variadas em hospitais e escolas de medicina.

Foi assim que reformou a Escola Paulista de Medicina, reunindo 36 empresários e pedindo R$ 200 mil para cada um; o Hospital do Rim, passando o chapéu e juntando US$ 700 mil entre banqueiros e empresários como Roberto Setubal, Lázaro Brandão, Aloísio Faria e Abílio Diniz; a área de urologia do Hospital São Paulo, com 35 boas e ricas almas, num total de R$ 3 milhões em doações.

Na USP, liderou a reforma da Associação Atlética e do Centro Acadêmico e ainda construiu a casa onde se hospedam cerca de 100 estudantes carentes, do total de 1.200 da Medicina. E, no HC (Hospital do Câncer), capitaneia a construção de uma área cirúrgica só para doentes que não têm condições de bancar tratamentos caríssimos.

"Vai ser a mais moderna da América Latina", promete. E financiada por seus amigos e pacientes do mundo do grande capital.

"Alencar é muito participante. Ele e o Josué sempre me ajudaram", diz, recusando-se a falar em valores. Eles, mais ainda. Alencar e Josué adoram números, contas, jogos aritméticos, mas são duros de roer ao citar valores, seja em relação a campanhas políticas, seja aos custos do tratamento mais do que sofisticado do patriarca.

Ícone contra o Câncer

As pessoas prestam atenção, acompanham e torcem por Alencar, pobres ou ricas, mulheres ou homens, nortistas ou sulistas, católicas ou ateias, cultas ou semianalfabetas. Ele mobiliza uma espécie de afeto coletivo. E se sensibiliza com as manifestações dos brasileiros, a ponto de levar a sério as sugestões de tratamentos que recebe.

"Tudo o que ele recebe manda para a gente analisar", diz o coordenador de Saúde da Presidência, Waldemar Ferreira de Souza Filho. No início de 2010, uma pessoa desconhecida enviou para Alencar um saco plástico com folhas e uma garrafa com infusão. Num bilhete anexo, garantia que tanto a folha como o líquido apresentavam efeitos incríveis, quase milagrosos, contra tumores. O vice olhou e fez o de praxe: mandou aquilo tudo para o Dr. Waldemar. Pediu que investigassem se era verdade ou apenas mais uma crendice.

O médico despachou o material para o Instituto de Botânica de São Paulo. Foi confirmado então, depois de uma série de exames, que a planta continha não apenas um, mas quatro princípios ativos que poderiam ter efeitos curativos. Resultado: o Instituto de Botânica de São Paulo e a Unicamp (Universidade Estadual de Campinas) estão realizando estudos e trabalhos acadêmicos para o emprego das substâncias no tratamento de câncer em humanos.

Na montoeira de correspondências e mensagens que chegam para Alencar, algumas tocam fundo. Talvez a mais impactante seja a da advogada e procuradora aposentada da Unicamp Maria Hortência Ceglia Fontão Teixeira. Foi enviada em 11 de setembro de 2009 e está guardada na gaveta de Amaury na Vice-Presidência. Vira e mexe, Alencar recebe uma visita e disca o ramal do assessor:

– Traz "aquela" carta – ordena, sem precisar especificar qual.

Trata-se de uma crônica intitulada "Lição de Vida – homenagem a José Alencar":

"Dizem que Deus chama para si, primeiro, os melhores... (vide o caso de Dona Ruth Cardoso, que foi retirada abruptamente do nosso convívio).

Em assim sendo, um dia Deus olhou para José Alencar e pensou: 'Está na hora dele... Já se formou, já se casou, já teve filhos, constituiu patrimônio razoável com seu trabalho... é... vou chamá-lo para mim.' E vapt, lançou um câncer fatal no organismo do seu escolhido.

Internado no hospital, José Alencar recebe a visita de Deus:

– Vamos, Zé... Chegou a sua hora...

– Mas, Senhor – retruca José Alencar –, é tão cedo... preciso ver os meus netos...

– Mas você já os viu – responde o Senhor.

– Não, preciso ver os meus netos se formarem...

– Ah! Entendi... Pois bem, façamos o seguinte – propôs Deus –: se você aguentar a carga de seu sofrimento que está por vir, com certeza presenciará a formatura de seus netos...

– Obrigado, meu Deus, por Sua eterna bondade... – respondeu um José Alencar cheio de vida.

Pouco tempo depois, o segundo teste é lançado por Deus: novo câncer se instala no organismo de seu eleito.

De volta ao hospital, José Alencar recebe novamente a visita de Deus:

– E aí, Zé, vamos embora? – pergunta Deus.

– Mas será possível, sô? Basta eu entrar no hospital para dar uma guaribadinha na lataria que já vem o Senhor com essa conversa mole de novo?

Resignado, Deus foi embora sem levar o seu amigo.

Meses depois, a doença novamente pega de surpresa o predileto de Deus. Nova visita, nova despedida. Assim se passaram 12 anos.

Já cansado, Deus não aguentava mais aquele sujeitinho tinhoso que teimava porque teimava em continuar vivo.

Na 15ª cirurgia, o Senhor resolveu ter uma conversa definitiva com ele.

– Bom, Zé, agora já chega... realmente você está de parabéns pela sua persistência, mas seu tempo acabou... você já viu seus netos se formarem e até virou vice-presidente da República para melhor ajudar o seu povo... agora chega! Preciso de você lá no céu...

– Senhor, com todo o respeito, acho que mereço uma última oportunidade...

– Qual seria, Zé? – indagou Deus, já ressabiado.

– A de ver os meus bisnetos... – falou um aflito José Alencar.

– Ainda bem que eles já estão chegando... – retrucou um Deus mais aliviado.

– Não! – bradou Alencar. Quero ver os meus bisnetos SE FORMAREM!!!

Às gargalhadas, Deus não resistiu:

– Tá bom, Zé... você venceu... venha quando quiser... seu lugar ao meu lado estará eternamente reservado... eu lhe prometo não importuná-lo mais... – E finalizou o Senhor: – Se a metade dos políticos brasileiros tivesse a dignidade, a perseverança, o amor pelo próximo e, acima de tudo, a paixão pela vida que você tem, realmente o Brasil seria um país muito melhor.

E Deus finalmente foi embora."

A crônica é acompanhada de uma mensagem:

"Parabéns, senhor Vice-Presidente, principalmente para nós brasileiros que, com muito orgulho, ainda o temos entre nós.

Que Deus não quebre a Sua promessa e que o senhor, daqui a muito tempo, já muito velhinho, e com os bisnetos formados, finalmente diga: "Bom, minha gente... chegou a minha hora... deixo para vocês o meu maior patrimônio: a minha vida... e até semana que vem, se Deus quiser... e Ele há de querer, porque não sou eu quem vai ficar sentado ao Seu lado, sem fazer nada, por mais de uma semana...

Um belo dia, um vereador mineiro foi à Vice-Presidência e ficou ali, sem pressa. Papo vem, papo vai, a carta de Maria Hortência é mencionada. Faz-se o de praxe: pede-se uma cópia a Amaury. O vereador leu, gostou muito e guardou o nome da missivista. Meses depois, já no primeiro semestre de 2009, aprontou uma surpresa para o vice. A moça foi convidada para a homenagem da Câmara Municipal de Belo Horizonte a Alencar. Ela ficou escondida em algum lugar atrás do palco, até que foi chamada. Os dois, Alencar e a advogada, se encontraram assim, diante de uma plateia de centenas de pessoas. A emoção foi grande.

Alencar também ficou particularmente tocado quando, numa das sessões de quimioterapia no Sírio-Libanês, a portaria mandou entregar um DVD e uma cartinha manuscrita. A carta era de Lilian Gonçalves, filha do grande cantor Nelson Gonçalves. Ela ouvira Alencar mencionar numa entrevista que o artista foi seu cantor preferido. Pronto, caiu de amores por ele:

"Meu querido vice-presidente, eu choro de tristeza quando vejo o senhor entrar no hospital e fico muito feliz e emocionada ao vê-lo sair, pois o meu coração se enche de alegria e de esperança. Sempre fui sua fã. A sua trajetória de vida cristalina e transparente me encanta.

"Fiquei pasma quando o senhor declarou que é fã do meu querido e saudoso pai, o cantor Nelson Gonçalves, daí passei a me encantar mais ainda com o senhor. Dia após dia, o vi entrando numa cadeira de rodas no Hospital Sírio-Libanês e muito entristecida chorei, fiquei muito abalada e perguntei a Deus: 'Como um homem tão bom poderia estar sofrendo tanto?'"

Em sua resposta, José Alencar ratifica que Nelson Gonçalves é "indiscutivelmente o maior intérprete da música popular brasileira de todos os tempos". Lilian emoldurou a carta, pendurou na parede e ainda enviou cópia para 60 mil e-mails de amigos e clientes da Rede Biroska, do Bar do Boêmio, do qual é uma das sócias. Ela escreveu de volta:

"O Sr. está aí nos encantando, nos emocionando, nos alimentando de esperança. Hoje o senhor é o elixir do povo brasileiro e exemplo de bom humor, energia, perseverança, dedicação, garra, determinação e acima de tudo uma imbatível força de trabalho. É no senhor que nos inspiramos quando nos bate o fraquejo, o desânimo e a vontade de desistir de tudo. A sua força nos faz ter a certeza de que as dificuldades são para fazer-nos fortes, as tristezas para fazer-nos humanos e a esperança para fazer-nos felizes."

Alencar ficou sensibilizado por outra carta, de 29 de agosto de 2009. Não tanto pelos dizeres, mas pela ilustração: um desenho de página inteira no qual surge sadio, musculoso, vestido de Super-Homem e com o símbolo do herói de quadrinhos – um losango com o "S" dentro – no lugar do coração.

A autora, a estudante Luana Scheffler, de 15 anos, justificou o desenho:

"Passei para o papel exatamente como José Alencar é visto por mim e certamente pelo povo brasileiro. Um homem forte, corajoso, um símbolo de luta, de garra."

Em resposta, Alencar escreveu:

"Eu me senti mais forte na pele do Superman, isso graças à sua generosidade e talento, que me beneficiaram os traços. Muito obrigado. Suas palavras são um bálsamo para minha vida, e muito me estimulam a continuar o tratamento com otimismo, fé e confiança na proteção divina."

Havia, também, no meio da correspondência, artigos publicados em jornais com loas ao vice. Um deles, sob o título "O homem de ferro", foi escrito por Eduardo Povoas no *Diário de Cuiabá* (MT):

"Escrevo hoje sobre uma pessoa que há muito tempo vem dando ao povo brasileiro um exemplo de cidadania, de respeito, de convicção e acima de tudo de uma inabalável fé! Falo do cidadão José Alencar, não do vice-presidente da

República e muito menos do megaempresário. Há muito tempo que passei a admirar esta pessoa, admiração que aumenta consideravelmente quando assisto a sua luta sem precedentes, matando um leão por dia na ânsia de viver. (...) Meu respeito ao Zé da simpatia, ao Zé da simplicidade, ao Zé da inabalável fé, ao Zé que dá ao povo brasileiro um exemplo de vida, e ao Zé das Minas Gerais, berço de irmãos que, como ele, enchem de orgulho nossa nação."

Noutra feita, uma professora da Escola Ruth Dalva Ferraz Farão, de Itajobi, interior de São Paulo, passou como dever para a 6ª série, com alunos de 12 e 13 anos, uma redação para o vice-presidente da República. No fim, remeteu todas para Brasília, o que deixou destinatário e assessores encantados. Três exemplos:

Bruna Volpini:

"Não se entregue ao desânimo. Lute pela vida, mantendo sempre sua dignidade. Uma corrente de oração está sendo feita pela sua saúde e Deus, na Sua infinita misericórdia, irá derramar sobre o senhor o bálsamo da cura..."

César Júnior Souza Rios:

"Saindo dessa, senhor José Alencar, gostaria que se candidatasse para presidente, para que o Brasil ficasse melhor. Eu quero que o senhor fique muito bem e volte para ajudar nosso Brasil, que precisa muito da sua honestidade."

Marcos R. Swenson:

"Eu ouvi muito falar do senhor na sala de aula, televisão, revistas e jornais. Sei que não são notícias boas, mas, diferente de muitos políticos por aí, eu nunca ouvi falar que o senhor esteve em um escândalo político. O senhor é uma das poucas boas imagens da política, coisa que o Brasil precisaria ter em grande quantidade."

Ao final de uma sessão de quimioterapia no Sírio-Libanês, uma moça bonita, cabelos encaracolados e olhos azuis, retira delicadamente o cateter do peito de Alencar e beija sua testa. Chama-se Tábata Martins. É enfermeira e conta que o avô mandou um recado para Alencar quando já estava muito doente e soube que a neta ajudava a cuidar do vice-presidente:

– Diz que torço muito por ele, porque ele merece. É uma pessoa forte, de bem, determinada e eu tenho orgulho dele.

No início, Tábata ficou com vergonha, mas respirou fundo e finalmente tomou coragem e deu o recado literal para Alencar.

Quando o avô morreu, o vice-presidente da República em pessoa telefonou para o tio da moça, Marcos Martins, para dar os pêsames.

– Foi o gesto mais lindo do mundo! Ninguém acreditava, achava que era uma brincadeira – conta ela, emocionada.

Josué faz um balanço positivo da passagem espetacular do pai pela política ao falar da dupla Luiz Inácio Lula da Silva e José Alencar Gomes da Silva: "Talvez nunca antes na história deste país presidente e vice-presidente, com jeitos bastante diferentes entre eles, tenham conquistado tanta simpatia e tenham cativado tanto a população. E por razões diferentes."

Segundo José Alencar, seu grande aprendizado durante o martírio da luta contra o câncer foi, além da perseverança, a humildade:

"Não reclamo de nada, mas a vida é muito difícil. Uma das coisas boas trazidas pelo meu problema de saúde foi a humildade. Eu não tinha noção da importância da humildade. Hoje, eu tenho, tanto que gosto de repetir a máxima do Cervantes de que 'a humildade é a mais importante de todas as virtudes, tão importante que, sem ela, não há virtude que o seja'."

E oferece um exemplo singelo, quase uma lição:

"Quando você chegar mais cedo numa reunião na casa de um amigo, não sente na principal cadeira, escolha uma mais discreta, num canto mais modesto. Se você sentar no lugar privilegiado, é muito provável que seu amigo, o dono da casa, vá precisar dele para alguma autoridade, algum convidado mais importante, que venha a chegar depois de você. E você vai ser obrigado a se submeter a uma situação constrangedora como essa. Mas, se você sentou no pior lugar, é muito provável que ele venha convidá-lo para um lugar melhor. Ainda que seja só ligeiramente melhor, ainda assim será uma homenagem que ele estará prestando a você. Isso é um ensinamento."

Por fim, Alencar explica como tem exercido a humildade recém-descoberta:

"Tenho pedido a Deus que me dê humildade. Toda a vida, fui muito atrevido. Se não fosse atrevido, não teria saído de onde eu estava. Agora, tenho pedido a Deus que me dê humildade. Jesus Cristo matou a pau quando disse que 'os humildes serão exaltados e os exaltados serão humilhados'. Pode observar na sua própria vida o quanto isso é verdade. Todas as vezes que você se exalta, por alguma coisa ou em algum momento, você corre risco."

Alencar também sugere importantes dicas a quem passa por uma luta e um sofrimento como o dele, longo, profundo, muitas vezes sem enxergar a luz no fim do túnel:

"Ensino a obedecer a orientação médica e a ter bom humor, porque mau humor não ajuda mesmo. Se você não quer nada, não quer fazer nada, não quer conversa com ninguém, você está morto."

Ele reflete:

"Estou nessa situação. Vou ficar triste, vou ficar desesperado ou coisa que o valha? Não, tem de reagir, de ir em frente."

É preciso manter a garra até o fim:

"Eu não titubeio. Se é preciso fazer, é feito. Vou te dar um dos segredos: é, provavelmente, não ter medo da morte. O que eu tenho medo é da desonra, porque um homem honrado não morre nunca, e o homem que perdeu a honorabilidade morre em vida. Pensa que está vivo, mas as pessoas o evitam, não querem conhecê-lo, não querem conviver com ele, fazem questão de dizer que não o conhecem."

Em outras palavras, Alencar estava repetindo o principal ensinamento de seu pai, Antônio, quando ele pediu a bênção, aos 14 anos, para sair de casa e ganhar o mundo:

– O importante na vida é poder voltar.

Este livro foi composto em Adobe Jenson e Trajan,
impresso em papel Pólen Soft 80 g/m², na
Lis Gráfica e Editora Ltda.